Thomas Bernhard
Das Kalkwerk

Roman

Suhrkamp

Umschlagfoto: Erika Schmied

20. Auflage 2014

Erste Auflage 1973
suhrkamp taschenbuch 128
© Suhrkamp Verlag Frankfurt am Main 1970
Suhrkamp Taschenbuch Verlag
Druck: Druckhaus Nomos, Sinzheim
Printed in Germany
Umschlag: Göllner, Michels, Zegarzewski
ISBN 978-3-518-36628-8

Anstatt daß ich aber während des Aufundabgehens an die Studie denke, soll er zu Wieser gesagt haben, zähle ich die Schritte und werde dadurch halb verrückt.

Verhältnis von Experiment u. Folter (Erzwingung von Wahrheit)

Grammophon: reines Wiedergabemedium (passiv, rezeptives Hören)

Konrad zu Wieser

Höller

Fro

anonymer Erzähler: Vertreter, Lebensversicherungsverkäufer → Mediator

Experimentalanordnung: ich

Halluzinationen durch Isolation

Horror vacui ←→ Amor vacui
(Angst vor der Leere) (Lust an der Leere)

Viktor

Urlandschitsch:

pädagogisches Aufschreibproblem:
Figuren Bernhards schreiben nie Werte,

Fäustling als Parallele zur Studie

— auf Gesellschaft ausgerichtet, aber letztendlich egoistisches Ziel

— zum Scheitern u. ewigen wiederholten Versuch verurteilt

— brauchen beide zur Erlangung ihres Ziels den Anderen

Thomas Bernhard, 1931 geboren, starb 1989 in Oberösterreich. Sein Werk im Suhrkamp Verlag ist auf Seite 213 dieses Bandes verzeichnet.

In der Nacht vom 24. zum 25. Dezember erschießt Konrad seine verkrüppelte, seit Jahren an den Rollstuhl gefesselte Frau. Zwei Tage später findet ihn die Polizei halb erfroren in einer ausgetrockneten Jauchegrube. Er läßt sich widerstandslos abführen.

Thomas Bernhard beschreibt in seinem Roman Konrads Gründe für diese Tat. Er erzählt die Geschichte einer zunehmenden Irritation. Verletzungen in der Kindheit werden berichtet, Konrads Vorstrafen wegen Ehrbeleidigung erwähnt, der notwendige Kauf des Kalkwerks, dieser schrecklichen Idylle, dargestellt, das zwanghafte Verhältnis mit seiner Frau zergliedert, die Unerträglichkeiten des Alltags dechiffriert.

Die Rekonstruktion der Vorgeschichte enthüllt den Prozeß der Vereinsamung. Dem Zustand der vollkommenen »Gesellschaftslosigkeit« entspricht die Beschränkung der physischen und psychischen Existenz. »Organstillegungen« steigern die Gehirntätigkeit, intensivieren das Hinhören und Erkennen. Konrad arbeitet jahrzehntelang an einer Studie über das Gehör, »das philosophischste aller Sinnesorgane«. Seine Frau, er selbst, die ganze Umwelt werden ihm zu Objekten des Experimentes, das Unhörbare zu hören, das Erkannte mitzuteilen. Als diese allein auf den »Wörterverkehr« gestellte Kommunikation zur »exemplarischen Wortlosigkeit« wird, stellt sich der Tod ein.

...wie Konrad vor fünfeinhalb Jahren das Kalkwerk gekauft hat, sei das erste die Anschaffung eines Klaviers gewesen, das er in seinem im ersten Stock gelegenen Zimmer habe aufstellen lassen, heißt es im Laska, nicht aus Vorliebe für die Kunst, so Wieser, der Verwalter der mußnerschen Liegenschaft, sondern zur Beruhigung seiner durch jahrzehntelange Geistesarbeit überanstrengten Nerven, so Fro, der Verwalter der trattnerschen Liegenschaft, mit Kunst, die er, Konrad, hasse, habe sein Klavierspiel nicht das Geringste zu tun gehabt, er improvisierte, so Fro, und habe, so Wieser, an jedem Tag eine sehr frühe und eine sehr späte Stunde bei geöffneten Fenstern und bei eingeschaltetem Metronom auf dem Instrument dilettiert...

...das zweite sei, einerseits aus Furcht, aus Leidenschaft für die Handfeuerwaffen andererseits, der Kauf einer größeren Anzahl von älteren, aber doch exakt funktionierenden Gewehren der Marken Wänzl, Vetterli, Gorosabel, Mannlicher etcetera aus dem Besitz des im Vorjahr verstorbenen Forstrates Ulrich gewesen, mit welchen Konrad, ein von vornherein durch und durch scheuer Menschentypus (Wieser), in gesteigertem Maße furcht- und wachsam geworden vor allem im Hinblick auf die noch nicht lange zurückliegenden, noch immer unaufgeklärten Morde an den Landwirten Mußner und Trattner, das Kalkwerk gegen Einbrecher und überhaupt gegen sogenannte *Fremdelemente* schützen wollte...

...seine durch jahrzehntelange falsche Medikamentenbehandlung schon beinahe gänzlich verkrüppelte, die Hälfte ihres Lebens in einem speziell für sie konstruierten französischen Krankensessel hockende Frau, eine geborene Zryd, der jetzt, wie Wieser sagt, nichts mehr weh tue, habe Konrad im Umgang mit einem Mannlicher-Karabiner angelernt, den die sonst vollkommen Wehrlose hinter ihrem Krankensessel versteckt immer in

7

entsichertem Zustand griffbereit hatte; mit dieser Waffe hat Konrad sie in der Nacht vom vierundzwanzigsten auf den fünfundzwanzigsten Dezember mit zwei Schüssen in den Hinterkopf (Fro), mit zwei Schüssen in die Schläfe (Wieser), urplötzlich (Fro), am Ende der konradschen Ehehölle (Wieser), erschossen. Auf die geringste Bewegung in Kalkwerksnähe feuerte er, heißt es im Laska, und er habe, wie bekannt, vor viereinhalb Jahren, also schon kurz nach seinem Einzug, dem nach Feierabend mit Rucksack und Rechen am Kalkwerk vorbeigehenden Holzfäller und Wildhüter Koller, den er für einen Einbrecher gehalten hat, in die linke Schulter geschossen und ist in der Folge zu neuneinhalb Monaten schweren Kerkers verurteilt worden. Bei dieser Gelegenheit waren an die fünfzehn Vorstrafen Konrads, größtenteils wegen sogenannter Ehrenbeleidigung und wegen sogenannter leichter und schwerer Körperverletzung, zum Vorschein gekommen, heißt es im Laska. Konrad verbüßte die Strafe im Kreisgericht Wels, in welchem er auch jetzt inhaftiert ist...

...von Ausnahmen, Interessenten an seiner zweifellos exzentrischen, gleichzeitig aber auch unauffälligen Person abgesehen, hätten ihn nach und nach alle geschnitten; einerseits wollten die Leute sein Geld, andererseits nichts mit ihm zu tun haben. Ich selbst bin Konrad mehrere Male auf der Straße nach Lambach, mehrere Male auch auf der Straße nach Kirchham begegnet, zweimal im Hochwald und von ihm jedesmal augenblicklich in ein mehr oder weniger rücksichtsloses medizinisches oder politisches oder ganz einfach naturwissenschaftliches oder medizinisch-politisches oder naturwissenschaftlich-politisches oder medizinisch-politisch-naturwissenschaftliches Gespräch verwickelt worden, darüber später...

...im Lanner heißt es, Konrad habe seine Frau *mit zwei* Schüssen, im Stiegler *mit einem einzigen* Schuß, im Gmachl *mit drei* und im Laska *mit mehreren* Schüssen getötet. Klar ist, daß bis jetzt außer den Gerichtssachverständigen, wie man annehmen muß, kein Mensch weiß, mit wie vielen Schüssen Konrad seine Frau umgebracht hat...

...die für den fünfzehnten angesetzte Verhandlung aber wird in die sich mit der Zeit merkwürdigerweise immer mehr verfinsternde Finsternis in Zusammenhang mit der Erschießung der Konrad durch ihren Mann Licht hineinbringen, wenn auch, wie Wieser meint, nur ein juristisches Licht...

... entgegen der noch im Jänner verbreiteten Annahme, Konrad habe sich nach der sogenannten Bluttat selbst gestellt, weiß man heute, daß er sich überhaupt nicht gestellt hat, im Laska, wo ich gestern gleich drei der neuen Lebensversicherungen habe abschließen können, heißt es, die Gendarmen hätten ihn erst nach zweitägiger Suche schließlich in der ausgetrockneten und ausgefrorenen Jauchengrube hinter dem Kalkwerk entdeckt. Gesagt wird folgendes: die Gendarmen seien, nachdem sie von dem sogenannten Hausknecht Höller von der unheimlichen Stille im Kalkwerk verständigt worden waren, gewaltsam ins Kalkwerk eingedrungen und hätten die in ihrem Krankensessel Ermordete entdeckt, von ihrem Mann aber, den sie unschwer sofort als den Mörder der Konrad hatten identifizieren können, keine Spur. Das ganze Kalkwerk von oben bis unten hätten sie mehrere Male mit der größten Sorgfältigkeit durchsucht, schließlich auch das vom Höller bewohnte Zuhaus und schließlich die anderen umliegenden Gebäude, auch die unmittelbar an das Kalkwerk angrenzenden Waldstücke, vergeblich. Erst am zweiten Tag habe der Hilfsgendarm Moritz die morschen Bretter der Jauchengrube aufgehoben und darunter den halb erfrorenen Konrad entdeckt, der sich im Zustand der vollkommenen Kraftlosigkeit, wie sich denken läßt, anstandslos festnehmen und ins Kalkwerk, sofort in das Mordzimmer habe führen lassen, in welchem inzwischen die tote Konrad durch einen vom Dachboden heruntergeschleiften alten Strohsack ersetzt worden war. Konrad durfte, noch bevor er Angaben über den Hergang der Tat machen mußte, frische Kleider anziehen, die Gendarmen drängten ihn aber während des Aus- und Anziehens zur Eile, heißt es, weil sie möglichst rasch mit ihm nach Wels wollten. Erst als Konrad sie auf mehrere volle Schnapsflaschen, die im Mordzimmer herumstanden, aufmerksam machte und sie ermunterte, sie möchten doch die Schnapsflaschen austrinken, ließen sie sich plötzlich Zeit, heißt es. Die

Schnapsflaschen waren ihnen jetzt, nachdem sie mit Konrad so viel Mühe gehabt hatten, gerade recht und angeblich haben die Gendarmen die vier oder fünf oder gar sechs Schnapsflaschen im Arrestantenwagen auch zur Gänze ausgetrunken, um sie aber tatsächlich bis zum Kreisgericht Wels bis zur Gänze austrinken zu können, hätten sie schon gleich hinter Sicking einen sechzig oder siebzig Kilometer langen Umweg über die Krems gemacht, von Sicking bis Wels hätten sie zweieinhalb Stunden gebraucht, für eine Strecke also, die sie in einer knappen halben Stunde hätten zurücklegen können, zweieinhalb Stunden und in Wels sei ihnen Konrad, weil er sich durch die Handschellenfesselung nicht selbst am Arrestantenwagen habe anhalten können, wahrscheinlich, weil ihm einer der Gendarmen einen Stoß versetzt hat, kopfüber aus dem Arrestantenwagen herausgefallen, er sei nur mit grauen Walksocken bekleidet gewesen, weil sie ihm aus Zeitmangel, wie sie angegeben haben sollen, keine Möglichkeit gelassen haben, Schuhe anzuziehen, die Schuhe, die Konrad angehabt hatte, wie sie ihn aus der Jauchengrube herausgezogen hatten, seien von der Jauche derartig vollgesoffen gewesen, daß er sie zwar aus- aber nicht mehr anziehen habe können; andere Schuhe anzuziehen und das heißt, aus seinem Zimmer zu holen, war ihm durch die Hast und, so Wieser, durch die Unmenschlichkeit der Gendarmen nicht gestattet gewesen, bei der großen Kälte hätte Konrad keinesfalls ohne Kopfbedeckung abtransportiert werden dürfen, sagt Fro, Konrad sei in einem Alter, in welchem schon die geringste Verkühlung verheerende Folgen haben, ja unter Umständen ein kurzer Luftzug gegen den Hinterkopf zum Tode führen könne, aber tatsächlich sei es auch lächerlich, in Anbetracht der Ungeheuerlichkeit des Vorgefallenen und vor allem im Hinblick auf die Tatsache, daß Konrad über zwei Tage lang bei großer Kälte, vor allem in der beißenden Nachtkälte in der Jauchengrube zugebracht und offensichtlich davon keinen größeren Schaden davongetragen hat, jetzt, wo er ja schon wieder trockene und verhältnismäßig warme Kleider anhabe, sich an der Tatsache zu stoßen, daß er nur in Walksocken und nicht in Schuhen sei, zuerst hätte Konrad von den Gendarmen verlangt, sie sollten ihm aus seinem Zimmer seine bis zu den Knöcheln hinunterreichende Lederhose herbringen, die er anziehen wolle, weil ihn die Lederhose auf das Verläßlichste gegen Erkältung schütze, aber der Hilfsgendarm Moritz, der in Konrads Zimmer hinunter ist, habe sich nicht nach dem Verlangen des Konrad gerichtet und sei anstatt mit der Lederhose mit einer gewöhnlichen schwarzgrauen Lodenhose erschienen, mit Lodenhose und Lodenrock, hätte die Kleidungsstücke, Unterwäsche, Hemd, Walksocken, auch ein Schneuztuch, vor Konrad auf den Boden geworfen und ihm anbefohlen, er möge sich raschest umkleiden. Der Gendarm Halbeis, der in der Zwischenzeit den Konrad mit dem Gewehrkolben in die Schreibtischecke gedrückt hatte, offensichtlich traute Halbeis dem völlig wehrlosen und, wie sich Fro ausdrückt, vollkommen gleichgültigen Konrad Widerstand zu, soll zu Konrad mehrere Male *Mörder* gesagt haben, was den Bezirksrichter, den das Wort *Mörder* aus dem Munde von Halbeis gleich bei seinem Eintreffen im Mordzimmer zu der Bemerkung veranlaßt haben soll, den Gendarmen stehe es nicht zu, Konrad schon jetzt als *Mörder* zu bezeichnen. Die Gendarmen hielten sich aber nicht an diese, wie Wieser meint, korrekte Belehrung, sondern sagten immer wieder zu Konrad *Mörder,* auch während der Bezirksrichter noch anwesend war, offensichtlich hatte der Bezirksrichter nicht bemerkt, daß die Gendarmen Konrad weiter als *Mörder* bezeichneten, obwohl der Bezirksrichter ihnen verboten hatte, Konrad als *Mörder* zu bezeichnen. Der Hilfsgendarm Moritz soll übrigens die in ihrem Krankensessel völlig zusammengesunkene Konrad, deren Kopf durch den Schuß oder durch die Schüsse aus dem Mannlicher-Karabiner zur Gänze zerfetzt gewesen sein soll, ganz gegen die Vorschrift gerade gerichtet haben, und zwar in einem Augenblick, in welchem der Gendarmerieinspektor Neuner das Mordzimmer für einen Augenblick verlassen hatte, wahrscheinlich, vermutet Wieser, um mit Höller, der zu diesem Zeitpunkt im oberen Vorhaus gestanden war, zu reden, etwas aus dem am meisten mit dem Kalkwerk vertrauten Manne herauszubringen, also gleich nach Entdeckung der Bluttat, weil er befürchtete, daß der schwere Körper der Frau durch die ständig sich vergrößernde Gewichtsverlagerung plötzlich aus dem Sessel heraus und auf den Holzboden fallen könnte. Der Bezirksrichter nannte dieses Vorfalls am Rande wegen Moritz einen noch grünen Stümper, sagt Fro. Dem Lokalredakteur Lanik, einem der übelsten Charaktere, soll der Zutritt zum Kalkwerk verweigert worden sein. Wieser spricht auch vom zertrümmerten Handgelenk der Konrad, Beweis dafür, daß die Konrad die Hände vor dem Gesicht hatte, als der Schuß fiel. Fro gebraucht immer wieder das Wort *Unkenntlichkeit,* ununterbrochen sagt er *blutüberströmt...*

...im Laska heißt es, Konrad habe die Tote zuerst aus ihrem Zimmer heraus ins obere Vorhaus und dort zu dem über dem Wasser gelegenen Fenster zu schleifen versucht, wie alle, die einen umgebracht haben, glaubte auch Konrad, sich der Ungeheuerlichkeit bewußt geworden (Wieser), das Opfer beseitigen zu können, und was war näherliegend, als den Leichnam durchs Vorhaus ans Fenster zu schleifen und am Ende des Vorhauses, mit einem größeren Gegenstand aus Eisen oder Stein, wie Fro meint, ganz einfach aus dem Fenster fallen zu lassen, dazu hätten sich ihm zwei unter dem wasserseitigen Fenster gelegene Marmorblöcke, die ursprünglich für den Türstock bestimmt gewesen waren, aber dann doch von dem Vorbesitzer des Kalkwerks, des Vetters Konrads, Hörhager, nicht zu diesem Zweck verwendet worden waren, weil Hörhager sich für einen Türstock aus Tuffstein und nicht für einen solchen aus Marmor entschlossen hatte, förmlich angeboten, er, Fro, sei überzeugt, daß im Laufe des Prozesses noch von den beiden Marmorblöcken die Rede sein werde, aber Konrad habe schon bald einsehen müssen, daß er die Leiche nicht ans wasserseitige Fenster schleifen könne, dazu war er tatsächlich zu schwach und wahrscheinlich war ihm auch plötzlich zu Bewußtsein gekommen, daß es sinnlos sei, die Tote aus dem Fenster ins Wasser zu werfen, denn schon ein mittelmäßiger Kriminalist hätte diese von Wieser als recht plump bezeichnete Methode, sich des Mordopfers zu entledigen, in der kürzesten Zeit aufgedeckt, zu Anfang glaubten Untäter immer, das Unsinnigste zur Tatverwischung unternehmen zu müssen, und was wäre in diesem Falle unsinniger gewesen, als die Konrad aus dem Fenster zu werfen, ungefähr in der Mitte des oberen Vorhauses habe Konrad das Vorhaben, die Tote ans wasserseitige Fenster zu schleifen und hinauszuwerfen, aufgegeben, möglicherweise wollte er auch plötzlich die Leiche gar nicht mehr wegschaffen, wie Fro vermutet, und er habe die stärker und stärker Blutende wieder in ihr Zimmer zurückgeschleift und unter Zuhilfenahme aller seiner Kräfte wieder in ihren Sessel gesetzt, wie die Rekonstruierung ergeben hat, Konrad selbst habe zugegeben, daß ihm die Tote in dem Bemühen, sie wieder in ihren Sessel zu setzen, mehrere Male unter seinen Armen durch auf den Holzboden gefallen sei, über eine Stunde habe er gebraucht, um den leblosen, ihm immer wieder entgleitenden schweren Frauenkörper in den Sessel hineinzubringen. Wie er die Tote endlich im Sessel hatte, sei er so erschöpft gewesen, daß er neben dem Sessel zusammengebrochen sei...

...unmittelbar nach der Tat, habe er angegeben, sei er wie für immer wahnsinnig geworden durch das ganze Kalkwerk gerannt, von oben bis unten und von unten bis oben, und wie er sich, stehengeblieben, im oberen Vorhaus auf die wasserseitige Fensterbank gestützt habe, sei ihm der Gedanke eingefallen, die tote Frau durch das wasserseitige Fenster zu werfen. Anhand der Blutspuren im ganzen Kalkwerk wisse man genau, wie und wo Konrad durch das Kalkwerk gerannt ist, seine Aussagen, die unschwer zu überprüfen gewesen waren, seien richtig, Fro meint auch, daß Konrad keinen Grund habe, nicht die Wahrheit zu sagen, das sei ja gerade das Charakteristische an Konrad, daß er in seinem Leben immer ein sogenannter Wahrheitsfanatiker gewesen sei, so auch jetzt. Im Gmachl ist gesagt worden, Konrad habe die Frau kaltblütig von hinten erschossen, habe sich überzeugt, ob die Angeschossene auch wirklich tot sei, und habe sich augenblicklich gestellt. Im Laska ist auch gesagt worden, der Kopf der Konrad sei durch einen Schuß in die linke Schläfe zertrümmert worden. Ist von der Schläfe die Rede, heißt es abwechselnd die rechte oder die linke. Im Lanner ist auch gesagt worden, Konrad habe seine Frau mit einer Hacke erschlagen und erst, nachdem er sie schon mit der Hacke erschlagen gehabt hatte, mit dem Mannlicher-Karabiner angeschossen, daraus ersehe man, daß es sich bei Konrad um einen Verrückten handle. Im Laska sagten sie, Konrad habe seiner Frau den Mannlicher-Karabiner am Hinterkopf angesetzt und erst nach ein oder zwei Minuten abgedrückt, sie habe gewußt, wie sie den Lauf an ihrem Hinterkopf spürte, daß er sie jetzt umbringen werde, und habe sich nicht gewehrt. Wahrscheinlich habe er sie, heißt es im Stiegler, auf ihren eigenen Wunsch erschossen, ihr Leben sei nichts als qualvoll und an jedem Tag eine noch größere Qual als an dem vorausgegangenen gewesen und es sei gut, daß die Arme, als die sie fast immer und überall bezeichnet wird, tot sei. Konrad hätte sich aber, nachdem er seine Frau erschossen hat, selbst erschießen sollen, heißt es, denn jetzt erwarte ihn das Fürchterliche einer zweifellos lebenslänglichen Strafanstalts- oder Irrenhaushaft ...

... aber ein Mensch, der einen ihm Nahestehenden umbringt, sagt Fro, sei weit entfernt von Folgerichtigkeit ...

... der Bezirksrichter soll zu den umstehenden Gendarmeriebeamten gesagt haben, das auf dem Boden liegende Hirn der Toten erinnere ihn in Beschaffenheit und Farbe an Emmentalerkäse, sagt Wieser. Höller bestätigt diese Aussage. Über Konrad selbst soll der Bezirksrichter gesagt haben, er habe Schriddesche Krebshaare usf ...

... tatsächlich habe Konrad im Zimmer seiner Frau wochenlang eine Hacke versteckt gehabt, eine ganz gewöhnliche Holzhacke, er, Konrad, habe aber seine Frau nicht mit dieser Hacke erschlagen, sagt Höller, sondern erschossen, die Hacke sei wochenlang hinter dem Krankensessel auf der Fensterbank gelegen und dort verstaubt. Als Tatzeit wird drei Uhr früh vermutet, aber es ist auch von anderen Zeiten die Rede, so heißt es im Lanner immer wieder, Konrad habe seine Frau um *vier Uhr* früh umgebracht, im Laska, um *ein Uhr,* im Stiegler, um *fünf Uhr* früh, im Gmachl um *zwei.* Niemand, auch Höller nicht, hat einen Schuß gehört. Während er selbst das Sickinger Kalkwerk als den einzigen ihm noch möglichen Ort bezeichnete, sagt Wieser, sei ihm, Konrad, Sicking in Wahrheit nach und nach und in den letzten beiden Jahren, so Fro, mit geradezu bösartiger Schnelligkeit zum Verhängnis, im Grunde ihm selber auf das Tödlichste bewußt zu einer einzigen deprimierenden Niederlage geworden, Wieser sagt auf seine Art ganz pathetisch: zur Tragödie. Während er, Konrad, schon sehr früh alles versucht habe und auch alles getan habe, in den Besitz des Kalkwerks zu kommen, das zwar immer schon in der Familie der Konrad, aber durch Erbschliche, wie Konrad einmal Fro anvertraut haben soll, zwischen den beiden Weltkriegen in die Hände von Konrads Neffen Hörhager gespielt worden sei, das Kalkwerk käuflich zu erwerben, war an die drei oder gar vier Jahrzehnte Konrads Wunschtraum gewesen, der sich, das muß gesagt werden, meinte Fro, immer schwieriger, aber dann auf einmal doch über Nacht, wie Wieser meint, verwirklichen habe lassen, Konrad habe schon in der Kindheit an der Vorstellung gearbeitet, sich einmal im Kalkwerk niederzulassen, meint Fro, von frühester Jugend an habe er den Plan, einmal in das Kalkwerk einziehen und in ihm hausen zu können, verfolgt, Besitz zu ergreifen von dem alten Mauerwerk, den Rest des Lebens in der, wie Konrad selbst einmal zu Fro gesagt haben soll, absoluten Isolierung von Sicking auf seine ihm mehr und mehr zur Notwendigkeit gewordenen intensiven Art und vor allem immer von seinem ihm tatsächlich noch immer vollkommen gehorchenden Kopfe aus zu verbrauchen, habe er sich schon früh vorgenommen, aber der unaufhörlich von seinem Neffen Hörhager in die Höhe getriebene Kaufpreis und das fortwährende Ja und Nein des Neffen, den Verkauf des Kalkwerks an Konrad betreffend, die ihn, Konrad, geradezu sadistisch anmutende fortwährende Willensänderung des Neffen, der alle Augenblicke einmal zusicherte, das Kalkwerk zu verkaufen, dann aber wieder plötzlich von einem Verkauf an Konrad nichts wissen wollte, der immer wieder drohte, er werde wohl das Kalkwerk verkaufen, aber nicht an Konrad, dann wieder versprach, das Kalkwerk nur an Konrad zu verkaufen, der an einem Tag Konrad die Zusicherung gab, das Kalkwerk zu verkaufen, am nächsten diese Zusicherung wieder zurückzog oder von einer solchen an Konrad gegebenen Zusicherung auf einmal immer wieder nichts mehr wissen wollte, dieses ständige Verkaufenwollen und Nichtverkaufenwollen, die unaufhörliche, in Wahrheit durch nichts gerechtfertigte Preishinauftreibung (Fro), von Tag zu Tag hatte das Kalkwerk einen höheren, immer einen immer noch höheren Preis, zermürbten Konrad, aber er wäre nicht er selbst gewesen, wenn er nicht gegen und vor allem gegen alle diese, wie er gesagt haben soll, unmenschlichen Widerstände schließlich doch in den Besitz des Kalkwerks gekommen und in das Kalkwerk eingezogen wäre. Während man aber also ruhig sagen kann, meint Wieser, daß Konrad jahrzehntelang alles getan habe, um schließlich und endlich in den Besitz des Kalkwerks zu kommen und mit immer rücksichtsloserer Schärfe diesen Plan vorangetrieben und verfolgt und eines Tages tatsächlich verwirklicht habe, habe seine Frau, die, und das hängt mit ihrer Verkrüppelung und Unbeweglichkeit zusammen, solange sie im Kalkwerk gelebt hat, außer dem Höller, dem Bäcker, dem Rauchfangkehrer, dem Friseur, dem Gemeindearzt und der Störschneiderin kein Mensch je zu Gesicht bekommen hat, die Konrad, von welcher gesagt wird, daß sie zwar verkrüppelt, aber von großer Schönheit gewesen sei, habe also die Konrad alles versucht und auch alles getan, um nicht in das Kalkwerk gehen zu müssen, er, ihr Mann, meint Wieser, habe naturgemäß immer nur an seine Studie gedacht, für die ihm immer das Kalkwerk als ein ideales erschienen war, sie aber befürchtete schon zu der Zeit, in welcher ihr Mann die ersten, damals von ihr kaum noch ernst genommenen Gedanken an das Kalkwerk, wie sie später immer wieder gesagt habe, regelmäßig, ja mit einer in der Folge zunehmenden leidenschaftlichen Gewohnheit, gehabt habe, daß ihr ja schon genug trauriges Leben mit der Verwirklichung des Vorhabens ihres Mannes, ins Kalkwerk einzuziehen, in eine mehr oder weniger fürchterliche Existenz einmünden werde, was sich auch, wie man heute weiß, bewahrheitet hat; sie hat nach Toblach, in ihren Elternort und in ihr Elternhaus, zurückgehen wollen, aber nach Toblach zurückgehen hätte für ihn nichts anderes als die endgültige Aufgabe seiner Studie und also auch seines Existenzzweckes und in der Folge auch für seine Frau, in Wahrheit Konrads Halbschwester, nichts anderes als die totale mutwillige Existenzvernichtung noch dazu im Ausland bedeutet, denn die Abhängigkeit seiner Frau von ihm war die vollkommenste, die man sich vorstellen kann, sagt Wieser, und es habe in jedem Falle immer nur eine tödliche Wirkung, aus Verzweiflung und Ratlosigkeit und letzter Lebensanstrengung und also aus doppelter Verzweiflung und doppelter Ratlosigkeit, weil man ganz einfach keinen anderen Ausweg mehr weiß und weil man weiß, daß es ganz einfach keinen Ausweg mehr gibt, keinen Ausweg mehr geben kann, schließlich das Elternhaus im Elternort und in der Elternlandschaft wieder aufzusuchen, den sogenannten Rettungsort. Tatsächlich wäre seiner Frau immer Toblach als der alleridealste Rettungsort unter allen anderen Rettungsorten im Gedächtnis gewesen, das alleridealste Toblach fortwährend im Gegensatz zu dem für sie furchtbaren Sicking, das sie fürchtete. Aber gerade nach Sicking sind die beiden gegangen, er, sagt Fro, habe sich durchgesetzt, sie habe das Kalkwerk immer gehaßt, sie habe immer alles versucht, ihn von der Idee, in das Kalkwerk zu gehn, abzubringen, seinen Neffen Hörhager habe sie zuerst zu überreden versucht, das Kalkwerk nicht oder jedenfalls nicht an Konrad zu verkaufen, dann habe sie den Neffen Konrads zu bestechen versucht, habe dem Neffen, sagt Fro, sogar eine sechsstellige Summe angeboten, für den Fall, daß er das Kalkwerk nicht an Konrad, sondern an einen andern verkauft, schließlich habe sie dem Hörhager gedroht, ihn abwechselnd erpreßt und gewarnt und ihm gedroht, aber das alles habe nichts genützt, sagt Fro, Konrad habe sich durchgesetzt, wie er sich immer und in jedem Falle immer durchgesetzt habe, wie Fro sagt. Und die fünfeinhalb Jahre, die die Konrads in Sicking waren, hätten ihm, Konrad, nach Aussage Wiesers, bewiesen, daß seine Entscheidung und seine Rücksichtslosigkeit, aus der für ihn schon jahrzehntelang nutzlosen und reizlosen, wie ihm immer vorgekommen sei, ständig als eine völlig geschichtsfeindliche, auf der Stelle tretenden Welt heraus, seiner Studie und dadurch ihrer beider Existenz zuliebe in das Kalkwerk zu gehen, und zwar in kein von ihnen nur gemietetes, sondern von ihnen rechtmäßig gekauftes, denn Hörhager habe Konrad ja angeboten, ihm das

Kalkwerk, wie üblich, auf zwölf oder gar auf vierundzwanzig Jahre zu vermieten, was Konrad immer strikt abgelehnt habe, wie Wieser sagt, weil das gänzlich seiner Natur entspreche, daß also seine Entscheidung und seine Rücksichtslosigkeit die richtige Entscheidung und die richtige Rücksichtslosigkeit gewesen wären. Ab und zu, habe Konrad zu Fro gesagt, wären in den ersten Sickinger Jahren im Kopf seiner Frau noch recht oft das Wort und der Begriff Toblach aufgetaucht, immer nur das Wort Toblach, sagt Fro, niemals Tobiacco, dieser Kindheitsbegriff sei ihr oft stundenlang durch den Kopf und schließlich durch ihr Zimmer und in der Folge immer auch durch das ganze Kalkwerk gegeistert, aber immer weniger oft, soll Konrad zu Fro gesagt haben. Auf dem sogenannten Kaltmarkt soll Konrad noch vor einem Jahr zu Wieser gesagt haben, daß es den Anschein habe, als tauchte Toblach jetzt auf einmal nicht mehr auf, der Begriff Toblach spiele auf einmal keine Rolle mehr, seine Frau habe Toblach aufgegeben, wie ihm scheine, indem sie Toblach aufgegeben habe, sich selber aufgegeben, er bemerke das. Sie sei immer gegen Sicking gewesen, habe Konrad zu Fro gesagt, immer gegen das Kalkwerk und also auch schon immer gegen ihn selbst, gegen seine Studie, also, konsequent zu Ende gedacht, auch gegen sich selbst. Toblach hätte sie von den allerersten Gedanken an Sicking gegen Sicking in die Debatte gebracht. Schließlich sei sie aus Gewohnheit gegen das Kalkwerk gewesen, aus Gewohnheit gegen seine Studie, von Natur aus also gegen seine Studie, gegen *Das Gehör*. Auf einmal existierte Toblach ganz einfach nicht mehr, soll Konrad gesagt haben, und: man muß das wissen, meine Frau hat ja nie etwas anderes außer Toblach gehabt, und sie habe im Grunde auch heute nichts außer Toblach. Natürlich sei Sicking ein Kerker, sagte Konrad zu Fro, und es mache ja auch von außen schon den Eindruck eines Kerkers, eines Arbeitshauses, einer Strafanstalt, eines Zuchthauses, dieser Eindruck sei durch Jahrhunderte verdeckt gewesen, habe Konrad gesagt, von Geschmacklosigkeiten verdeckt gewesen, er aber habe diesen Eindruck wieder voll zum Vorschein kommen lassen, zu rücksichtslosem Vorschein. Diesen Eindruck verstärkten vor al-

lem die Fenstergitter, die er sofort, wie er das Kalkwerk gekauft
gehabt hat, in die dicken Mauern hineinmauern habe lassen, diese
Zweckmäßigkeitsgitter, wie Konrad sich ausgedrückt haben soll,
die Ziergitter habe ich herausgerissen und die Zweckmäßigkeitsgitter hineinmauern lassen, habe Konrad gesagt, die dicken Mauern und die in den dicken Mauern verankerten Gitter weisen sofort auf einen Kerker hin. Die Schnörkel, die, bevor er das
Kalkwerk gekauft habe, da und dort am ganzen Kalkwerk gewesen wären, Kennzeichen zweier geschmackloser Jahrhunderte,
habe er, so Konrad zu Wieser, entfernen lassen, alle Schnörkel
sofort, zu einem Großteil habe er diese Schnörkel mit seinen eigenen Händen aus den Wänden heraus- und von den Wänden
heruntergerissen, herausgebrochen und herausgeschlagen und
herausgerissen und heruntergeschlagen und heruntergebrochen
und heruntergerissen und er habe all diese heraus- und herunter-
gerissenen Schnörkel durch keine neuen Schnörkel ersetzt. Das
Kalkwerk sei vollkommen frei von Zierat, habe Konrad zu Fro
gesagt. Und auch die Wege, habe er gesagt, die zum Kalkwerk
führen, und tatsächlich führe ja, wie man gleich sehen könne, nur
eine einziger steiniger Weg zum Kalkwerk, habe er grob aufge-
schottert. Alles vereinfacht. Ihm sei es darum gegangen, den Ur-
zustand des Kalkwerks wiederherzustellen, ohne Rücksicht auf
Meinungen. Hohes Gestrüpp, aber keinerlei Ziergesträuch. Zu
Wieser: er, Konrad, sei ja auch niemals ein sogenannter Naturfex
gewesen, kein Naturfanatiker, kein Naturmasochist, überhaupt
kein Pflanzennarr, und die Natur, genauer gesagt, die Außenna-
tur, habe ihn auch immer nur an sich selber, also Konrads Natur,
erschrecken lassen, niemals erstaunen, die Empfindung des sogenannten Naturentzückens sei nichts anderes als Perversion. Er sei
auch kein Tierfreund, da er auch kein Menschenfreund sei, sei er
auch kein Tierfreund, da er sich selbst sei, was dazu gesagt werden
müsse, das wäre also falsch, zu glauben, er wäre ein Tierfreund,
er beschäftige sich zwar ununterbrochen mit der Natur und keine
andere Beschäftigung fülle sein Gehirn aus, aber er sei und zwar
gerade aus diesem Grunde der ununterbrochenen Naturbeschäf-
tigung, kein Naturfreund, ja ganz im Gegenteil, sei er, auf das

Unheimlichste naturgemäß seiner Frau, ein geradezu leidenschaftlicher Naturhasser und also, worauf man kommen müsse, Kreaturhasser. Zu Fro: kahle Wände, Zweckmäßigkeit. Selbstverletzungsstrategie. Katastrophalcephalökonomie. Zu Wieser: festverschlossene, festverriegelte Türen, festvergitterte Fenster, alles festverschlossen und festverriegelt und festvergittert. Früher waren ja an den Kalkwerkstüren nur ganz gewöhnliche Mauskastenschlösser!, soll Konrad ausgerufen haben, stellen Sie sich vor, ganz gewöhnliche Mauskastenschlösser! Jetzt aber sicherten schwere, tief in die Mauern hineingelassene Kanthölzer die Kalkwerkstüren ab. Tief in die Mauern hineingelassene schwere Kanthölzer, soll Konrad zu Wieser gesagt haben, die man mit Gewalt herausziehen oder hineinschieben muß, naturgemäß in der Feuchtigkeit, die hier herrsche, immer mit Gewalt. Der Sicherheitsfaktor sei der allerwichtigste Faktor. Zuerst, habe Konrad zu seiner Frau gesagt, sagt Wieser, müßten sie vor der Außenwelt, der sie endlich entkommen seien, sicher sein, müßten also sofort die Fenster vergittern und die Türen verriegeln lassen und sie hätten ja auch, sagte Konrad zu Wieser, sofort nach ihrem Einzug, und schon den nächsten Tag nach Erlegung der unerhört hohen, ja unglaublichen Kaufsumme waren die Konrad im Kalkwerk eingezogen, sämtliche Fenster vergittern und sämtliche Türen verriegeln lassen, Riegel auch an die Kalkwerksinnentüren machen lassen, schwere Riegel und schwere Gitter, zuerst soll sich ja der Schmied, soll Konrad gesagt haben, geweigert haben, so schwere Gitter anzufertigen, der Zimmermann geweigert haben, so schwere Riegel anzufertigen, aber der Schmied habe schließlich, weil Konrad unnachgiebig gewesen war und einen sehr hohen Preis versprochen hatte, die schweren Gitter gemacht und der Zimmermann habe die schweren Riegel gemacht, tatsächlich sollen der Schmied, der die schweren Gitter gemacht hat, und der Zimmermann, der die schweren Riegel gemacht hat, über Konrad den Kopf geschüttelt haben, aber schließlich seien für beide, für den Schmied wie für den Zimmermann, Konrads Argumente überzeugend gewesen und heute seien der Schmied wie der Zimmermann stolz auf ihre Arbeit, der Schmied stolz auf die

schweren Gitter, die er mit äußerster Präzision nach den Angaben Konrads angefertigt hat, der Zimmermann stolz auf die
schweren Riegel, die er nach genauso präzisen Angaben Konrads
präzis gemacht habe. Und damit die Leute, die, unerwünscht und
unaufgefordert, wie das ihre Art sei, immer wieder am Kalkwerk
vorbeigehen, nicht zum Kalkwerk herüberschauen könnten, soll
Konrad zu Wieser gesagt haben, brauchten sie, er und seine Frau,
hochwachsendes Gestrüpp, und Konrad soll zu seiner Frau gesagt
haben, wir brauchen hochwachsendes Gestrüpp um das Kalkwerk, höchstwachsendes Gestrüpp, und sie hätten sofort hochwachsendes, besser höchstwachsendes Gestrüpp aus der Schweiz
bestellt und nach Sicking transportieren und fachgemäß setzen
lassen. Heute, soll Konrad vor zwei Jahren zu Wieser gesagt haben, ist das Kalkwerk vollkommen abgesichert, man entdeckt es
nicht, man sieht es nicht und wenn man es entdeckt und wenn man
es sieht, soll Konrad gesagt haben, erinnert sich Wieser, kann
man unter gar keinen Umständen herein. Das hochwachsende
Gestrüpp ist so hoch gewachsen, mein lieber Wieser, daß kein
Mensch mehr einen Blick auf das Kalkwerk werfen kann, man
sieht ja auch das Kalkwerk erst, wenn man schon unmittelbar da-
vorsteht, so Konrad zu Wieser, das heißt, wenn man nur noch einen oder einen halben Meter davor stehe, dann sehe man es aber
erst recht nicht, weil man nur noch einen oder einen halben Meter
davor stehe. Das Kalkwerk sei ja auch nur von der Ostseite her
zu erreichen und das sei merkwürdig, daß das Kalkwerk nur von
der Ostseite her zu erreichen sei, aber auch wieder gar nicht
merkwürdig, soll Konrad zu Wieser gesagt haben, einerseits sei
das merkwürdig, andererseits gar nicht merkwürdig, alles sei einerseits merkwürdig, andererseits überhaupt nicht merkwürdig,
genau an dieses merkwürdig hin und merkwürdig her erinnert
sich Wieser, gegen Norden aber grenze das Kalkwerk wie auch
gegen Westen ideal ans Wasser, gegen Süden ideal ans Felsgestein. Im Winter aber komme man oft nicht einmal mehr von der
Ostseite an das Kalkwerk heran, weil das Kalkwerk kein Kalkwerk mehr sei, führe der Schneepflug nicht mehr bis zum Kalkwerk, in ein totes, aufgelassenes Kalkwerk fährt ganz einfach kein

Schneepflug, soll Konrad zu Wieser gesagt haben, keine Arbeiter, kein Kalk, kein Schneepflug, soll er gesagt haben, für einen einzigen nichtsnutzen Konrad und seine Frau, eine genauso nichtsnutze Konrad, fährt der Schneepflug nicht, der Schneepflug zahle sich für sie nicht aus, also führe der Schneepflug nicht, der Schneepflug führe seit Jahren, wie ihm, Konrad, jetzt auffalle, seit sein Neffe Hörhager nicht mehr im Kalkwerk sei, nurmehr noch bis zum Gasthaus, Hörhager hatte verschiedene sogenannte Gemeindefunktionen inne, also wenn jemand Gemeindefunktionen innehabe, könne er auch damit rechnen, daß der Schneepflug bis zu ihm hinfährt, aber ich, soll Konrad gesagt haben, habe keine Gemeindefunktion inne, ich habe überhaupt keine Funktion inne, schon gar nicht eine Gemeindefunktion, schon das Wort Funktion hasse er, nichts hasse er tiefer als das ihm jedesmal beim Anhören Ekel verursachende Wort Funktionäre, allerdings, soll Konrad gesagt haben, da er die Menschen hasse, hasse er naturgemäß auch die Funktionäre, denn heute ist ja jeder Mensch Funktionär, alle seien Funktionäre, alle funktionierten, es gibt keine Menschen mehr, Wieser, es gibt nur noch Funktionäre, deshalb kann ich den Ausdruck Funktionär nicht mehr hören, mir ist das Wort Funktionär zum Erbrechen, aber mein Neffe Hörhager ist naturgemäß Funktionär gewesen, Gemeindefunktionär, und zu einem Funktionär, noch dazu zu einem Gemeindefunktionär, fährt der Schneepflug, dahin fährt er, zu einem Funktionär!, soll Konrad Wieser gegenüber ausgerufen haben, für einen alten Narren wie ich und für eine alte verkrüppelte Närrin wie meine Frau, fährt der Schneepflug nicht und wie leicht, soll Konrad zu Wieser gesagt haben, könnte der Schneepflug am Kalkwerk umdrehen, aber er fährt ganz einfach nicht mehr bis zum Kalkwerk. Eine Winterschikane!, soll Konrad gerufen haben, mehrere Male. Eine Winterschikane! Wieser sagt, Konrad bezeichnete über eine Stunde lang die Tatsache, daß der Gemeindeschneepflug nurmehr noch bis zum Gasthaus, aber nicht mehr bis zum Kalkwerk fährt, immer wieder als Groteske. In Sikking sei alles eine Groteske, man könne in Sicking anschauen, was und von wo aus man wolle, man schaue eine Groteske an. Aber daß der Schneepflug nicht mehr zum Kalkwerk, nurmehr noch bis zum Gasthaus fährt, bedeute für die Konrad auch einen Vorteil, soll Konrad behauptet haben: durch den tiefen Schnee stapft kein Mensch mehr zu uns. In dieser vollkommenen Abgeschiedenheit und Abgeschnittenheit sei naturgemäß Ruhe. Die Tatsache, meint Wieser, daß im Winter im Kalkwerk absolute Ruhe herrsche, habe ihn, Konrad, zuerst am Kalkwerk begeistert. Dieser Gedanke verfolgte ihn, der Gedanke, daß im Kalkwerk vollkommene Ruhe sei im Winter, habe ihm, Konrad, jahrzehntelang keine Ruhe gelassen. In diesem Gedanken sei er oft nahe daran gewesen, wahnsinnig zu werden. In das Kalkwerk!, habe er immer wieder gedacht, in das Kalkwerk!, in das Kalkwerk!, während seine Frau an nichts anderes gedacht habe als nur: nach Toblach zurück, zurück nach Toblach!, aber der Gehorsam seiner Frau sei der außerordentlichste gewesen. Durch den Felsvorsprung höre man ja auch vom Sägewerk nichts herüber, soll Konrad immer wieder gesagt haben, ehrlich gesagt, machten ihm, Konrad, aber Sägewerksgeräusche nichts aus, hätten ihm nie etwas ausgemacht, wie ihm sein eigener Atem nichts ausmache, machten ihm Sägewerksgeräusche nichts aus, weil sie immer schon da gewesen wären, er hätte niemals gedacht: da hörst du ein Sägewerk, da kannst du nicht denken!, weil er immer in der Nähe von Sägewerken gelebt und gedacht habe, eines aus dem andern immer in Sägewerksnähe, denn gleich, wo er sich auch immer aufgehalten habe, er habe sich in der Nähe eines oder gar mehrerer Sägewerke aufgehalten, zur Familie und zu allen seinen, wie auch zu ihren Verwandten, gehörte immer wenigstens ein Sägewerk. Und das Gasthaus, soll er zu Wieser gesagt haben, sei so weit vom Kalkwerk weg, daß er nichts aus dem Gasthaus höre. Wie ich durch den Felsvorsprung nichts vom Sägewerk höre, höre ich auch nichts vom Gasthaus herüber durch den Felsvorsprung, soll er gesagt haben. Ist es im Gasthaus am lautesten, hier im Kalkwerk höre er nichts. Manchmal gingen Lawinen ab, soll Konrad gesagt haben, Geröll, Eis, Wasser, Vögel höre er, Wild, Wind. Weil man beinahe überhaupt nichts höre, werde man im Kalkwerk, besonders wenn einem ein solches ungemein empfindliches Gehör zu eigen sei, wie ihm, besonders hellhörig. Alles, was man höre, wie alles, was man nicht höre, mache einen im Kalkwerk hellhörig. Dieser Umstand komme naturgemäß seiner Studie zugute, die sich nicht zufällig mit dem Gehör befasse, schließlich sei ja auch *Das Gehör* der Titel der Studie. Daß sie, die Konrad, da seien, habe Konrad zu Wieser gesagt, sei Berechnung im Hinblick auf die Studie, auf *Das Gehör*. Das alles hier, alles jetzt mit dem Kalkwerk Zusammenhängende, sei Berechnung, mein lieber Wieser, soll Konrad gesagt haben. Es sei alles vorausberechnet, vieles mag als das Zufälligste erscheinen, als das Unsinnigste, aber alles sei durchaus vorausberechnet. Die Empfindsamkeit sei in dem Zustand der totalen Überraschungslosigkeit die vollkommenste, naturgemäß tödlich, soll Konrad gesagt haben. Zu Fro habe Konrad folgendes gesagt: er höre, wenn er in seinem Zimmer sei, arbeite, beschäftigt mit der Studie, seine Frau in ihrem Zimmer oben atmen, ob man das glaube oder nicht, für wahr haben wolle oder nicht, tatsächlich. Man kann natürlich meine Frau in ihrem Zimmer von meinem Zimmer aus nicht atmen hören, das ist wahr, das ist oftmals erwiesen, soll Konrad gesagt haben, tatsächlich aber höre er seine Frau in ihrem Zimmer atmen, wenn er in seinem Zimmer sei. Naturgemäß befände er, Konrad, sich aber auch immer in der höchstmöglichen Aufmerksamkeit. Er könne sogar Menschen hören, die am andern Seeufer miteinander reden, obwohl das nicht möglich ist, vom Kalkwerk aus Menschen am andern Seeufer miteinander reden zu hören. Diese Menschen am andern Ufer brauchen gar nicht hell aufzulachen, soll Konrad zu Fro gesagt haben, nur zu reden brauchen sie miteinander, und ich höre sie. Wie oft höre ich ein Geräusch, ein tatsächliches Geräusch, soll er gesagt haben, und ich frage meinen Gesprächspartner, ob er das Geräusch auch höre, und mein Gesprächspartner hört das Geräusch nicht. Ich höre Leute am andern Ufer und ich stehe auf und gehe ans Fenster und höre die Leute am andern Ufer noch besser, obwohl ich sie nicht einmal sehen kann, soll er gesagt haben, während ich selbst aber die Leute am andern Ufer höre, die ich nicht einmal sehen kann, hören und sehen meine Versuchspersonen nichts, soll Konrad zu Fro gesagt haben, die Schwierigkeit des Zusammenlebens mit Menschen habe für ihn immer darin bestanden, daß er immer vieles hörte und vieles sah, die andern aber nichts hörten und nichts sahen, und in der Unmöglichkeit, die Menschen, gleich welcher Kategorie, in Hören und Sehen einzuschulen. Entweder ein Mensch hört und sieht oder ein Mensch hört oder ein Mensch sieht oder er hört und sieht oder hört oder sieht nicht und man kann keinen Menschen Hören und Sehen lehren, aber der hört und sieht, kann an sich Hören und Sehen vervollkommnen, und zeitlebens habe ich immer alles versucht, um mein Hören und Sehen zu vervollkommnen, vor allem mein Hören zu vervollkommnen, denn wichtiger, als daß ein Mensch sieht, sei, daß ein Mensch hört. Aber was meine Frau betrifft, soll Konrad gesagt haben, seien seine Bemühungen, ihr Hören und Sehen zu vervollkommnen, auf halbem Wege gescheitert, er habe plötzlich, schon vor zehn oder vor fünfzehn Jahren, einsehen müssen, daß es sinnlos sei, sie weiterhin Hören und Sehen zu lehren, er habe bald aufgegeben, ihr Hör- und ihr Sehorganisches zu entwickeln, naturgemäß sei das ja gerade das Wesen der Frau, daß sie auf halbem Wege und zwar immer in dem Augenblicke der allerhöchsten Konzentration und zwar immer auch im Augenblicke der allergrößten Erfolgswahrscheinlichkeit eine disziplinäre Geistes- und Geisteswillensanstrengung aufgebe. Die urbantschitsche Methode, die er an ihr, seiner Frau, vor allem von dem Zeitpunkt des Einzugs in das Kalkwerk an mit großer Rücksichtslosigkeit trainiere, habe er ja nurmehr noch für seine Zwecke, nicht mehr für sie auf dem Programm gehabt. Was das Hören meinerseits von Gesprächen aller möglichen Leute am anderen Ufer betrifft, soll Konrad zu Fro gesagt haben, konnte ich oft einzelne, ja die kompliziertesten Wörter, wie auch die kompliziertesten Satzkonstruktionen mit geradezu belebender Präzision in das Kalkwerk hereinhören. Plötzlich soll er gesagt haben: meine Versuchspersonen, meine Frau zum Beispiel, Höller zum Beispiel, Wieser zum Beispiel, haben noch niemals etwas, das ich ganz präzise vom anderen Ufer herüber gehört habe, herüber gehört, während ich alles überdeutlich herüber höre, soll Konrad gesagt haben, hören meine Versuchspersonen überhaupt nichts und tatsächlich hören Sie selbst ja auch niemals etwas vom anderen Ufer herüber, soll Konrad gesagt haben. Schließlich einfach alles zu hören, soll er gesagt haben, sei, Folge der ununterbrochenen jahrzehntelangen Beschäftigung mit der Studie, Triumph, gleichzeitig furchtbar. Aber nichts schaffe eine größere Klarheit als ein vollkommenes oder wenigstens ein nahezu vollkommenes Gehör. Auf das Kalkwerk selbst zurückkommend, soll Konrad zu Fro gesagt haben, daß es ein jeden Ankömmling sofort verblüffendes Bauwerk sei. Jedes Jahrzehnt sei etwas dazugebaut, etwas daraufgebaut worden, ein Teil von ihm abgerissen worden, die vielen Unterkellerungen, bedenken Sie, sage ich zum Baurat, soll Konrad zu Fro gesagt haben. Da, wo das Wasser am tiefsten sei, tatsächlich an der tiefsten Stelle, schaue er, Konrad, aus dem Fenster. Dem unvermittelt aus dem Gestrüpp Heraustretenden müsse aber doch immer die tatsächliche Größe des Kalkwerks verborgen bleiben, nur wer in ihm haust, wer es, soll Konrad gesagt haben, mit Kopf und Seele bewohnen und mit diesem ungeheuerlichen Mechanismus ausfüllen kann, könne das Ganze ausmessen. Erfassen nicht, aber ausmessen, soll Konrad gesagt haben. Der Betrachter sei irritiert, der Besucher vor den Kopf gestoßen, der Betrachter werde gleichzeitig von dem Kalkwerk angezogen und abgestoßen, der Besucher in jedem Falle augenblicklich Opfer aller möglichen Enttäuschungen. Der Betrachter kehrt um und flüchtet, der Betreter oder Besucher verläßt es und flüchtet. Wie oft habe er einen Menschen beobachtet, der aus dem hochgewachsenen Gestrüpp herausgetreten und erschrocken und umgekehrt ist, immer der gleiche Mechanismus, soll Konrad gesagt haben, die Leute treten aus dem Gestrüpp heraus und kehren augenblicklich um, oder sie treten in das Kalkwerk ein und stürzen sofort wieder hinaus. Und sie haben immer das Gefühl, beobachtet zu sein, nähert man sich einem Bauwerk wie dem Kalkwerk, hat man immer das Gefühl, beobachtet zu sein, von allen Seiten beobachtet zu sein, das entmutigt sehr rasch, soll Konrad gesagt haben, alles wird nach und nach, nach anfänglicher unerhörter Wachsamkeit, Angespanntheit aller Sinnesorgane, kraftlos, eine große Erschlaffung bemächtigt sich aller, die in den Bereich des Kalkwerks eingetreten sind, auf einmal. Das sei das Augenfälligste: allein der Anblick des Kalkwerks lasse die Leute umkehren, sie hätten plötzlich nicht mehr den Mut, anzuklopfen, hineinzugehen. Erschrecken sie nicht schon beim Anblick des Kalkwerks, soll Konrad gesagt haben, so erschrecken sie, wenn sie tatsächlich anklopfen, die wenigsten allerdings kommen so weit, daß sie anklopfen, denn das Anklopfen mache einen fürchterlichen Lärm. Alles an der Architektur des Kalkwerks sei das Resultat jahrtausendealter Berechnung. So müsse man annehmen, trete man aus dem Gebüsch heraus, meinte Konrad zu Wieser, das Kalkwerksinnere lasse nur die geringste Bewegungsfreiheit zu, daß man im Kalkwerksinnern nur den geringsten Spielraum habe, vermute man gleich, aber tatsächlich habe man im Kalkwerk den größten Spielraum. Aber jede Vorstellung sowie jede Vorstellung einer Vorstellung sei in jedem Falle immer eine irrtümliche, erniedrigende. Das müsse man wissen, wenn man denke. Das Tatsächliche sei tatsächlich immer anders, das Gegenteil, immer das Tatsächliche, tatsächlich. Daß wir aus Täuschung existieren und aus nichts sonst, sei nicht unbedingt auszusprechen. Sie können im Kalkwerk wie in keinem andern Gebäude, das ich kenne, soll Konrad zu Wieser gesagt haben, und er kenne die größten und vorzüglichsten und im Grunde alle möglichen Arten von Gebäuden oder besser gesagt, Mauerwerken, so viel Sie wollen und zwar immer so viel Sie wollen, ohne fortwährend die gleiche Strecke Weges benützen zu müssen, hin und her und im Grunde immer weiter und weiter gehen, in jedem Fall auf das Fortschrittlichste fortschreiten. Die Konstruktion des Ganzen sei auf Totaltäuschung angelegt, der oberflächliche Beurteiler auf jeden Fall in die Falle gegangen. Betritt man das Vorhaus, sagte Konrad zu Wieser, erkennt man sofort, daß man sich täuschen habe lassen, denn allein das Vorhaus ist beispielsweise dreimal so groß wie das Zuhaus und naturgemäß seien unteres wie oberes Vorhaus gleich groß, als ein Herrenhaus angelegt, soll Konrad zu Wieser gesagt haben, habe das Kalkwerk für ihn, Konrad, alle Vorzüge eines sogenannten freiwilligen Arbeitskerkers. (Am Ende des Vorhauses sei der Hof, höre ich im Laska, mit Kopfsteinpflaster ausgelegt.) Hier im Kalkwerk könne Konrad stundenlang gehen, ohne verrückt zu werden, habe er zu Wieser gesagt, während man in andern, gleich großen oder möglicherweise noch viel größeren Gebäuden schon nach Minuten des Auf- und Ab- und des Hin- und Hergehens verrückt werde. Sein Kopf, habe Konrad zu Wieser gesagt, sei, glaube er, gerade für solche Gebäude wie das Kalkwerk, auch sein Körper. Während seiner Frau, die an Toblach orientiert sei, Gebäude wie das Kalkwerk unheimlich seien, fortwährend Anlaß für Depressionen, habe er, Konrad, immer nur in solchen wie das Kalkwerk naturgemäß nur auf den höchsten Anspruch zu höchster Eigenart reagierenden Gebäuden wirklich atmen und existieren können, er müsse in Zimmern mindestens fünfzehn oder zwanzig Schritte ungestört hin- und ebenso viele Schritte ungestört hergehen können, meinte Konrad zu Wieser, und zwar, wie Sie sich denken müssen, größere Schritte, diese großen Schritte, die ich mache, wenn ich mit einer Kopfarbeit beschäftigt bin, während man ja, wie Sie wissen, in den meisten Zimmern, in die man hineinkommt und in welchen zu leben, zu übernachten, wie ganz einfach auch längere Zeit zu existieren man immer wieder gezwungen wird, nicht einmal an die acht oder neun Schritte machen kann, ohne mit dem Kopf an die Wand zu stoßen, auf dieses fünfzehn oder zwanzig Schritte lange in der einen Richtung wie in der andern Richtung Gehen habe ich immer den größten Wert legen müssen, sagte Konrad zu Wieser, sofort, komme er in ein Haus, habe er zu Wieser gesagt, probiere er aus, ob er fünfzehn oder zwanzig Schritte in einer Richtung gehen könne, ich mache gleich die ersten Schritte rücksichtslos in die eine und rücksichtslos in die andere Richtung und zähle diese Schritte, also, kann ich fünfzehn oder zwanzig Schritte hin- und fünfzehn oder zwanzig Schritte zurückgehen, frage ich mich gleich und erprobe den Zustand meistens mit dem Erfolg, daß ich, wie gesagt, nicht einmal acht oder neun Schritte in einer Geraden gehen kann, während ich, soll Konrad zu Wieser gesagt haben, hier im Kalkwerk ohne weiteres in allen Zimmern, wo ich auch will, ruhig zwanzig oder gar dreißig Schritte in einer Richtung machen kann, ohne mir den Kopf anzurennen. Er atme in großen Zimmern naturgemäß auf, habe Konrad gesagt. Seine Frau aber sei in großen Zimmern bedrückt. Mich deprimieren die kleinen, sie deprimieren die großen Zimmer. Naturgemäß ist sie, meine Frau, meinte Konrad zu Wieser, an den engen Zimmern in Toblach orientiert, sie sei in den engen Toblacher Zimmern aufgewachsen, in den kleinen Toblacher Kammern, überhaupt aufgewachsen in der Enge von Toblach, alles sei dort eng und man glaubt immer, soll Konrad gesagt haben, man erstickt, hält man sich in Toblach auf, während er in kleinen Zimmern immer das Gefühl habe, ersticken zu müssen, wie er auch in Gebirgstälern und deshalb in Toblach immer das Gefühl habe, ersticken zu müssen, habe seine Schwester, die an Toblach gewöhnt sei, in großen Zimmern Angst, von der Größe der Zimmer erdrückt zu werden, in großzügigen Landschaften das Gefühl, von der Größe der Landschaft erdrückt zu werden, unter einem riesigen Firmament das Gefühl, von diesem riesigen Firmament erdrückt zu werden, wie auch unter einem großen Menschen von diesem großen Menschen erdrückt zu werden. Deshalb glaube er ja auch im Zuhaus immer, ersticken zu müssen, habe Konrad gesagt, längere Zeit im Zuhaus, soll er gesagt haben, und ich ersticke, und das soll auch der Grund sein, warum er den im Zuhaus lebenden Höller so selten besucht habe, nur wenn er sich nicht mehr dagegen wehren habe können, habe er den Höller im Zuhaus aufgesucht, das Zuhaus hätte ihn immer schon nach kürzester Zeit an Sauerstoffmangel beinahe ersticken lassen: die einen seien einfach für die kleinen und engen und die andern für die großen und weiträumigen Gebäude, soll Konrad gesagt haben, die längere Unterhaltung mit dem Höller im Zuhaus, mit dem von ihm am behutsamsten geliebten Menschen, sei ihm gerade wegen der Enge im Zuhaus und wegen der Zustände, die diese Enge im Zuhaus in ihm jedesmal schon gleich nach seinem Eintritt verursachte, mehr und mehr unmöglich gewesen, immer nur auf die allerkürzeste Zeit habe ich den Höller im Zuhaus aufsuchen können, soll Konrad zu Wieser gesagt haben. Wie sie ins Kalkwerk eingezogen sind, sei sofort klar gewesen, daß seine

29

Frau ins kleinste der Kalkwerkszimmer einzieht. Aber selbst in ihrem Zimmer, das tatsächlich das kleinste Kalkwerkszimmer ist, habe Konrad ohne weiteres, habe er zu Wieser gesagt, fünfzehn Schritte hin und fünfzehn Schritte zurück machen können. Und daß sie, seine Frau, selbstverständlich von Anfang an in den zweiten Stock hinaufziehen werde, sei sofort klar gewesen, noch in Mannheim, wo wir uns unmittelbar vor dem Einzug ins Kalkwerk aufgehalten hatten, hätten sie beide beschlossen gehabt, daß sie in den zweiten Stock hinaufziehe, denn der zweite Stock sei der gesündeste, Gutachten aller zuständigen Experten hätten diesen Beweis immer wieder erbracht, weder ein Zimmer im ersten Stock, noch ein ebenerdiges, noch ein Zimmer im dritten Stock wäre für sie in Frage gekommen, soll Konrad gesagt haben. Und das sei auffällig, daß immer behauptet wird, der zweite Stock sei der gesündeste, alle ziehen in den zweiten Stock, haben sie die Möglichkeit, alle ziehen den zweiten Stock vor. Ich selber habe sofort mein Ersterstockzimmer bezogen, soll Konrad gesagt haben. Im ersten Augenblick hätten sie sich gesagt, dahinein in dieses Ersterstockzimmer, mit mir, dahinein, in dieses Zweiterstockzimmer, mit ihr. Hier, im Kalkwerk, habe er fast alle Voraussetzungen, ein Höchstmaß an Voraussetzungen für die Studie, soll er gesagt haben und: er fragte sich zuerst nicht, was das für seine Frau bedeutet habe, plötzlich doch ins Kalkwerk zu ziehen, wenn er auch gewußt habe, was das für sie bedeutete, er fragte sich das nicht ununterbrochen, man dürfe sich ganz einfach vieles nicht ununterbrochen fragen, das man ununterbrochen wisse. Daß er sein Fenster über der tiefsten Wasserstelle habe, sei auch ein großer Vorteil für die Studie, wenn er auch nicht angeben konnte oder angeben wollte, was für ein Vorteil. Wie es ja auch ein großer Vorteil sei, daß sie, seine Frau, ihr Fenster über dem Wasser, wenn auch nicht über der tiefsten Stelle wie er, habe, denn sie, habe er zu Wieser gesagt, hätte ihr Fenster durchaus nicht über der tiefsten Wasserstelle haben dürfen. Zuerst habe seine Frau geglaubt, ein Hoffenster sei für sie vorteilhaft (aus der Vorliebe für die Enge heraus!), ein solches ans Felsgestein gar, aber sie hatte sich, so er selber zu Wieser, von ihm überzeugen lassen, daß es für sie doch vorteilhafter sei, ein Fenster über dem Wasser zu haben, schließlich habe sich mit der Zeit herausgestellt, daß sie oft stundenlang damit beschäftigt gewesen war, ins Wasser hineinzuschauen, ja nicht stundenlang, sondern tagelang schaue sie ins Wasser hinein (Konrad). Was ihn, Konrad, betreffe, hätte, ein Hofzimmer bewohnen, bedeutet, gegen die Studie handeln, auch ein Zimmer ans Felsgestein wäre, im Hinblick auf die Studie, nicht in Frage gekommen. Vorschubleistung der ja ohnehin andauernden Verzweiflungsbereitschaft hätte bedeutet, ein Hof- oder ein Felsgesteinszimmer zu beziehen, habe Konrad zu Wieser gesagt. Was die Möblierung des Kalkwerks betrifft, so äußerte sich Konrad einmal folgendermaßen zu Fro: während wir unsere eigenen Zimmer schon am ersten Tag vollständig und für immer eingerichtet gehabt hatten, mit dem Allernotwendigsten, wie Sie sich denken müssen, haben wir das ganze übrige Kalkwerk bis heute nicht eingerichtet. Da wir im Winter übersiedelt sind, haben wir den Schleppkahn benützen müssen, zweimal mit dem Schleppkahn über den See, soll Konrad zu Fro gesagt haben, zwei volle Schleppkähne über den See, voll mit Hunderten und Tausenden von Einrichtungsgegenständen, die wir, obwohl wir jahrzehntelang immer hin- und hergereist sind, immer noch besessen haben, das ist unvorstellbar, Fro, daß wir zu dem Zeitpunkt des Einzugs ins Kalkwerk noch so viele Möbelstücke und andere Einrichtungsgegenstände besessen haben, zwei Kriege und diese Ungeheuerlichkeiten von Umwälzungen, und immer noch derartig viele Möbel- und Einrichtungsgegenstände! Fro, das ist das Unglaublichste überhaupt, wo wir andererseits nicht das geringste getan haben, um diese Möbelstücke und Einrichtungsgegenstände uns zu erhalten, im Gegenteil, weder ich, noch meine Frau, wir beide haben uns niemals auch nur einen einzigen Augenblick um diese Möbel und Einrichtungsgegenstände gekümmert, freilich, alle diese uns noch verbliebenen Hunderte und Tausende von Möbelstücken und Einrichtungsgegenständen sind ja nur ein Bruchteil von dem, was wir einmal gehabt haben, denn schließlich hat meine Frau eine Menge mitgebracht und ich selber habe eine Menge mitgebracht und durch verschiedene Todesfälle, Kriegseinflüsse, müssen Sie wissen, ist auch noch ein Großteil von diesen Möbeln und Einrichtungsgegenständen dazugekommen, in den Städten haben wir viel verloren, aber auf dem Land haben wir nichts verloren und vor allem auf dem Land haben wir fast alle diese Möbelstücke und Einrichtungsgegenstände gelagert gehabt. Also stellen Sie sich vor, zwei Schleppkähne voll solcher Möbelstücke und Einrichtungsgegenstände gelagert gehabt. Also stellen Sie sich vor, zwei Schleppkähne voll solcher Möbelstücke und Einrichtungsgegenstände!, soll Konrad ausgerufen haben, immer wieder: Zwei Schleppkähne voll Möbelstücke und Einrichtungsgegenstände! Zum Glück sei der See nicht zugefroren gewesen, alle Winter friere der See zu, im Jänner friere der See zu, aber in dem Jahr des Einzugs in das Kalkwerk sei der See nicht zugefroren gewesen. Und mit den Wagen getraue sich niemand mehr über den zugefrorenen See, nachdem vor zwanzig Jahren die Hochzeitsgesellschaft, mehrere Konrad darunter, soll Konrad gesagt haben, eingebrochen ist. Jahrhunderte seien die Leute über den zugefrorenen See gefahren, da sei die Hochzeitsgesellschaft eingebrochen und keiner getraute sich mehr auf den zugefrorenen See. Drei Schleppkähne Übersiedlungsgut, meinte Konrad zu Fro, und Sie wissen, was auf einem solchen Schleppkahn Platz hat. Wahrscheinlich könne man aber heute den Schleppkahn gar nicht mehr in Betrieb nehmen, soll Konrad gesagt haben, kein Mensch habe sich in den letzten Jahren um den Schleppkahn gekümmert, er wisse genau, daß man einen solchen Schleppkahn jährlich ölen und streichen müsse, aber kein Mensch habe den Schleppkahn jemals geölt oder gestrichen. Verrostet und verfault, sei der Schleppkahn zweifellos nicht mehr zu gebrauchen, und Konrad soll gesagt haben: wie alles um das Kalkwerk herum verrostet und verfault ist, was da alles um das Kalkwerk herumliege und verrostet und verfault sei. Wie gesagt, soll Konrad zu Fro gesagt haben, jahrelang, um das Kalkwerk überhaupt nicht einzurichten, und nicht eine Stunde, um unsere beiden Zimmer einzurichten. Sie beide, Konrad wie seine Frau, wären von großer Anspruchslosigkeit. Sein ganzes Leben habe er immer nur die notwendigsten immer gleichen Einrichtungsgegenstände gehabt. Und doch hätten sie ganz gegen ihren Willen, wie gesagt, ganz auf das Notwendigste konzentriert, doch zwei volle Schleppkähne mit Möbelstücken und Einrichtungsgegenständen ins Kalkwerk transportieren lassen. Die Konrad soll immer wieder gesagt haben, daß sie alle diese Möbel und Einrichtungsgegenstände in Toblach nicht hätten unterbringen können. In Toblach hätte nicht einmal die Hälfte Platz gehabt, soll sie gesagt haben. Es gäbe überhaupt nichts, das sie nicht mit Toblach in Beziehung bringen würde, meinte Konrad zu Fro. Die Schwierigkeit bestand ja vor allem darin, soll Konrad gesagt haben, zum Beispiel von vornherein Möbelstücke, die in den ersten oder in den zweiten oder in den dritten Stock hinauf gehörten, auch sofort in den ersten, zweiten oder dritten Stock hinaufzuschleppen, nicht, wie uns das andauernd passiert war, für den zweiten Stock bestimmte Möbelstücke zum Beispiel in den dritten, solche für den ersten Stock bestimmte in den zweiten und solche für den dritten bestimmte in den ersten Stock zu schleppen und so fort. Schließlich wären beinahe alle Möbelstücke und Einrichtungsgegenstände auf einem falschen Platz gestanden, ein, wie Konrad sich ausgedrückt haben soll, heilloses Durcheinander wäre am Ende das Resultat gewesen. Wie Sie wissen, habe ich schon gleich nach unserem Einzug eine größere Anzahl Möbel und Einrichtungsgegenstände verkauft, in der Zwischenzeit einen Großteil aller dieser hölzernen Unsinnigkeiten zu Geld machen können, soll Konrad zu Wieser gesagt haben. Und zu Fro vor einem Jahr: sie, meine Frau, hat nicht die geringste Ahnung, daß ich beinahe alle Möbelstücke und Einrichtungsgegenstände verkauft habe. Aber das sei ein anderes Kapitel. Hinter ihrem Rücken fast alle Möbel und Einrichtungsgegenstände sei der genaue Wortlaut der Äußerung Konrads gewesen, beinahe nurmehr noch vollkommen leere Zimmer im Kalkwerk, weil ich in den letzten Jahren, vor allem im Hinblick auf die hohen Prozeßkosten, alles zu Geld machen habe müssen. Die Anwälte haben das meiste verschlungen! Er hätte ja eine Reihe von Helfern engagiert, denn während des Umzugs habe Höller mit einer wässerigen Rippenfellentzündung im Bett liegen müssen, wie man wisse, sei es auch in Sicking schwierig, auch für viel Geld, Helfer zu gewöhnlichen Handlangerarbeiten wie Möbelschleppen zu bekommen, er allein habe, während seine Frau vor Erschöpfung durch die Übersiedlungsstrapazen in dem schon an seinem endgültigen Platz in ihrem Zimmer aufgestellten Krankensessel zusammengesunken gewesen war, zusammen mit den Helfern die Möbelstücke und anderen Einrichtungsgegenstände ins Kalkwerk geschleppt, habe er zu Fro gesagt, natürlich muß man, hat man Helfer, diese ausnützen so gut es geht und er habe den Helfern gesagt, sie sollten nicht, wie sie es, verwöhnt geworden durch die ganze Geschichtsentwicklung, derartig langsam, daß es zum Verzweifeln ist, arbeiten, sondern, wie er, Konrad, es gewöhnt sei, schnell, und die Helfer hätten sich sofort an seine Anordnung gehalten, meint Fro, und wären auf einmal mit großer Eile, mit der größten Geschicklichkeit gleichzeitig, ja mit Eifer an das Möbel- und Einrichtungsgegenständeschleppen herangegangen. Konrad habe es offensichtlich verstanden, die Helfer anzufeuern, meint Fro. In den ersten Tagen hatte er den an ihm sonst ganz deutlich erkennbaren Menschenhaß derart in sich zurückdrängen können, daß die Helfer der Meinung gewesen waren, es handle sich bei Konrad, den sie bis dahin zwar vom Hörensagen, nicht aber von Gesicht zu Gesicht gekannt hatten, um einen durchaus gutwilligen, menschenfreundlichen Herrn, der in der Folge für ihre Zwecke, viel Geld für sehr wenig Arbeit, viel Geld für schlampige Arbeit et cetera, auszunützen sei und sie hätten sich aus Schlauheit Konrads Anordnung zur Schnelligkeit und gleichzeitig Korrektheit in der Arbeit gefügt. Konrad habe gewußt, warum er zu den Helfern freundlich war, er befand sich ja in einer fürchterlichen Situation, als die Schleppkahnladungen vor dem Kalkwerk gestanden waren und weit und breit kein Helfer. Monate werde es dauern, so Konrad zu Fro, bis Ordnung in das Möbelstückechaos hineingekommen ist, aber bis heute ist in das Möbelstückechaos keine Ordnung hineingekommen, ehrlich gesagt, soll Konrad zu Fro gesagt haben, befindet sich aber auch nurmehr noch ein Bruchteil aller dieser Möbelstücke im Kalkwerk, alles andere ist verkauft und es stehe gar nicht mehr dafür, den Rest der Möbelstücke und Einrichtungsgegenstände jetzt noch zu ordnen. Auch diesen Rest werde ich so bald als möglich zu Geld machen, habe Konrad gesagt. Zu seiner Frau habe er immer wieder, wenn er von ihr gefragt worden war, gesagt, alle Zimmer seien eingerichtet, alles in allen Zimmern sei in Ordnung, nach und nach hätte alles seinen ihm zustehenden Platz gefunden, kein Wort davon, daß ja schon beinahe alles verkauft war, daß Konrad nicht im geringsten auch nur ein einziges Mal daran gedacht habe, die Möbelstücke zu ordnen, sondern immer nur, wie er sie so rasch als möglich alle miteinander verkaufen könne und tatsächlich hat er sie auch nach und nach günstig verkaufen können, an Antiquitätenhändler in der Stadt, beispielsweise an einen solchen in Vöcklabruck, der ihm beinahe alle Stücke zu einem verhältnismäßig hohen Preis abgenommen hatte, um sie nach Amerika zu bringen, woran der Händler noch unter Umständen, wie er selber Konrad gegenüber zugegeben haben soll, an die tausend, ja zweitausend Prozent verdient haben soll, kein Wort von dem allen gegenüber der an ihren Krankensessel gefesselten Frau, immer nur die Lüge, alles mit allen Möbelstücken und Einrichtungsgegenständen sei in Ordnung. Jahrzehntelang sei ja die Lüge und nichts mehr als die Lüge das einzige Mittel zwischen ihm, Konrad, und seiner Frau gewesen, nicht vollständig verzweifeln zu müssen, einfach doch noch eine Zeitlang weiterzukommen, Kontakt halten und sich selber gegenseitig aushalten zu können, ohne Lüge wären die beiden längst in völliger Kontaktlosigkeit und in der tiefsten Verzweiflung gewesen, meint Fro. Mein Gott, was ist ein Zimmer mehr als ein Tisch, ein Sessel, ein Kasten und ein Bett!, soll Konrad Fro gegenüber ausgerufen haben, als sie einmal aus dem Gasthaus herausgegangen waren und sich, wie so oft, nachdem sie vier Stunden lang Siebzehnundvier miteinander gespielt hatten, Konrad so lange, damit er nicht zu seiner auf ihn wartenden Frau nach Hause muß, unter den Kastanien im Gasthausgarten verabschiedeten. Fro: Konrad fürchtete sich, zu seiner Frau zu gehn. Das Kalkwerk sei nicht in Rufweite, soll Konrad sehr oft zu Wieser gesagt haben, rufe man aus dem Kalkwerk hinaus, werde man nicht gehört. Im Falle eines Verbrechens habe es kei-

nen Zweck, zu schreien, weil man nicht gehört werde. Das Sägewerk sei nicht in Rufweite, das Gasthaus sei auch nicht in Rufweite, kein Mensch sei in Rufweite. Die Holzfäller seien nicht in
Rufweite. Daß auch die mußnersche Liegenschaft und die tratt-
nersche Liegenschaft nicht in Rufweite seien, habe sich, wie die
beiden Morde an den Landwirten Mußner und Trattner gezeigt
haben, katastrophal ausgewirkt. Während er, Konrad, einerseits
die völlige Abgeschiedenheit, im Hinblick auf seine Studie jedenfalls, als den größten Vorzug empfinde, stelle sie andererseits
eine ständige, ja eine ganz und gar außerordentliche Gefahr dar,
denn die Leute, die jetzt auf einmal, merkwürdigerweise in einer
Zeit absoluten Wohlstands, überall auftauchten, aus allen möglichen Löchern herauskämen, nur um Verbrechen zu begehen, vor
allem Gewaltverbrechen und unter den Gewaltverbrechen die
allergemeinsten, brutalsten, schreckten, wie man jetzt wisse, vor
nichts zurück. Im Grunde habe er, Konrad, ständig Angst vor
Gewaltverbrechern, er existiere in andauernder Furcht vor, wie
er wörtlich gesagt haben soll, gewalttätigen Elementen, und das
Kalkwerk sei ja geradezu prädestiniert für Gewaltverbrechen, es
fordere geradezu zu solchen Verbrechen heraus, Tatsache sei,
daß zum Beispiel alle bis jetzt im Kalkwerk begangenen Verbrechen vornehmlich bis heute unaufgeklärte Raubmorde seien, alle
hier in Sicking und in der Umgebung von Sicking begangenen
Verbrechen (Gewaltverbrechen) seien zu fünfundneunzig Prozent unaufgeklärt, die Hunderte im Kalkwerk begangenen, alle
unaufgeklärt wie die an den Landwirten Mußner und Trattner,
deren Liegenschaften ja auch wie das Kalkwerk vollkommen auf
sich allein gestellt seien und in welchen man, wie im Kalkwerk,
zu Jahresende immer von einem Wunder gesprochen habe, wenn
bis zum einunddreißigsten Dezember in ihnen kein Gewaltverbrechen begangen worden war, in hundert Jahren etwa seien allein im Kalkwerk elf Morde, von welchen man Kenntnis habe,
begangen worden, abgesehen von Einbrüchen, Raub, gewöhnli-
chem Diebstahl, Verbrechen, die sich in manchen Jahren zu
unzähligen gewohnheitsmäßigen gehäuft hätten. Gebäude wie
das Kalkwerk zögen gerade immer jene Leute auf sich, in welchen

alles auf nichts anderes als auf Gewaltverbrechen hin angelegt ist und es nütze im Grunde nichts, aufzumauern, abzusperren und die sogenannte Menschenkenntnis, die mit dem Physiognomischen in andauernder Spekulation zusammenarbeite, erweise sich immer als Trugschluß. Nichts täusche mehr als das menschliche Gesicht, soll Konrad zu Wieser gesagt haben. Daß er ständig eine Pistole mit sich herumtrage, sei ja mindestens seit dem Vorfall mit dem Holzfäller und Wildhüter Koller bekannt, auch, daß er in beinahe allen Zimmern des Kalkwerks eine griffbereite Waffe versteckt habe, sei während des Koller-Prozesses publik geworden, lieber schieße man einem oder dem anderen einmal in die Schulter oder ins Wadenbein, soll Konrad zu Wieser gesagt haben, und werde dafür eingesperrt, als man ziehe, weil man davor zurückschrecke, weil man schon einschlägig vorbestraft sei, den Kürzeren. Keine Zeit könne man wie die heutige, mit größerem Recht als die Zeit des Gewaltverbrechens bezeichnen, soll Konrad gesagt haben, in keiner Zeit habe man mit größerer Sicherheit in jedem Augenblick mit einem Gewaltverbrechen zu rechnen gehabt, und auf dem Land seien die Gewaltverbrechen nicht nur viel häufiger als in der Stadt, hier habe man es, wie man wisse, tagtäglich, die Landschaft von Sicking als Ganzes genommen, stündlich immer mit der scheußlichsten Form des Gewaltverbrechens zu tun. Die These, daß der Gewaltverbrecher vor nichts zurückschrecke, wie wir sie immer wieder zu hören bekämen, bewahrheite sich in der Sickinger Gegend aufs Furchtbarste. Daß auch seine Frau eine Waffe hinter ihrem Krankensessel versteckt habe, wie Konrad vor ungefähr einem Jahr zu Wieser gesagt hat, bestätigt Fro. Sie, er und seine Frau, hielten es im Kalkwerk und überhaupt in Sicking keinen Augenblick ohne Waffe aus. Im Kalkwerk müsse man ununterbrochen bewaffnet sein und man habe genauso ununterbrochen mit einem Verbrechen an der eignen Person zu rechnen. Nur ein Dummkopf sei in einem solchen Gebäude wie in dem Kalkwerk und in einer solchen Gegend wie in der Gegend von Sicking waffenlos. Selbstverständlich habe er keine einzige Waffe verkauft, soll Konrad zu Wieser gesagt haben, im Gegenteil, während ich alles Verkaufbare zu verkaufen trachtete und auch schon beinahe alles Verkaufbare verkauft habe, habe ich, wie Sie wissen, fast den ganzen Waffennachlaß des Forstrates Ulrich angekauft, im Kalkwerk könne man nicht genug Waffen haben, denn sei das Kalkwerk auch verriegelt und vergittert, habe doch ein Gewaltverbrecher, der ein Gewaltverbrechen begehen will, immer die Möglichkeit, in das Kalkwerk einzudringen und ein Gewaltverbrechen zu begehen. Ein Verbrecher könne ja tatsächlich durch keine Vorsichtsmaßnahme an seinem oder an seinen Verbrechen gehindert werden, zu dem oder zu denen er sich entschlossen habe. Und ginge dieser Entschluß auch nicht immer vom Gehirn des Verbrechers aus, in den wenigsten Fällen ginge das oder gingen die Verbrechen eines Verbrechers vom Gehirn des Verbrechers aus, so ziele doch alles im Verbrecher auf das (oder auf die) Verbrechen ab, die Natur des Verbrechers verfolge das (oder die) Verbrechen so lange, bis sie begangen sind, oder bis es begangen ist. Und die Natur des Verbrechers sei immer eine ununterbrochen auf das oder auf die Verbrechen abzielende und nach einem begangenen Verbrechen oder nach begangenen Verbrechen konzentriere sich die Natur des Verbrechers naturgemäß auf ein neues oder auf neue Verbrechen und so fort. Ja, man kann schreien, soll Konrad zu Wieser gesagt haben, aber man wird nicht gehört. Dieser Zustand zieht naturgemäß Verbrecher und also Gewaltverbrechen an. An diese Äußerungen Konrads erinnerte sich Wieser genau. Aber auch zahlreiche Unglücksfälle hätten im Kalkwerk immer wieder zum Tod von im Kalkwerk Lebenden und Arbeitenden geführt, in den meisten Fällen zum Tod, weil man zwar um Hilfe gerufen, besser geschrien habe, aber nicht gehört worden sei. Denken Sie nur an das Explosionsunglück Anfang achtunddreißig, soll Konrad gesagt haben, an die sieben Toten, vierundzwanzig Verletzten. Er habe sich aber selbst im Hinblick auf seine auf ein solches spekulierende Frau, für die es zweifellos von größtem Nutzen wäre, soll Konrad gesagt haben, geweigert, im Kalkwerk ein Telefon installieren zu lassen, im Hinblick auf seine Studie käme die Installation eines Telefons im Kalkwerk überhaupt nicht in Frage. Kein Telefon! Kein Telefon!, habe Konrad mehrere Male ausgerufen, meint Wieser. Natürlich, braucht man einen, ruft man einfach einen Arzt!, soll er gesagt haben. Die Installierung eines Telefons bedeutete zweifellos das Ende seiner Studie und überhaupt das Ende, er wisse, was er sage. Es mag Ihnen unwahrscheinlich vorkommen, soll Konrad zu Wieser gesagt haben, aber vor die Alternative gestellt, meine Frau oder die Studie, entscheide ich mich naturgemäß für die Studie. Abgesehen davon, soll er gesagt haben, daß die Installierung eines Telefons bei weitem meine finanziellen Mittel übersteigt, denn, plötzlich aus der Zwangsvorstellung, wohlhabend zu sein, aufgewacht, soll Konrad gesagt haben, habe ich die Feststellung gemacht, daß wir im Grunde auf einmal völlig verarmt sind. Wir haben nichts mehr und aus diesem Grunde habe ich ja auch so viele Sachen verkauft, aber seine Frau dürfe davon nichts wissen, in dem Glauben unerschöpflicher Geldmittel und also unerschöpflicher Wohlhabenheit, soll Konrad gesagt haben, habe sie noch Halt, in nichts sonst habe sie noch Halt, aber in der Vorstellung, es wäre genug Geld da, und diese Vorstellung habe sie zeitlebens gehabt und bis vor ein zwei Jahren, wie gesagt, habe Konrad selbst auch noch diese Vorstellung gehabt, sei sie beruhigt. Haben wir Telefon, soll Konrad gesagt haben, haben wir ja die gleiche Situation, die wir gehabt haben, bevor wir ins Kalkwerk gegangen sind. Wozu bin ich denn dann ins Kalkwerk gegangen, wenn ich Telefon habe? frage er sich. Natürlich, es gibt gar kein noch so lächerliches Gebäude mehr, das kein Telefon hat, aber das Kalkwerk hat kein Telefon. Im Gasthaus ist Telefon, im Sägewerk ist Telefon, aber im Kalkwerk wird kein Telefon sein. Wenn er sich vorstelle, für welche Zwecke das Kalkwerk einmal gedacht und gebaut worden ist und zu welchem Zwecke er, Konrad, es jetzt bewohne, mißbrauche, soll er gesagt haben. Was hier alle möglichen Menschen geschuftet haben. Wenn er denke, was das Kalkwerk einmal für die ganze Gegend bedeutet habe. Und daß es jetzt schon so lange völlig bedeutungslos sei. Man spreche zwar immer noch vom Kalkwerk, wenn man vom Kalkwerk spreche, aber richtiger wäre doch, man spräche von einem stillgelegten Kalkwerk, wenn man vom Kalkwerk spreche. So spricht man

immer wieder von allen möglichen Gebäude- wie auch Gehirn-
komplexen, soll Konrad gesagt haben, die schon längst nicht
mehr diese Gebäude- oder Gehirnkomplexe sind. Zwanzig Jahre
sei das Kalkwerk stillgelegt, tot. Eines Tages habe man eingesehen, soll Konrad gesagt haben, daß das Kalkwerk unrentabel ist,
und man hat die Leute entlassen und das Kalkwerk zugesperrt.
Der Kalkwerksverwalter habe Hörhager, der sei damals in Zürich
gewesen, geschrieben, das Kalkwerk rentiere sich nicht mehr und
dieser Verwalter habe Hörhager den Vorschlag gemacht, das
Kalkwerk aufzulassen, soll Konrad zu Wieser gesagt haben, li-
quidieren Sie das Kalkwerk, soll der Kalkwerksverwalter Hörhager nach Zürich geschrieben, das heißt, telegraphiert haben, und
Hörhager soll das Kalkwerk sofort liquidiert haben, der Jungge-
selle Hörhager hätte das Kalkwerk, ohne einen Augenblick zu
überlegen, sofort auf Vorschlag des Kalkwerksverwalters liquidiert, soll Konrad zu Wieser gesagt haben. Dieser Verwalter aber
sei ein Betrüger gewesen, alles an diesem Menschen, habe Konrad gesagt, nichts als Betrug oder wenigstens betrügerische Absicht. Im Grunde hatte sich Hörhager niemals wirklich um das
Kalkwerk gekümmert gehabt, so Konrad zu Wieser. Der Verwalter habe Hörhager ausgenützt, Verwalter seien von Natur aus
Ausnützer der Besitzer, die Verwalter auf der ganzen Welt nützen aus und sie hätten nichts anderes im Kopf, als wie sie die Besitzer ausnützen könnten, sie entwickelten diesen Gedanken, wie
die Besitzer auszunützen seien, zu einer geradezu schwindelerre-
genden Wissenschaft. Zu dem Zeitpunkt, in welchem das Kalkwerk aufgelassen worden ist, seien Konrad und seine Frau in
Augsburg gewesen, verrammelt in einem für meine Studie
zweckmäßigen Haus, soll Konrad zu Wieser gesagt haben. Damals sei ihm das Kalkwerk wie jahrzehntelang vorher und
jahrzehntelang nachher, als frühester Kinderspielplatz im Gedächtnis gewesen, als seinem herumreisenden, sich die größte
Zeit in Zürich mit Gesellschaftsabenteuern betäubenden Neffen
Hörhager gehörendes Mauerwerk in Zusammenhang mit Feuchtigkeit, Kälte, Finsternis, Verletzungsmöglichkeiten. Damals sei
ihm das Kalkwerk durchaus schon als Verfinsterungsort erschie-

nen, ideal für seine Studie und schon damals in Augsburg, erinnerte er, Konrad, sich Wieser gegenüber, habe er den Gedanken gehabt, Hörhager das Kalkwerk abzukaufen, ohne zu wissen, ohne zu ahnen, daß er das Kalkwerk tatsächlich einmal seinem Neffen abkaufen werde, wenn auch erst zwei Jahrzehnte später. Sein Neffe Hörhager, meinte Konrad gegenüber Wieser, liquidierte damals von Zürich aus das Kalkwerk kaltblütig. Und obwohl er, sein Neffe, außer einer finanziellen, niemals auch nur die geringste andere Beziehung zum Kalkwerk gehabt habe, habe er, Hörhager, ihm, Konrad, das Kalkwerk jahrzehntelang nicht verkauft. Wahrscheinlich, weil mein Neffe wußte, daß ich das Kalkwerk unbedingt kaufen will, daß mein Leben, daß meine Existenz an dem Kalkwerkkauf hängt, hat er es mir nicht verkauft, soll Konrad zu Wieser gesagt haben. Ich erinnere mich, soll Konrad gesagt haben, meiner Frau ging es damals in Augsburg zusehends schlechter, wir versuchten es mit allen möglichen Spezialisten aus dem nahen München, das damals wegen seiner hervorragenden Ärzte in der ganzen Welt bekannt gewesen war, vor allem wegen seiner Verkrüppelungsspezialisten. Ich machte dort weite Spaziergänge den Lech entlang, soll Konrad gesagt haben, überhaupt, Augsburg ist eine brauchbare Stadt. Der Kalkwerksverwalter soll eine horrende Abfindungssumme von Hörhager gefordert haben, sagte Konrad zu Wieser, Hörhager akzeptierte sofort, wie Hörhager immer alles, was der Verwalter vorgeschlagen hat, sofort akzeptiert habe, schon, um von ihm in Ruhe gelassen zu sein, wahrscheinlich, soll Konrad gesagt haben. Er, der Verwalter, könne die Arbeiter entlassen, alles auskühlen lassen, die Tore endgültig zusperren. Kalkwerke wie das Sickinger, also von der mittleren Größenordnung, hätten keine Zukunft mehr, habe der Verwalter an Hörhager geschrieben, er, der Verwalter, werde für eine ordnungsgemäße Auflösung sorgen, Hörhager ging wie immer auf alle Vorschläge des Verwalters ein. Der Verwalter habe alle Vollmachten, habe Hörhager aus Zürich nach Sicking geschrieben. Ich erinnere mich, soll Konrad zu Wieser gesagt haben, er, Hörhager, war damals in Zürich, wir in Augsburg, er in Zürich, eine Stadt, die die Geisteswissenschaften be-

41

flügelt. Das Kalkwerk sei in einer knappen Woche aufgelöst gewesen. Aber das alles interessierte meinen Neffen Hörhager in Zürich kaum, wie ich mich erinnere, mich aber interessierte schon immer alles mit dem Kalkwerk Zusammenhängende, und die Auflösung des Kalkwerks interessierte mich damals in Augsburg um so mehr, als ein stillgelegtes, verlassenes, sogenanntes totes Kalkwerk für mich und das heißt für meine Studie in noch viel größerem Maße als ein ideales Existenz- und Studiermauerwerk in Frage kam. Damals schickte ich sofort ein Telegramm folgenden Inhalts nach Zürich: *kaufe Kalkwerk!*, nur diese beiden Wörter *kaufe Kalkwerk*, aber Hörhager, nun im Besitze meiner Willensäußerung, verkaufte nicht, soll Konrad zu Wieser gesagt haben. Und dann begann das jahrzehntelange Bemühen um das Kalkwerk. Und je mehr ich mich bemühte, in den Besitz des Kalkwerks zu kommen, soll Konrad zu Wieser gesagt haben, desto ablehnender wurde Hörhager, obwohl er, vor allem vor dem Zweiten Weltkrieg, mein Geld gebraucht hätte, verkaufte er nicht, er verkaufte aber auch nicht an einen andern, um den Bemühungen meinerseits um das Kalkwerk kein Ende zu machen, er brauchte diese meine verzweifelten Bemühungen, er verfolgte diese meine verzweifelten Bemühungen um das Kalkwerk genüßlich, soll Konrad zu Wieser gesagt haben. Mein Angebot erhöhte sich, seine Ablehnung versteifte sich. Zwei Jahrzehnte dauerte dieser Zustand. Und dann habe ich das Kalkwerk von Mannheim aus um einen so hohen und wahrscheinlich um zweihundert oder gar dreihundert Prozent zu hohen Preis endlich doch, und wahrscheinlich, soll Konrad zu Wieser gesagt haben, zu einem zu späten Zeitpunkt, gekauft. Höller wollte er im Zuhaus belassen und ihm eine Rente aussetzen, soll der Kalkwerksverwalter an Hörhager in Zürich geschrieben, soll Konrad zu Wieser gesagt haben, und Hörhager soll sofort die Rente an Höller akzeptiert haben, auch daß Höller lebenslänglich im Zuhaus bleiben könne, diese Auflage, an Höller eine Rente zu zahlen und daß Hörhager das Recht habe, lebenslänglich im Zuhaus zu leben, habe er, Konrad, mit dem Kalkwerk von Hörhager übernommen, das schmerze ihn aber nicht, im Gegenteil, Höller brauche er. Ein Mensch müsse im Kalkwerk bleiben, der mit dem Kalkwerk vollkommen eins sei, habe der Kalkwerksverwalter an Hörhager nach Zürich geschrieben und Konrad soll zu Wieser gesagt haben, daß die Ansicht richtig sei, ein Mensch wie Höller gehöre zu einem Bauwerk wie das Kalkwerk. Höller sei dreißig Jahre Vorarbeiter im Kalkwerk gewesen. Er wäre auch unfähig gewesen, aus dem Kalkwerk wegzugehen, die andern gingen einfach, die meisten in die Brauerei, in die Wachszieherei, in die Schottergrube und aus. Die Arbeiter kehren dem Arbeitsplatz einfach den Rücken, soll Konrad zu Wieser gesagt haben, für sie ist der Arbeitsplatz nichts anderes als eine Maschine, die ihnen Geld bringt. Höller aber sei im Kalkwerk zu Hause gewesen. Das stillgelegte, das tote Kalkwerk aber, habe Konrad zu Wieser gesagt, bedrücke ihn, Höller, heute noch. Es sei ihm unheimlich. Konrad selbst sei ihm, dem Höller, unheimlich, soll Konrad zu Wieser gesagt haben, umgekehrt soll Konrad den Höller immer als einen ihm mehr und mehr nahestehenden und durch und durch verläßlichen Menschen empfunden haben. Konrad zu Fro: zuerst gehe er auf den Dachboden hinauf, dann in den dritten, dann in den zweiten, dann in den ersten Stock, dann gehe er durch alle ebenerdigen Räume, um festzustellen, ob außer dem Francis Bacon, den er sich in Glasgow gekauft habe, wirklich kein verkaufbarer Gegenstand mehr im Kalkwerk sei. Einen Gegenstand, der zu Geld zu machen sei, suche er, sonst nichts. Er finde nichts. Er habe, denke er, fast alles verkauft. Er wisse nicht, wie viele Schulden er habe, aber er habe die größten Schulden. Die Schulden wären höher als der Wert des Kalkwerks. Er habe ja überhaupt nichts mehr, denke er. Er gehe noch einmal auf den Dachboden, aber auf dem Dachboden sei wirklich nichts mehr. Reisekoffer, Biergläser, Einmachgläser, Hutschachteln, Krükken. Er schaue in alle Winkel, weil er nicht glauben könne, daß sich auf dem Dachboden überhaupt nichts Verkaufbares mehr befinde, kein altes Heiligenbild, nichts. In den Zimmern nichts, an den Wänden nichts. Seien alle diese Wände vor drei Jahren noch überfüllt gewesen, jetzt hänge nichts mehr an den Wänden. Aber man sehe noch deutlich, was alles an den Wänden gewesen sei, die Umrisse der Bilder sehe man noch. Die Kalkwerkswände seien leer. Alles von ihnen heruntergenommen und verkauft. Zu einem Spottpreis, soll Konrad zu Fro gesagt haben. Aber obwohl er wisse, daß alles verkauft und also in den Räumen nichts mehr sei, weil er nach und nach selbst das scheinbar Unverkäuflichste daraus verkauft habe, gehe er doch immer wieder in alle Räume hinein, als ob er zum hundertsten und zum tausendsten Male bestätigt haben wolle, daß tatsächlich in den Räumen nichts mehr ist. Ebenerdig machten die leeren Zimmer einen noch viel deprimierenderen Eindruck, soll er zu Fro gesagt haben. Hohe leere Räume wirkten fürchterlich auf den Eintretenden. Jetzt sei er wieder in alle Kalkwerksräume hineingegangen, soll er zu Fro gesagt haben, und auch im Zuhaus gewesen und habe festgestellt, daß auch im Zuhaus nichts mehr ist, das er verkaufen könne. Er denke daran, heimlich etwas aus dem Zimmer seiner Frau zu verkaufen, aber das sei das Schwierigste. Und in seinem eigenen Zimmer sei nichts mehr außer dem Francis Bacon, den Bacon aber verkaufe er nicht, er trenne sich niemals mehr von dem Bild. Möglicherweise gelingt es mir aber, aus dem Zimmer meiner Frau etwas Verkaufbares herauszubringen, ohne daß sie es merkt, soll er gesagt haben. Gleichzeitig denke ich, soll er gesagt haben, ich habe nichts mehr auf der Bank. Schon habe man ihm auf der Bank gesagt, er habe das letzte Mal etwas bekommen. Aber auch der Anspruchsloseste brauche Geld. Von was leben wir denn?, soll er sich gedacht haben, wie er, um sich um etwas Verkaufbares im Zimmer seiner Frau umzuschauen, in ihr Zimmer eingetreten ist und er habe sofort gedacht, daß sich im Zimmer seiner Frau tatsächlich nichts Verkaufbares befinde, lauter Wertlosigkeiten hängen in ihrem Zimmer, soll er zu Fro gesagt haben, zeitlebens habe sich seine Frau mit Wertlosigkeiten umgeben, Kostbarkeiten hätten sie, die so viel Kostbarkeiten besessen habe, immer bedrückt, sie wollte auch bei ihrem Einzug ins Kalkwerk in ihrem Zimmer keine Kostbarkeit haben, sagte Konrad zu Fro, daran erinnerte sich Konrad sofort nach seinem Eintreten ins Zimmer seiner Frau, wie er wieder feststellte, daß sich im Zimmer seiner Frau nichts Verkaufbares befinde. Alles im Zimmer meiner Frau ist wertlos und geschmacklos, soll er gesagt haben, aber nicht, daß Sie glauben, meine Frau hätte keinen Geschmack und sie hätte keinerlei Wertbegriff! Die vollkommene Geschmacklosigkeit aller vier Wände im Zimmer seiner Frau wäre ihm bei dieser Gelegenheit voll zu Bewußtsein gekommen, dieses ganze Zimmer ist eine einzige Geschmacklosigkeit, angeräumt und geschmacklos, habe er gedacht, wie er ihr die Polster aufbeutelte und ihr den Fußschemel unter die Sohlen rückte. Je mehr er sich im Zimmer seiner Frau umschaute, desto geschmackloser war es ihm vorgekommen. Einzig und allein die Zuckerdose, Erbstück nach ihrer mütterlichen Großmutter, immer wieder habe er gedacht, einzig und allein die Zuckerdose, die Zuckerdose, die Zuckerdose, aber die Zuckerdose verkaufen, sie unter irgendeinem Vorwand aus ihrem Zimmer zu bringen und zu verkaufen, sei ihm auf einmal unsinnig erschienen, für diese Zuckerdose, die tatsächlich ein schöner Wertgegenstand ist, habe er gedacht, bekomme ich nichts, ich bekomme zu wenig für diese Zuckerdose, habe er gedacht, soll er zu Fro gesagt haben. Es sei lächerlich, daran zu denken, ihre Zuckerdose zu verkaufen. Völlig erschöpft und in der Gewißheit, daß im ganzen Kalkwerk nichts mehr ist, das er hätte verkaufen können, zu Geld machen und sei es auch nur zur kleinsten Summe und auch in dem Gedanken, daß er ja die Verbindung mit dem Vöcklabrucker Antiquitätenhändler längst, weil er schließlich doch auf die üblen Praktiken auch dieses Mannes gekommen war, abgebrochen habe, setzte er sich, so Fro, tatsächlich völlig erschöpft auch in dem Gedanken, finanziell am Ende zu sein, in den Sessel, der dem Krankensessel seiner darin meistens in einem ihr schon Jahrzehnte zur Gewohnheit gewordenen Halbschlaf dösenden Frau gegenüber stand. Immer wieder habe er, in dem Sessel sitzend, seine ihm gegenüber in ihrem Krankensessel dösende Frau beobachtend, gedacht, sagt Fro, den Francis Bacon verkaufe ich nicht, den Francis Bacon verkaufe ich nicht, den Francis Bacon verkaufe ich nicht. Und kommen die Bankleute, verstecke ich ihn. Ich werde den Francis Bacon verstecken. Ich muß ihn verstecken, habe Konrad fortwährend gedacht. Und dann: es ist acht Uhr, Nachtmahlszeit, und die Zeit, der ganze

Abend, die halbe Nacht, sei an ihnen, den sich gegenübersitzen-
den Eheleuten, ohne daß sie einen Bissen und ohne daß sie einen
Schluck zu sich genommen hätten, vorübergegangen, wie oft.
Während der Kindheit sei er, Konrad, der Kränklichste gewesen,
sie war, so Konrad angeblich, bis zu dem Unglück, niemals krank.
Wie oft habe er in der Kindheit im Bett liegen müssen, fiebernd,
in Schmerzen, während seine Geschwister unter seinem Fenster
im Park lachten, sich vergnügten, mit ihrer Gesundheit tun und
lassen konnten, was sie wollten. Es brauchte nur die Verküh-
lungszeit zu kommen und er, Konrad, verkühlte sich. Ein kaltes
Getränk, und er war verkühlt gewesen. Und fast die ganze Kindheit entlang habe er an dem sogenannten Kinderkopfschmerz gelitten. Später, mit seinem Eintritt in das Gymnasium, habe dieser
Kinderkopfschmerz schlagartig aufgehört, sagt Fro, aber auch in
der höheren Schule kränkelte er, die meiste Zeit sei er in Schwächezuständen gewesen, kein Arzt sei jemals dahintergekommen,
in was für Schwächezuständen, auf die Ursache dieser Schwäche-
zustände, die sich zwischen seinem zweiundzwanzigsten und seinem achtundzwanzigsten Jahr zusehends verschlimmert haben
sollen, wäre kein Arzt gekommen, weil sich, wie Konrad zu Fro
gesagt haben soll, keiner auch dieser so übermäßig gut von seinen
Eltern bezahlten Ärzte wirklich die Mühe gemacht habe, nachzu-
forschen. Die Ärzte seien immer erstaunt über die Wirkung einer
Krankheit, wie überhaupt über jede ihnen neue Krankheit, aber
sie täten nichts, um die Ursache dieser Krankheit zu erforschen,
obwohl, wie Konrad zu Fro gesagt haben soll, es das Wesen jeder
Krankheit sei, erforschbar zu sein, alle Krankheiten wären solche
von Menschen zu erforschende, das heißt, die Ärzte wären in der
Lage, die Ursachen aller Menschenkrankheiten zu erforschen,
erforschten aber nichts, blieben immer und in jedem Falle immer
in dem Zustand des Erstauntseins aus Interesselosigkeit und
Faulheit, alle Krankheiten betreffend. Tatsächlich sei es, streng-
ten sie sich wirklich an, den Ärzten durchaus möglich, auf die Ursachen aller Krankheiten zu kommen, nach und nach würden die
Ärzte auch auf die Ursachen aller Krankheiten kommen, meinte
Konrad zu Fro, aber das dauere noch Jahrhunderte und da aber

immer wieder neue Krankheiten kommen werden, würden die Ärzte schließlich zwar immer wieder auf die Ursache aller Krankheiten kommen, aber doch niemals auf die Ursache aller Krankheiten. Konrad gefiel sich in solchen Äußerungen. Alles, soll Konrad zu Fro gesagt haben, sei in seiner Kindheit wie in seiner Jugend wie auch später im Grunde immer über seine Kräfte gegangen. Tummelten sich beispielsweise seine Geschwister im Wasser, fühlten sie sich wohl darin, getraute er sich nicht einmal in das Wasser hineinzuschauen, ihn fröstelte sofort, allein der Anblick des Wassers genügte, um ihn zu verkühlen. Die ganze Kindheit, wie die ganze Jugend, seien ihm gekennzeichnet gewesen durch ununterbrochene Ängstlichkeit, nicht Angst, Ängstlichkeit. Auch hatte er unter dem Umstand zu leiden gehabt, daß seine Schwester wie sein Bruder Franz nur ein einziges Jahr auseinander und also gleichaltrig und dadurch naturgemäß immer miteinander gewesen waren, während er als der viel Ältere, dadurch aber viel Schwächere, ständig von ihnen durch mehrere ihn tatsächlich ununterbrochen bis in die Tiefe seiner Existenz hinein schmerzende Jahre, und das heißt, auf die zerstörerische Distanz mehrerer Jahre zwischen ihm und ihnen getrennt aufwachsen habe müssen. Er sei immer allein gewesen. Als den so viel älteren Bruder hätten ihn die Geschwister ständig abgedrängt von sich, von allem sie Betreffenden auf das Natürlichste fürchterlich ausgeschlossen in eine für ihn immer kompliziertere Vereinsamung und in ein ihn mehr und mehr elementar schwächendes Alleinsein hinein. Das Unglück, soll er zu Fro gesagt haben, sechs Jahre älter als seine Schwester, sieben Jahre älter als sein Bruder Franz zu sein, habe eine andauernde Isolation seinerseits bewirkt. Alle seine Körper- und Geisteskräfte seien mindestens drei Jahrzehnte, jedenfalls bis zu dem Zeitpunkt, in welchem er seine Frau geheiratet hat, auf nichts anderes konzentriert gewesen, als aus dieser ungerechtfertigten Isolation herauszukommen. Während seiner Kindheit habe er immer befürchtet, den natürlichen Zusammenhang zu seinen Geschwistern wie überhaupt zu seiner Familie durch deren fortgesetzte instinktive Ablehnung seiner Person gänzlich zu verlieren. Er, Konrad, habe oft gedacht: um den Verstand nicht zu verlieren, müsse er aus dem Zustand der beinahe vollkommenen Isolierung von seinen Geschwistern, Eltern, Verwandten, letzten Endes Mitmenschen überhaupt, heraus. Abgeschlossen für sich, habe er zuschauen müssen, wie sich schließlich alles gegen ihn richtete. Und seine Eltern, habe er zu Fro gesagt, erzogen ihn und seine Geschwister, solange sie sie erzogen, wenn man überhaupt in diesem Zusammenhang von Erziehung seiner Eltern sprechen könne, in größter Bewußtlosigkeit. Es sei, alles in allem, soll er zu Fro gesagt haben, alles in allen Eltern von der Natur in der Weise angelegt, daß es das Erstgeborene immer nur deprimieren und abstoßen und schließlich verkümmern und verkommen lassen und vernichten müsse. Welche ungeheueren Kräfte aber hätte es erfordert, mit dieser Ungerechtigkeit fertig zu werden, soll Konrad gesagt haben. Herauszukommen aus der Schwere und Schwüle einer völlig gedankenlosen Erziehung. In dieser, von ihm schließlich als skrupellos bezeichneten Erziehung sei die Ursache dafür zu suchen, habe er zu Fro gesagt, daß er die Studie, an welcher er zwei Jahrzehnte mehr oder weniger am intensivsten arbeite, nicht aufschreiben könne, immer sei er nur nahe daran, sie aufschreiben zu können, könne sie aber nicht aufschreiben, alles Folge dieser skrupellosen Erziehung, soll er zu Fro gesagt haben. Alles sei, und die Ursachen seien die frühesten, gegen die Niederschrift. Lauter entsetzensvolle Abschnitte, habe Konrad zu Fro gesagt, die sich jetzt unheilvoll gegen die Niederschrift seiner Studie auswirkten. Sagen könne er nicht, aber doch denken, daß er in seine Kindheit hineinschauen müsse wie in eine Unheimlichkeit, von wo aus immer hinein, er schaue in seine Kindheit nur in eine Unheimlichkeit, wie wenn er in eine Hölle hineinschaute, hinein. Er könne, wann immer, eine Tür in seine Kindheit hinein aufmachen und er mache doch nur eine Tür in die finsterste Finsternis hinein auf. Aus seiner Kindheit komme nichts als Kälte und Rücksichtslosigkeit heraus. Und in dieser Finsternis seien auch heute noch die Gleichgültigkeit und die insgeheime Herzenskälte seiner Eltern spürbar. Die Einsamkeit, die zu tragen er schon in seiner frühesten Kindheit wie nichts gelernt habe, erwähnte er Fro gegen-

48

über, unaufhörliches Studieren der Einsamkeit. Größtmögliche Einsamkeit gerade in dem Augenblick habe ihn befallen, in welchem ihm das genaue Gegenteil von größtmöglicher Einsamkeit notwendig gewesen wäre. Schon allein in dem Gedanken, sich für ein bestimmtes Studium entscheiden zu sollen, sei er beinahe umgekommen durch völliges Alleinsein in diesem Gedanken und er habe so, dem Wunsche seiner Eltern entsprechend, auch nicht studiert, keine Hochschule besucht, keinerlei ordentliches staatliches Examen gemacht, weil er nicht die Kraft gehabt habe, sich bei seinen Eltern in dem Willen, Naturwissenschaft zu studieren oder Medizin zu studieren, durchzusetzen, allein später, im Mannesalter, habe er sich deshalb immer in fast allen Notwendigkeiten durchsetzen können, weil er sich im Kindes- und im Jugendalter niemals auch nur in der geringsten Sache habe durchsetzen können, also auch nicht mit dem Willen, Naturwissenschaft, Medizin zu studieren, zwei Richtungen, die schon sehr früh sein Interesse erweckt hatten, seine Eltern wären von Anfang an gegen einen Hochschulbesuch seinerseits gewesen und keinesfalls hätten sie ihm ein naturwissenschaftliches Studium, das der Medizin, erlaubt, eher noch wären sie dafür zu gewinnen gewesen, daß er die Hochschule für Bodenkultur besuchte, die sein Vater absolviert hatte, sie hatten ihn betreffend niemals auch nur irgendein höheres Studium eingeplant und ihn immer nur als den Erben ihres doch recht ansehnlichen, auch noch nach den sogenannten Wirren des Ersten Weltkrieges und seiner Erschütterungen, stattlichen Grund- und Bodenbesitzes und anderweitigen Reichtums angesehen, auf dem Höhepunkte des Lebens sollte er, so hatten sie sich vorgestellt und gar keine andere Vorstellung jemals gehabt, die riesige weitverzweigte Erbschaft machen und diese Erbschaft den Rest seines Lebens verwalten. Und vielleicht, soll Konrad zu Fro gesagt haben, sei die Tatsache, daß er durch den Widerstand seiner Eltern gegen ein Studium seinerseits innerlich rasch verwahrlost sei, in Verkommenheit und Gleichgültigkeit aufzugehen sich eingelebt hatte, Ursache für das spätere, vor allem mit der zunehmenden Erkrankung seiner Frau deutlicher und deutlicher sich durchsetzende Unvermögen, seine Studie niederschreiben zu können. Schon in der frühesten Kindheit hatte ihm immer alles in totaler Erschöpfung geendet. Und jetzt, hier im Kalkwerk, soll Konrad zu Fro gesagt haben, zeige sich auch alles als das Ungünstigste für die Niederschrift der Studie, wo ich doch immer geglaubt habe, daß das Kalkwerk am förderlichsten sei für die Studie. Auch allen möglichen Krankheitsvorkommnissen in der Gegend von Sicking gab er, so Fro, die Schuld. Daß hier kein Mensch alt werde. Und trotzdem alle Leute den Eindruck von alten Menschen machten. Wo man hingehe in Sikking, nur alte Leute, soll er gesagt haben, selbst die Kinder fielen, sehe man genau hin, durch das widerwärtige Gehabe alter Leute auf. Hier zögen sich die Menschen sehr bald eine von den Hunderttausenden von nicht zu klassifizierenden schweren Krankheiten zu und zögen sich in diese schweren, nicht zu klassifizierenden Krankheiten hinein zurück, kapselten sich in diesen Krankheiten ab und gingen ein. Er jedenfalls mache andauernd diese Beobachtung. Man bezeichne alle diese Krankheiten, aber man bezeichne sie aus Oberflächlichkeit und Anstrengungsabscheu falsch. Die ganze Landschaft um das Kalkwerk sei eine ständige immer gleich alles und alle ansteckende Quelle aller möglichen Krankheiten, alle diese Krankheiten gelten als erforscht, obwohl man bis heute nichts, ja überhaupt nichts von diesen Krankheiten wisse, soll er gesagt haben, bis zum heutigen Tag weiß man genaugenommen nichts von diesen Krankheiten, die Medizinische Wissenschaft sei die schwachsinnigste, die Ärzte seien die schwachsinnigsten, skrupellos, und die Kranken zögen sich, mit ihren Krankheiten allein gelassen, nach und nach auf die erniedrigendste Weise in sich selber zurück, weil sie keine andere Wahl hätten, gingen unter der sie ständig beschwindelnden Ärzteschaft ein. Diesen Vorgang könne er am besten an seiner eigenen Frau beobachten, von der es heiße, sie habe die und die Krankheit, obwohl man genau wisse, daß man über ihre Krankheit nichts weiß, soll Konrad gesagt haben. Man rede beispielsweise unter der Ärzteschaft von einer Lungenkrankheit, soll Konrad zu Fro gesagt haben, aber in Wirklichkeit sei die sogenannte Lungenkrankheit, über die man rede, gar keine Lungenkrankheit. Man rede von einer Herzkrankheit, aber in Wirklichkeit sei diese sogenannte Herzkrankheit gar keine Herzkrankheit. Die Krankheit, über die die Ärzte reden, sei immer eine ganz andere, als die, als die sie von den Ärzten bezeichnet wird, soll Konrad gesagt haben. Man sage, der sei ein Kopfkranker und die Krankheit, die der habe, sei eine Kopfkrankheit und habe den und den Namen, aber man wisse nichts über diese Krankheit und nicht einmal, ob die Krankheit tatsächlich eine Kopfkrankheit sei. Der Mensch hinkt, sage man, aber die Ursache seines Hinkens sei nicht bekannt. Von Leber und Niere redeten die Ärzte, aber die Krankheit, von welcher sie redeten, habe weder mit der Leber, noch mit der Niere des betreffenden Patienten zu tun. Alle diese Krankheiten seien in erster Linie nichts als sogenannte Gemütskrankheiten, die den Anschein erweckten, organisch zu sein. Im Grunde gebe es gar keine sogenannten Organischen Krankheiten. Es gebe nur die sogenannten Gemütskrankheiten, soll Konrad zu Fro gesagt haben, und alle diese Gemütskrankheiten, alle Krankheiten also, die bekannt seien, was nicht heiße, daß diese bekannten Krankheiten auch erforschte Krankheiten seien, und die in jedem Falle immer sogenannte Gemütskrankheiten seien, würden durch die Charakterlosigkeit und durch die charakterlose Unaufmerksamkeit und charakterlose Selbstüberheblichkeit und charakterlose Verworfenheit und Roheit der Ärzte schließlich zu Organischen Krankheiten. An den sogenannten Organischen Krankheiten seien die Ärzte schuld, soll Konrad gesagt haben, an den sogenannten Gemütskrankheiten aber die Natur, wenn man wolle, die Schöpfung. Zuerst treffe die Natur oder die Schöpfung die Schuld, dann aber treffe diese Schuld ausschließlich die Ärzte. Aber spreche man von Gemütskrankheiten oder auch von sogenannten Gemütskrankheiten, soll Konrad gesagt haben, so sage man etwas vollkommen Falsches, wie man auch etwas vollkommen Falsches sage, wenn man von Organischen Krankheiten oder von sogenannten Organischen Krankheiten spreche. Es handle sich aber hier in der nahen und nächsten Umgebung von Sicking wenigstens, soll Konrad zu Fro gesagt haben, immer um Frühverstorbene, jeder, der hier sterbe, sei ein Frühverstorbener, alle, die jemals in dieser Gegend verstorben seien, seien als Frühverstorbene zu bezeichnen, das heißt: jeder Mensch sterbe hier früher, als ihm entsprechend. Schuld seien Klima und Ärzte, nachweisbar Klima und Ärzte, und die Krankheitsursache wie auch die Todesursache seien in jedem Falle immer andere als die amtlichen. Zu Wieser: in dem Augenblick, in welchem er, Konrad, glaubte, sich mit der Studie beschäftigen zu können, hörte er plötzlich den Höller Holz hacken. Er stehe auf und gehe zum Fenster und schaue hinaus und sehe natürlich nichts, höre aber. Gerade habe er Lust, die Studie niederzuschreiben, alle Voraussetzungen für eine rasche Niederschrift, denke er, fängt der Höller mit dem Holzhacken an. Als ob sich alles gegen die Niederschrift meiner Studie verschworen hätte, soll Konrad gesagt haben. Gestern ist es der Baurat gewesen, heute ist es der Höller, Tausende, Abertausende von Winzigkeiten sind es, die mich daran hindern, meine Studie niederzuschreiben. Dazu komme die Otalgie seiner Frau, hervorgerufen wahrscheinlich durch die an ihr ständig intensivierte urbantschitsche Methode, durch seine sich mehr und mehr gegen sie, seine Frau, vergrößernde Rücksichtslosigkeit, die Übungen betreffend, die ebenso rücksichtslos immer noch mehr zu radikalisieren, komplizieren er sich vorgenommen, ganz einfach unumstößlich in den Kopf gesetzt habe, was zwischen ihm und seiner Frau zunehmende Spannung erzeuge. Er könne aber, soll er zu Wieser gesagt haben, mit dem Experimentieren an ihr nicht plötzlich aufhören, weil er in dem Experimentieren an ihr schon zu weit fortgeschritten sei. Er habe die urbantschitsche Methode weiter und weiter entwickelt, zu einem Martyrium für sie, wie er sich ausgedrückt haben soll. Das tatsächlich Wesentliche einer jeden Methode sei ja ihr absolutes Gehör, wie er sich ausgedrückt haben soll, zur Weiterentwicklung. Jetzt könne es sich nur noch um die Vervollkommnung dieser seiner Experimente handeln und damit um die Vervollkommnung seiner Studie, die er durchaus im Kopf habe. Aber gestern machte mir der Baurat alles zunichte, soll Konrad zu Wieser gesagt haben, und heute fängt der Höller mit dem Holzhacken an und im Augenblick sei ihm einfach alles, die Studie Betreffende unmöglich gemacht. Sei man von sich selber zu einer solchen Geistesarbeit wie der Studie verurteilt, soll Konrad zu Wieser gesagt haben, was wohl die lebenslängliche Beschäftigungshaft mit einer solchen Geistesarbeit bedeute, sei man mehr und mehr einer schließlich die ganze Welt und dann auch alles über die Welt hinaus Mögliche umfassenden Verschwörung gegen sich selbst ausgeliefert, denke er. Alles sei eine einzige Verschwörung gegen einen und das heiße, gegen die Geistesarbeit, die man verrichte. Und man könne dagegen nichts tun, man könne sich nur fortwährend des eigenen Kräfteverfalls vergewissern, um durch Erkenntnis daraus und aus nichts sonst die beinahe menschenunmögliche Anstrengung auf die Geistesarbeit zu intensivieren, in jedem Augenblick immer gleich alles zu überbrücken, denke er, was letzten Endes eine sehr hohe Kunst sei, die man durch nichts als durch Gehirnautomatismus beherrschen und in welcher man einzig und allein auf die Dauer Zuflucht und den Zweck des Existierens erhoffen und finden und schließlich erfinden könne. Die Welt, vor allem die Umwelt empfinde aber alles, was man in Richtung auf eine Geisteswissenschaft unternehme, als eine immer und in jedem Falle immer gegen die Welt und gegen diese Umwelt gerichtete Ungeheuerlichkeit, von welcher sie glaube, daß sie, obzwar nur dem einzelnen möglich, nur der Masse zustehe und der einzelne sei immer der radikalen Gegnerschaft der Masse ausgesetzt und allein durch die Konfrontation mit dem dadurch Verbrecherischen der Masse befähigt, das ihm von der Masse verbotene und lebenslänglich verweigerte Denken und Handeln dann doch in seinem Gehirn zu denken und zu beherrschen und zu vollenden. Die Masse verweigere dem einzelnen, was nur dem einzelnen und nicht der Masse möglich sei, der einzelne verweigere der Masse, was nur der Masse möglich sei, aber der einzelne kümmere sich nicht um die Masse, kümmere sich schließlich um nichts als um sich selbst zum Vorteil der Masse, wie die Masse sich schließlich nicht um den einzelnen kümmere zum Vorteil des einzelnen, die die Leistung des einzelnen erst mit der Vernichtung des einzelnen, der einzelne die Masse erst mit der Vernichtung der Masse, anerkenne und so fort. Einmal sei es der Baurat, dann sei es der Forstrat, dann der Höller, dann der Bäcker, dann sei es der Rauchfangkehrer, dann sei Wieser es, ich es, seine Frau sei es, alles sei es. Aber er müsse sich ja nicht alles gefallen lassen, denke er und er gehe hinunter und verbiete dem Höller das Holzhacken. Wenn er, Konrad, arbeite, brauche der Höller nicht Holz zu hacken, also, wenn er, Konrad, arbeite, brauche Höller nicht zu arbeiten, umgekehrt, wenn er, Höller, arbeite, könne er, Konrad, nicht arbeiten, aber er, Höller, dürfe nur arbeiten und das heißt, Holz hacken, et cetera, wenn er, Konrad, es ihm erlaube et cetera. Sofort habe Höller mit dem Holzhacken aufgehört und sei ins Zuhaus gegangen, eine lautlose Beschäftigung habe Konrad dem Höller aufgetragen, er, Höller, solle die ihm von Konrad schon vor drei Tagen ins Zuhaus hineingestellten, zerrissenen, ausgefransten Papierkörbe flicken. Die Anordnung, Höller solle die im Zuhaus stehenden Papierkörbe flicken aber, habe er, Konrad, zu laut und mit einem anklagenden Unterton in der Stimme ausgesprochen, so Konrad zu Wieser, und kaum sei der Höller im Zuhaus verschwunden gewesen, habe sich Konrad Vorwürfe wegen seines Tones gegenüber Höller gemacht, gegenüber dem Menschen, welchem er immer mit dem behutsamsten Tone begegnet sei und stundenlang sei Konrad, habe er zu Wieser gesagt, mit dem Gedanken beschäftigt gewesen, warum er einen solchen viel zu lauten, barschen, ungeduldigen Ton gegenüber Höller angeschlagen hatte, warum er plötzlich selbst gegenüber Höller die Kontrolle über seine Stimme und das heißt, über sich selbst als Ganzes verloren gehabt habe, zu Wieser meinte Konrad angeblich, daß man, wahrscheinlich, weil man von etwas ganz anderem, das mit dem, mit welchem man spricht, überhaupt nichts zu tun habe, gereizt worden sei, mit zu großer Schärfe zu dem Menschen gesprochen habe, mit zu großer Schärfe sage man etwas zu einem darüber natürlich vollkommen überraschten und tatsächlich oft zutiefst erschrockenen Menschen und verstimme und sei in der Beziehung zu diesem Menschen, dem man, wie er, Konrad, im Falle Höllers, auf die erfreulichste Weise zugetan sei, zurückgeworfen. Nein, er habe doch nicht mit zu großer Schärfe zu Höller gesprochen, habe er gedacht, wie er wieder in seinem Zimmer gewesen sei, soll Konrad zu Wieser gesagt haben. Plötzlich sei es wieder vollkommen ruhig gewesen und er, Konrad, habe an die Arbeit gehen können, er setze sich an den Schreibtisch, da sei auch schon der erste Satz, denke er und er schreibe den Satz auf. Noch eine Reihe solcher Sätze, denke er und die Studie lasse sich endlich aufschreiben. Aber an die hunderte und an die tausende Male habe er dasselbe gedacht, soll Konrad zu Wieser gesagt haben, daß er nur ein paar Sätze zu schreiben habe, um dann auf einmal nach und nach alles niederschreiben zu können, tausende Male so gedacht, tausende Male, wie er sich ausdrückte, habe er so denken und handeln müssen und das heißt, nach ein paar Anfangssätzen das Ganze abbrechen, schon in den Augsburger Tagen habe er geglaubt, die Studie nach ein paar Sätzen in einem einzigen Zuge niederschreiben zu können, in Augsburg und in Innsbruck und in Paris und in Aschaffenburg und in Schweinfurt und in Bozen und in Meran und in Rom und in London und in Wien und in Florenz und in Kopenhagen und in Hamburg und in Frankfurt und in Köln und in Brüssel und in Ravensburg und in Rattenberg und in Toblach und in Neulengbach und in Korneuburg und in Gänserndorf und in Calais und in Kufstein und in München und in Prien und in Mürzzuschlag und in Thalgau und in Pforzheim und in Mannheim. Alle diese immer wieder und für immer verlorengegangenen Anfänge und Ideen, soll Konrad zu Wieser gesagt haben. Plötzlich klopft es unten, habe Konrad zu Wieser gesagt. Zuerst ignoriere ich das Klopfen, soll er gesagt haben, aber eine Dauerignoration des Klopfens ist nicht möglich, das Klopfen hört nicht auf und ich muß aufstehen und hinuntergehen. Wie er im Vorhaus ist, habe er den Zusammenhang der Anfangssätze der Studie schon nicht mehr im Kopf. Er macht auf, da steht der Baurat. Ja, was denn? frage er und er sage: ah Sie! und er denke, der Baurat komme immer zur ungelegensten Zeit und er, Konrad, sage: kommen Sie doch herein, gegen seinen Willen sage er, sagte er zu Wieser, kommen Sie doch herein und der Baurat sei hereingekommen und Konrad und der Baurat setzten sich in das Zimmer rechts vom Eingang, in das sogenannte holzgetäfelte Zimmer. In diesem Zimmer sei noch eine der Sitzgarnituren gestanden, zu welchen man sagt, das sei Wiener Barock. In diesen Sesseln sitzt man übrigens sehr bequem. Setzen Sie sich, habe er, Konrad, zum Baurat gesagt, es sei zwar kalt hier im sogenannten holzgetäfelten Zimmer, aber wenn Sie Ihren Mantel nicht ausziehen, können Sie sich ruhig da hereinsetzen, ich selbst bin ja abgehärtet, soll Konrad zum Baurat gesagt haben, sagt Wieser, absichtlich habe Konrad den Baurat in das eiskalte Zimmer geführt, damit er sich gleich wieder, frierend, wie Konrad ausdrücklich betont haben soll, verabschiedet, aber der Baurat verabschiedete sich nicht, sagt Wieser, Konrad machte auch noch angeblich die Bemerkung, daß es in dem sogenannten holzgetäfelten Zimmer nur drei Grad über Null habe, was aber den Baurat keinesfalls beeindruckt haben soll, im Gegenteil, der Baurat soll das sogenannte holzgetäfelte Zimmer gar nicht als so kalt empfunden und sich wie für längere Zeit in dem Wienerbarocksessel zurückgelehnt haben. In mein Zimmer können wir nicht, soll Konrad zum Baurat gesagt haben, auf meinem Schreibtisch liegen lauter Papiere und Bücher, wie Sie wissen, bin ich mit meiner Studie beschäftigt. Und er, Konrad, bringe dem Baurat, obwohl er sich mit dem Baurat überhaupt nicht unterhalten will, denn er will ja nichts, als in sein Zimmer zurück, zurück zur Studie, etwas zu trinken und Neinnein, sage er, Konrad, auf die Frage, ob er, der Baurat, Konrad in seiner Arbeit, tatsächlich soll der Baurat *in Ihrer Studie* gesagt haben, gestört habe. Neinnein, sage er und lügt, die Lüge, denke er, Konrad, als das einzige Kontaktmittel zu beinahe allen Menschen. Erledigen wir, was zu erledigen ist, soll Konrad zum Baurat gesagt haben, der Baurat habe etwas von einer Wegebegradigung gesagt und Konrad, ohne, wie er selber gesagt haben soll, danach gefragt worden zu sein, wie Sie wissen, schreibe ich an der Studie, von welcher ich Ihnen schon öfter gesprochen habe. Immer wieder ist es die Studie, die mich beschäftigt, soll er gesagt haben, eine Narretei, wissen Sie, ein Narretei, an welcher ich alles, was ich bin, aufhänge, wissen Sie es sei das Wesen der

Geistesnarretei, sage er, so Wieser, daß man sein Leben an ihr aufhänge und sich an ihr und an nichts sonst vernichten müsse. Etwas über das Gehör, soll Konrad zum Baurat gesagt haben, der Baurat bestätigt das. Denn wissen Sie, soll Konrad zum Baurat gesagt haben, über das Gehirn ist schon so viel geschrieben worden, über das Gehör nahezu nichts, oder jedenfalls nichts, das etwas weit wäre. Er beschäftige sich schon an die zwanzig (!) Jahre mit dem Gehör, soll Konrad zum Baurat gesagt haben. Zuerst erschöpfte ich mich langsam und nach und nach mit immer größerer Intensität in den Versuchen, dann machte ich eine Zusammenfassung, dann wieder eine Zusammenfassung, darauf wieder eine Zusammenfassung et cetera, soll Konrad zum Baurat gesagt haben, dann fing ich wieder mit Versuchen an, komplettierte wieder und machte wieder eine Zusammenfassung und wieder eine Zusammenfassung und wieder eine Zusammenfassung et cetera. Immer experimentierte ich und auf eine Reihe von Experimenten folgte wieder eine Reihe von Experimenten, soll Konrad zum Baurat gesagt haben, sagt Wieser. Und alles ist mir dann immer wieder zerfallen, auf dem Konzentrationshöhepunkt ist mir dann immer wieder alles zerfallen. Aber jetzt habe er, Konrad schon so lange Zeit die komplette Studie im Kopf, alle Einzelheiten gleichzeitig, das ungeheuerlichste Material, das Sie sich vorstellen können, soll er zum Baurat gesagt haben, alles das Gehör betreffend. Aber auf dem Höhepunkt zerfällt mir dann alles wieder, soll Konrad gesagt haben. Man glaube *jetzt,* und in dem Augenblick sei auch schon alles zerfallen. Wenn man aber so lange Zeit alles im Kopf habe, sage er zum Baurat, so viele Jahre alles komplett im Kopf, dann komme es doch, wie man annehmen muß, nurmehr noch auf den Augenblick an, das, was man komplettiert im Kopf habe, zu Papier zu bringen. Auf diesen Augenblick warte er, jetzt sei dieser Augenblick, auch zu Wieser habe er mehrere Male gesagt, jetzt sei dieser Augenblick, auch zu Fro, wie ich weiß, und tatsächlich, sage er, Konrad, zum Baurat, sei dieser Augenblick auch jeden Tag da, kein Tag ohne diesen Augenblick, in welchem ich glaube, die Studie anfangen und vollenden zu können, aber immer werde er, Konrad, sage er zum Baurat, kaum

setze er sich an den Schreibtisch, gestört und wie gesagt, sei es
einmal der Bäcker, einmal der Rauchfangkehrer, einmal sei es
Wieser, einmal Fro, einmal er, der Baurat, Höller sei es, seine
Frau sei es, der Forstrat sei es, ein Geräusch sei es und so fort.
Aber es sei ganz unmöglich, auf ein Klopfen an der Kalkwerkstür
nicht hinunterzugehen, nicht aufzumachen, das Klopfen an der
Kalkwerkstür ignorieren, das könne er nicht, habe er zum Baurat
gesagt, jemand fortgesetzt an der Tür klopfen lassen, ohne hin-
unterzugehn und aufzumachen, das könne er schon deshalb nicht,
weil es ihn in der kürzesten Zeit verrückt machte. Die Leute, soll
Konrad zum Baurat gesagt haben, sagt Wieser, hören nicht auf
anzuklopfen, obwohl sie wissen, sie stören, sie halten mich in
meiner Arbeit auf, sie ruinieren unter Umständen meine Studie,
sie ruinieren mir alles, erst dann hörten die Leute zu klopfen auf,
wenn er aufgestanden sei, die Studie weggeschoben habe und
hinuntergegangen sei und aufgemacht habe. Und es sind immer
die größten Lächerlichkeiten, deretwillen ich in meiner Arbeit
gestört werde, soll Konrad gesagt haben, das Lächerlichste, das
mir die Studie ruiniert. Und dabei, denke er, habe er immer gedacht, daß sie beide, er und seine Frau, hier im Kalkwerk vollkommen isoliert und frei von den Menschen seien, daß sie hier
im Kalkwerk der alles, was mit dem Gehirn zusammenhängt,
pausenlos irritierende und schließlich und endlich immer alles
ruinierende Apparat der ganzen immer noch mehr aufgeregten,
nervösen sogenannten Konsumgesellschaft, der sie durch den
Entschluß, ins Kalkwerk zu gehen, entflohen zu sein glaubten,
nicht berühren würde, aber in Wahrheit würden sie selbst im
Kalkwerk noch von den Menschen irritiert und er habe ganz einfach nicht die Kraft, soll Konrad zu Wieser gesagt haben, einem
Klopfer nicht aufzumachen, aus keinem anderen als aus dem
Grund, daß er keine Kraft habe, nicht aufzumachen, mache er
auf, soll Konrad gesagt haben, nicht aus Menschenfreundlichkeit,
nicht aus Menschenkorrektheit, die kümmere ihn am allerwenig-
sten, er hasse alles, was korrekt sei, habe im Laufe von Jahrzehnten Lebensgeschichte Korrektheit hassen gelernt, alles, was For-
men sind, hassen, aber auch alles, was Zuvorkommenheit den

58

Menschen gegenüber bedeute, nur aus reiner und, wie er sich ausgedrückt haben soll, tatsächlich erbarmungswürdiger Kraftlosigkeit seiner Person gehe er hinunter und mache auf, lasse er seine Studie im Stich, und, soll er gesagt haben, was gibt es Deprimierenderes, als eine solche Studie, wie die meinige, die sich auf eine jahrzehntelange Schwerarbeit aufbaut, eines Bäckers wegen, eines Rauchfangkehrers wegen, des Baurats wegen im Stich zu lassen, wie weit müsse ein Mensch gekommen sein, wegen der geringsten Unsinnigkeit seine Studie im Stich zu lassen, nur, weil seine Frau oben einen Polster gerade gerichtet haben will, weil sie etwas zu trinken will, weil sie ein Stück aus dem Ofterdingen vorgelesen haben will, weil sie die Vorhänge auf- oder zugemacht haben will, weil ich ihr eine Brotscheibe abschneiden, die Haarschleife zuziehen, das Strumpfband zubinden, weil ich ihr die Zuckerdose anfüllen, die Brille aufsetzen, den Rücken mit Melissengeist einreiben soll, wegen eines holzhackenden Höller, wegen Fro, wegen dem Sägewerker, wegen Ihnen, Wieser. Tatsächlich, soll Konrad zu Wieser völlig erschöpft gesagt haben, macht mich das andauernde Andietürklopfen, sich naturgemäß, während es doch in Wirklichkeit fortwährend gleich laut, gleich intensiv bleibt, mehr und mehr in meinem Kopfe zu einem fürchterlichen lärmenden Andietürklopfen entwickelnde, vollkommen verrückt. Er müsse es, indem er aufstehe und die Studie im Stich lasse und hinuntergehe und aufsperre und aufmache, abstellen. Dann nütze es aber auch nichts, unhöflich zu sein, soll Konrad gesagt haben, weil mir dann ja schon alles verpatzt ist und ich erweise mich als der höflichste Mensch und ich frage mich natürlich jedesmal, während ich mich als der höflichste Mensch erweise, warum ich mich als der höflichste Mensch erweise. Der ganze Tag sei verloren, alles in seinem Kopf zunichte gemacht, nichts als ein paar ihm tatsächlich ekelerregende Höflichkeitswörter wie Kommen Sie doch herein, Kommen Sie nur herein, Kommen Sie, Wie geht es Ihnen denn, Ach oder auch nur Ja oder Soso kämen plötzlich aus seinem Mund. Jetzt haben Sie mir die Arbeit an meiner Studie aber vollkommen zerstört, habe Konrad zum Baurat gesagt, sagt Wieser, zum erstenmal die Wahrheit.

Zuerst hat der Höller mit dem Holzhacken angefangen, soll Konrad zum Baurat gesagt haben, und ich bin heruntergegangen und habe dem Höller verboten, Holz zu hacken, ich habe ihm anbefohlen, die zerrissenen und ausgefransten Papierkörbe zu flicken und ich bin in mein Zimmer zurück und habe mich an den Schreibtisch gesetzt und die Studie ist gerettet gewesen, tatsächlich hatte mich der Höller, soll Konrad zum Baurat gesagt haben, sagt Wieser, nicht in dem Grade der vollkommenen Vernichtung meines Konzepts gestört, aber jetzt haben Sie geklopft und Sie haben mir natürlich alles zerstört, naturgemäß darf man in einer Sache wie in der Beschäftigung mit der Studie, soll Konrad zum Baurat gesagt haben, nicht zweimal kurz hintereinander gestört werden. Ist mir nach der ersten durch Höller hervorgerufenen Störung das Weiterarbeiten an der Studie noch möglich gewesen, so ist mir jetzt, nach der zweiten, von Ihnen hervorgerufenen Störung, das Weiterarbeiten an der Studie nicht mehr möglich. Sie sind mir aber nicht böse, soll Konrad zum Baurat gesagt haben, daß ich so offen mit Ihnen spreche, soll er gesagt haben, die erste Störung durch Höller habe er, Konrad, durchaus mit großer Kunstfertigkeit überspielen können, die zweite Störung durch ihn, den Baurat, aber, nicht. Und es ist ein Unterschied, soll Konrad gesagt haben, ob mich ein Mann wie Höller stört oder ein Mann wie Sie. Ein Mann wie Höller, ein so einfacher Mann, und ein Mann wie Sie, ein so komplizierter Mann!, soll Konrad ausgerufen haben und dem Baurat Schnaps angeboten haben, der Baurat soll aber abgelehnt haben, zuerst abgelehnt, dann aber doch angenommen haben, immer lehnen Sie zuerst ab, nehmen aber dann doch an, soll Konrad zum Baurat gesagt haben, diese Menschenart, soll Konrad zum Baurat gesagt haben, sei ihm, Konrad, durchaus bekannt, die Art Menschen, die immer zuerst ablehnt und dann doch annimmt. Ja, soll Konrad zum Baurat gesagt haben, sagt Wieser, über das Gehör gibt es keine aufschlußreiche Schrift, die einzige, ehrliche über das Gehör, die einigen Wert besitzt, ist dreihundert Jahre alt, alles andere über das Gehör ist stümperhaft. So hatte ich in dem Gedanken, eine Schrift und das heißt, eine Studie über das Gehör zu schreiben, schon immer eine mich gänzlich ausfüllende Aufgabe, zuerst füllte mich der Gedanke natürlich nicht ganz aus, bis zum dreißigsten Jahr natürlich nicht, auch zwischen dem dreißigsten und dem vierzigsten Jahr nicht, aber nach dem vierzigsten Jahr hat mich der Gedanke an das Gehör zur Gänze ausgefüllt. Und mit immer größerer Unnachgiebigkeit zur Gänze ausgefüllt. Tatsache sei, daß alle Denker bis zum dreißigsten Jahr ein Thema hätten, das sie eines Tages, ab dem vierzigsten Jahre, gänzlich ausfülle, aber die wenigsten liefern sich ab dem vierzigsten Jahr einem solchen Thema zur Gänze aus, die meisten kokettieren ab dem fünfundzwanzigsten Jahr mit einem solchen Thema und treiben es auch voran, geben es aber spätestens ab dem fünfunddreißigsten oder vierzigsten Jahr auf und lassen sich in die Gesellschaft oder ganz einfach in den Wohlstand fallen. Das Bedauernswerte daran sei die Tatsache, daß auf diese Weise Hunderte und Tausende von wichtigen Studien verlorengingen, Schriften, die notwendig wären auf dem Wege der Aufhellung der Finsternisse in der Welt. Was das Gehör betreffe, so schreibe, und zwar nur auf das Oberflächlichste, soll Konrad zum Baurat gesagt haben, sagt Wieser, entweder ein Arzt, was gänzlich falsch sei, oder ein Philosoph darüber, was gänzlich falsch sei. Schreibe ein Arzt über das Gehör, sei das völlig wertlos, schreibe ein Philosoph darüber, sei das auch völlig wertlos. Man darf nicht nur Arzt und man darf nicht nur Philosoph sein, wenn man sich eine Sache wie das Gehör vornimmt und an sie herangehe. Dazu müsse man auch Mathematiker und Physiker und also ein vollkommener Naturwissenschaftler und dazu auch noch Prophet und Künstler sein und das alles in höchstem Maße. So einfach sei das nicht, daß man einfach nur Arzt zu sein brauche, nur Philosoph zu sein brauche, um eine Studie über das Gehör zu schreiben, oder einfach nur Physiognomiker, wie wir sehen. Das sei Begriffsverwechslung. Mir geht es um eine durch und durch aufschlußreiche Schrift, soll Konrad gesagt haben, mit dieser Schrift sei ein Endpunkt zu setzen, ein Endpunkt, der natürlich in dem Augenblick, in welchem er gesetzt ist, kein Endpunkt mehr sein kann und so fort. Mit dieser Regel, glaube er, Konrad, habe er den Baurat schon genügend vertraut gemacht und also könne er fortsetzen: ein Endpunkt ist der Anfangspunkt für einen weiteren Endpunkt und so fort, soll Konrad zum Baurat gesagt haben, sagt Wieser. Aber alles sei doch viel komplizierter, weil im Grunde einfacher, als man glaube, dadurch könne man nichts klarmachen. Und die sogenannte Annäherung in der Sache führe zu nichts. Man könne sich aber nicht mitteilen außer durch das totale Geistesprodukt. Radikale Änderungen stünden bevor, soll Konrad zum Baurat gesagt haben, noch einmal vielbedeutend: radikale Änderungen als Veränderungen und obwohl der Baurat gerade diese Bemerkung Konrads mit großem Interesse aufgenommen habe, soll Konrad zum Baurat gesagt haben, sagt Wieser, das Bedeutungsvolle wird überhört, auch Sie, lieber Baurat, überhören das Bedeutungsvolle, wie überhaupt alle Leute immer die bedeutungsvollsten oder wenigstens die bedeutungsvolleren Bemerkungen überhören, davon abgesehen, soll Konrad angefügt haben, daß es keine bedeutungsvolle Bemerkung gibt, auch keine bedeutungsvollere, überhaupt nichts habe Bedeutung und so fort, aber absichtlich oder unabsichtlich werde vieles überhört, dadurch werde alles überhört und so fort und: das Unabsichtliche sei das Absichtliche, das Unabsichtlichste das Absichtlichste und so fort. Arbeite ich nicht an der Studie, soll Konrad zum Baurat gesagt haben, ist es ganz ruhig, das Kalkwerk ist vollkommen eingeschlossen in die Ruhe, in die für das Kalkwerk charakteristische Ruhe. Er, der Baurat, kenne ja diese Ruhe. Ganz ruhig sei es, arbeite er, Konrad, nicht, gehe er hin und her, auf und ab, überlege er, denn wenn ich überlege, soll er gesagt haben, arbeite ich nicht, das heißt, natürlich arbeite ich, wenn ich überlege, aber im Grunde arbeite ich erst, wenn die Überlegung abgeschlossen ist, dann fange ich zu arbeiten an und dann ist die Ruhe vorbei, dann hackt auf einmal der Höller Holz oder es kommt der Bäcker, der Rauchfangkehrer kommt, der Störschneider, der Sägewerker, Sie kommen, Wieser kommt, Fro kommt, das Geklopfe fängt an und meine Frau braucht etwas. Diese ungeheuer schwierige, alle Augenblicke vollkommen zerbrechliche medizinisch-musikalisch-philosophisch-mathematische Arbeit! Ich darf mich nur hinsetzen und denken, der Zeitpunkt ist da, in welchem ich die ganze Schrift in einem einzigen Zuge niederschreiben kann, da klopft jemand, meine Frau läutet um ein Paar Socken. Und dabei ist sie die Rücksichtsvollste, soll Konrad gesagt haben. Auch im Laska wird immer wieder davon gesprochen, die Konrad sei die Rücksichtsvollste gewesen, auch im Lanner, in allen Gasthäusern ist immer wieder die Rede, die Konrad wäre die Rücksichtsvollste gewesen. Heißt es, wie zum Beispiel gestern im Stiegler, Konrad wäre der Rücksichtsloseste, so heißt es unmittelbar darauf, sie, die Konrad, sei die Rücksichtsvollste gewesen. Vor zwanzig Jahren habe er, Konrad, sich die Studie in aller gebotenen Heimlichkeit in den Kopf gesetzt, hinter dem Rücken seiner Frau. Und diese Narretei hinter dem Rücken seiner Frau beherrschte ihn von da an vollkommen. Zuerst habe er, jahrelang, die Beschäftigung mit der Studie vor seiner Frau verbergen können, er befürchtete eine Katastrophe, wenn sie plötzlich die Entdeckung machte, er sei mit einer Studie beschäftigt, denn ganz natürlich werde sie, habe er damals gedacht, kommt sie darauf, daß er mit einer Studie beschäftigt sei, wie alles andere auch, auch diese Studie nicht eher aufgeben, als bis er sie vollendet habe. Jahrelang habe er die Studie geheimhalten können, naturgemäß nicht seiner Frau, sondern auch allen andern Menschen gegenüber. In Augsburg habe sie und habe noch kein Mensch etwas von der Studie gewußt, auch in Aschaffenburg nicht, in Bozen nicht, in Meran nicht, in München nicht, plötzlich, in Paris, ganz und gar nicht in sensationellem Tone, habe er ihr eröffnet, daß er an einer Studie sei. Ich mache etwas über das Gehör, soll er zu seiner Frau gesagt haben, etwas über das Gehör, über das es nichts gibt. In diesem Augenblick habe sie, soll Konrad zu Wieser gesagt haben, genau gewußt, daß er für sie, für die er bis zu diesem Zeitpunkt alles gewesen war, verloren sei. Und tatsächlich, soll Konrad zu Wieser gesagt haben, bin ich in dem Augenblick, in welchem ich mich für die Studie entschlossen gehabt habe, für meine Frau verloren gewesen, vier oder fünf oder gar sechs Jahre vor dem Zeitpunkt schon, zu welchem sie plötzlich gewußt habe, daß er, Konrad, für sie verloren sei. Über alles Mögliche, soll Konrad zum Baurat gesagt haben,

63

haben schon alle möglichen Leute alle möglichen vorzüglichen Abhandlungen, Dissertationen geschrieben, aber über das Gehör gibt es keine vorzügliche Abhandlung, keine vorzügliche Dissertation, nicht einmal einen guten Aufsatz gibt es darüber. Diese Tatsache hat mich zutiefst getroffen, gleichzeitig sah ich eine, wenn nicht die einzige Chance für mich in dieser Tatsache. Und dabei sei das unumstritten, daß das Gehör wichtiger sei als das Gehirn, wenn man vom Gehör ausgehe, man dürfe in dieser Überlegung nur nicht vom Gehirn ausgehen. Der Baurat verstehe das nicht, soll Wieser gesagt haben. So viele unzureichende, dilettantische Doktorarbeiten über das Gehör, soll Konrad zum Baurat gesagt haben, sagt Wieser, und naturgemäß sei der Dissertationsdilettantismus der allerpeinlichste Dilettantismus. Der Fachleutedilettantismus sei der peinlichste, das Erschütternde an den sogenannten Fachleuten sei ja immer wieder ihr grenzenloser Dilettantismus. Wenn ich Ihnen sage, soll Konrad gesagt haben, daß ich allein zweihundert Dissertationen über das Gehör durchgearbeitet habe, die alle keine Ahnung vom Gehör haben. Keinerlei Denkprozeß, soll Konrad gesagt haben, professorale Wiederkäuer. Es sei ja das hervorstechendste dieser Zeit, daß die Denker in ihr nicht mehr denken. Alles ein in die Millionen gehendes Heer von Hilfsarbeitern der Wissenschaft und der Geschichte. Aber sage man etwas Derartiges, setze man sich der Gefahr aus, für verrückt erklärt zu werden. Die Hellhörigkeit wie die Hellsicht stemple man immer gleich als Verrücktheit ab. Man brauche jetzt keine Hellhörer, wie man auch keine Hellseher brauche, hört einer hell oder sieht einer hell, räumt man ihn einfach weg, man sperrt ihn ein, isoliert ihn, vernichtet ihn durch Einsperrung und Isolierung. Die Gesellschaft schützt sich ununterbrochen vor den Geistesblitzen, indem sie sich ununterbrochen vor sogenannten Geisteskranken schützt. Die Gesellschaft sei nur für das dumpfe Dahindämmern, für sonst nichts. Die Leute wollen in Ruhe gelassen sein und sie hassen nichts tiefer als Gehör und Gehirn. Die völlig gehör- und gehirnlose Masse wäre ihr Ideal, so schießt die Gesellschaft auch Gehöre wie Gehirne ab, wo sie sich zeigen, da ist ein Gehirn, heißt es und es wird geschossen, da ist ein Gehör, heißt es und es wird geschossen. Die Menschheit führe, so Konrad zu Wieser, solange sie existiere, einen immer kostspieligeren ungeheueren Feldzug gegen Gehör und Gehirn, alles andere sei nichts als Lüge. Die Geschichte beweise, Gehör und Gehirn werden in ihr immer zu Tode gehetzt, abgeschossen. Wo man hinschaue, Mord an Gehör und Gehirn, soll Konrad zu Wieser gesagt haben. Wo Gehör und Gehirn seien, sei Haß. Wo ein Gehör ist, ist eine Verschwörung gegen das Gehör, wo ein Gehirn ist, ist eine Verschwörung gegen das Gehirn. Alles andere Lüge. Die aussterbenden Vögel in Europa schützt man, soll Konrad gesagt haben, die aussterbenden Gehirne nicht, das aussterbende Gehör nicht. Aber alle diese Bemerkungen sind lächerlich, wie ja überhaupt alles, was man ausspreche, lächerlich sei, soll Konrad gesagt haben, man spricht etwas aus, soll er gesagt haben, und macht sich lächerlich, gleich, was man sagt, man macht sich lächerlich, gleich, was man liest, es ist lächerlich, was man hört, es ist lächerlich, was man glaubt, es ist lächerlich. Man macht den Mund auf und eine Lächerlichkeit kommt heraus, eine Lächerlichkeit als Peinlichkeit, eine Peinlichkeit als Lächerlichkeit. Dann Konrad, so Wieser: ist Ihnen nicht kalt?, er denke, dem Baurat sei kalt, ihm wäre nicht kalt, er habe einen Pelz an, unter dem Rock auch noch einen Pelz an, im Kalkwerk müsse man unter dem Rock einen Pelz anhaben, außerdem bin ich abgehärtet. Die Umstände, die im Kalkwerk herrschten, hätten ihn abgehärtet. Hier, im Kalkwerk, sei alles Kälte. Ja, soll er gesagt haben, die ganzen letzten zwanzig Jahre, genaugenommen aber doch schon mein ganzes Leben lang, habe das Gehör seine Aufmerksamkeit auf sich gezogen. Jetzt, soll er gesagt haben, da er die Studie noch im Kopf habe, sei sie noch immer im Range der Wissenschaft, erst mit der Niederschrift wird sie zum Kunstwerk. Das Gehör ermögliche alles. Für den Außenstehenden aber sei, was er sage, doch nichts als nur Blasphemie. Wäre das möglich, soll Konrad zum Baurat gesagt haben, sagt Wieser, würde ich Sie mit den wichtigsten Abschnitten meiner Studie vertraut, bekannt und vertraut machen, aber das sei nicht möglich. Fange er zu erklären an, sehe er sofort, das sei barer Unsinn. Jede Erklärung führe zu einem vollkommen falschen Ergebnis, daran kranke alles, daß alles erklärt werde und in jedem Fall immer falsch erklärt werde und die Ergebnisse aller Erklärungen immer verkehrte Ergebnisse seien. Diese seine Studie sei in neun Abschnitte unterteilt. Die Zahl Neun spiele auch in seiner Studie die größte Rolle, alles sei in Neun aufzulösen, aus Neun könne alles exportiert werden, wie er, der Baurat, vielleicht nicht wisse, sei die Neun wichtiger als die Sieben, was das Gehör betreffe, sei die Neun von allergrößter Bedeutung. Erster Abschnitt, Einführung in alle folgenden Abschnitte, neunter Abschnitt, Erklärung aller vorausgegangenen Abschnitte, soll Konrad zum Baurat gesagt haben, zweiter Abschnitt naturgemäß Gehirn und Gehör, Gehör und Gehirn und so fort, der sechste Abschnitt heißt Subgehör, längere Auseinandersetzung vor allem mit der sogenannten Gehördysarthrie, siebter Abschnitt Hören und Sehen. Das Gehör sei das philosophischste aller Sinnesorgane, soll Konrad zum Baurat gesagt haben, so Wieser, er habe aber alle die Abschnitte nur im Kopf, seit Jahrzehnten im Kopf, längst habe er alle Abschnitte der Studie in seinem Kopf fertig und das sei eine ungeheuerliche Geistesanstrengung, eine solche komplette Studie über Jahrzehnte im Kopf zu haben, ununterbrochen im Kopf behalten zu müssen in der ständigen, sich naturgemäß immer noch mehr verstärkenden Angst, daß sie von einem Augenblick auf den anderen auseinanderfallen und zunichte gemacht werden könne, weil man den Augenblick der Niederschrift immer wieder verpaßt. Die ersten zwei Jahre habe er allein auf den ersten Abschnitt der Studie aufgewendet, in den letzten achtzehn Jahren habe er die restlichen Abschnitte entwickelt und komplettieren können, daß man dadurch leicht und zwar ganz leicht für immer, wie er an sich selber habe erfahren müssen, in den Verdacht und in den Verruf absoluter Verrücktheit, ja selbst des Wahnsinns komme, liege auf der Hand. Von allen neun Abschnitten sei der fünfte der schwierigste, der noch immer titellose. Es wäre natürlich nichts leichter, soll Konrad gesagt haben, als einfach wirklich wahnsinnig zu werden, aber die Studie ist mir wichtiger als der Wahnsinn. Nichts leichter, als von einem Augenblick auf den andern wahnsinnig und einer solchen ungeheueren Belastung enthoben zu sein. Plötzlich wahnsinnig zu sein, ohne vorher verrückt zu sein, sofort wahnsinnig zu sein. Solange er aber die Studie nicht aufgeschrieben habe, sei die Studie zwecklos und jeden Tag sage er seiner Frau, daß die Studie zwecklos sei, solange er sie nur im Kopf, nicht aber auf dem Papier habe und sie sage immer, warum er sie dann nicht endlich aufschreibe, jahrelang sagt sie das in dem immer gleichen Tonfall, soll Konrad gesagt haben, weil sie noch immer nicht begriffen habe, daß man eine Studie durchaus jahrelang und, wie ich weiß, jahrzehntelang im Kopf haben kann, ohne sie zu Papier bringen zu können. Darin seien alle Frauen gleich, daß sie Merkwürdigkeiten wie diese nicht begreifen, sie akzeptieren sie einfach nicht und sie akzeptieren sie Jahrzehnte nicht. Eine Studie, die einer nur im Kopf, aber nicht auf dem Papier habe, existiere ja gar nicht, soll Konrad zum Baurat gesagt haben, sagt Wieser. Sie aufschreiben, sie einfach aufschreiben, denke er immer, dieser Gedanke sei es, die Studie einfach aufschreiben, hinsetzen und die Studie aufschreiben, der seine Existenz voll ausfülle, nicht mehr der Gedanke an die Studie, nur der Gedanke, die Studie aufschreiben, von einem Augenblick auf den andern die Studie aufschreiben; je mehr er aber von diesem Gedanken besessen sei, desto unmöglicher werde es ihm, die Studie aufzuschreiben. Die Schwierigkeit bestehe ja nicht darin, etwas im Kopf zu haben, im Kopf hätten alle das Ungeheuerlichste und zwar ununterbrochen bis an ihr Lebensende, das Ungeheuerlichste, sondern die Schwierigkeit sei, dieses Ungeheuerliche aus dem Kopf heraus auf Papier zu bringen. Im Kopf könne man alles haben und tatsächlich habe auch jeder alles im Kopf, aber auf dem Papier habe fast keiner etwas, soll Konrad zum Baurat gesagt haben, sagt Wieser. Während in den Köpfen aller Menschen das Ungeheuerlichste sei, sei auf ihren Papieren doch immer nur das Kläglichste, Lächerlichste, Erbärmlichste. Wenn es sich bei seiner Studie nicht um das empfindlichste Extrakt handelte, das man sich vorstellen kann, soll Konrad gesagt haben, ein empfindliches Extrakt aus jahrzehntelanger Überanstrengung eines durch und durch überempfindlichen Gehirns. Und im Kalkwerk, in der völligen Abgeschlossenheit des Kalkwerks, habe er immer gedacht, werde er auf einmal die Studie niederschreiben können. Ein völlig von der Außenwelt abgeschlossener Kopf könne die Studie leichter niederschreiben als ein an die Außenwelt, an die Gesellschaft gebundener. Um wieviel mehr Konzentration aber wäre notwendig, soll Konrad zum Baurat gesagt haben, sagt Wieser, um eine solche Studie wie die seinige zuerst in einem solchen Kopf wie in dem seinigen zu entwickeln und dann in einem solchen Kopf zu behalten, ohne daß dieser Kopf von der Außenwelt, sagen wir von der Gesellschaft, vollkommen abgeschlossen ist, weil er an die nicht von der Gesellschaft abgeschlossene Person gebunden ist. Kopf und Person sind ja, wie Sie wissen, soll Konrad zum Baurat gesagt haben, sagt Wieser, eine Zwangseinheit. Körper und Kopf seien natürlich rettungslos miteinander verbunden, oft, wie er denke, auf das Grauenhafteste ineinander verkeilt. Die Natur und ihre Machenschaften wären ja auch eine ganz schöne Aufgabe zur Beschreibung, soll Konrad zum Baurat gesagt haben. Im Kalkwerk schließlich, soll er gesagt haben, habe er, Konrad, die Studie betreffend, seine Höchstmöglichkeit. Und ohne Rücksichtslosigkeit gehe nichts, fragen Sie meine Frau, soll Konrad gesagt haben, mir ist bekannt, daß man überall sagt, sie, meine Frau, sei die Rücksichtsvollste, ich aber, ihr Mann, sei der Rücksichtsloseste, das ist mir bekannt, das erschüttert mich auch nicht, denn da hätten mich diese Meinungen längst zu Tode erschüttert, soll Konrad zum Baurat gesagt haben, keine Meinung erschüttert mich mehr, ganz im Gegenteil, alle Meinungen, und alle Meinungen richten sich naturgemäß gegen mich, bringen mich fortgesetzt einen Schritt weiter. Man müsse eine Ungeheuerlichkeit oder gar ein Verbrechen an der ganzen sogenannten Menschheit oder an einem einzelnen Menschen in Kauf nehmen, soll Konrad gesagt haben, um ans Ziel zu kommen. In meinem Fall ist es die Studie, für die alles zu tun ich durchaus bereit bin, was heißt, alles zu opfern, soll Konrad zu Wieser gesagt haben. Ohne Rücksichtslosigkeit nichts, zum Baurat, denn läßt man sich in eine solche Studie ein, läßt man sich gleichzeitig in die größte Rücksichtslosigkeit ein, meistens ist ganz einfach der Mensch, mit

68

dem man zusammenlebt, das Hauptopfer, so gesehen, ist meine Frau das Opfer Nummer eins, aber darauf kann ich keinerlei Rücksicht nehmen. Dieses Opfer ist wehrlos, das weiß man. Dieser furchtbare Gedanke allein ermöglicht einem dann die furchtbare Geistesarbeit, die man verrichten zu müssen glaubt. Natürlich werde man von Anfang an für verrückt gehalten, gerade weil man das genaue Gegenteil von verrückt sei, und man werde ununterbrochen verhöhnt. Man mache einen unendlichen Verhöhnungsprozeß durch. Kein Mensch gehe mit, wenn man nicht einen Menschen zwinge, mitzugehen, zum Beispiel eine Frau ganz einfach zwinge, kein Mensch gehe mit. Aber auch dann, wenn ein Mensch mit einem mitgeht, soll Konrad gesagt haben, gehe man allein, man gehe allein und in ein immer größeres Alleinsein hinein. Und in immer größere Finsternis hinein allein, denn der Denkende gehe immer nur allein in immer größere Finsternis. Nur diese Studie! sage er sich und: keine Ausflüchte! Aber selbst im Kalkwerk, wo beinahe nichts ist, sei dauernde Ablenkung. Und tatsächlich keine Freunde, soll Konrad gesagt haben, tatsächlich keine wirklichen Freunde, nur Neugierige, Schadenfrohe, keine Freunde, lauter Feinde im Grunde und der erbittertste Feind sei man sich selbst. Aber doch Fortschritt, wo man ständig behindert sei und oft sei Unterlassung entscheidend, wie überhaupt Unterlassung immer entscheidender sei, als das Gegenteil von Unterlassung. Etwas nicht tun und dadurch tun, soll er gesagt haben. Etwas nicht tun beispielsweise, das getan werden könnte und von dem gesagt wird (von allen Seiten!), daß es getan werden müsse, sei Fortschritt. Es ist zum Verrücktwerden, soll er gesagt haben, aber ich gestatte mir den Wahnsinn nicht. Dann: diese Studie sei zuerst nichts als ein einsamer Entschluß, später nichts als die einsamste Arbeit gewesen. Von außen soviel wie nichts, soll er gesagt haben. Das Zerbrechlichste. Ununterbrochen habe ein solcher Mensch, wie er, Angst, daß ihm dieses Zerbrechlichste seinen Kopf zerbricht und umgekehrt. Daß ihm alles zerbricht. Oft suche ein solcher wie er Schutz, finde aber keinen, denn alles sei Schutzlosigkeit. Alles sei ihm ununterbrochen das Absolute, das ihn zu vernichten drohe. Wo ein solcher wie er hinkomme oder ankomme, er komme immer nur in die Irritation, an die Irritation. Aber nichts sei komischer als alles und dadurch, soll er gesagt haben, ist ja alles erträglich, weil es so komisch ist. Wir haben nichts anderes als den Inbegriff der Komödie auf der Welt und wir können tun, was wir wollen, wir kommen aus der Komödie nicht heraus, der Versuch der Jahrtausende, die Komödie zu einer Tragödie zu machen, hat naturgemäß scheitern müssen, soll er gesagt haben. Denn das mit dem Kalkwerk, soll Konrad zum Baurat gesagt haben, sagt Wieser, ist ja auch nichts anderes als Komödie. Um diese Komödie aber aushalten zu können, müsse man von Zeit zu Zeit das Hirn ablassen, den Gehirninhalt abschlagen, wie man das Wasser abschlägt, nichts weiter, mein lieber Baurat, das Gehirn wie die Blase entleeren, austreten, mit dem Gehirn wie mit der Blase auf die Seite gehen, mein lieber Baurat. Oder, soll er gesagt haben, das Gehirn als die Geisteslunge. Dann habe er den Baurat vollkommen betrunken gemacht und gesagt: wahrscheinlich sind es gerade die Störungen, die der Studie von Vorteil sind. Zu Fro: daß alles Unsinn sei, was er, Konrad, sage, zu mir, Unsinn, alles Unsinn, zu Wieser: naturgemäß alles Unsinn, Wieser. Fro sagt, er, Konrad, mache das Fenster auf und höre die Äste der Fichten, er mache das Fenster über dem Wasser auf und höre das Wasser. Vollkommene Windstille bedeute aber nicht, daß er die Äste der Fichten nicht höre, das Wasser nicht höre, das Auge nehme keinerlei Bewegung in den Fichten wahr, keinerlei Wasserbewegung, trotzdem höre er Fichten und Wasser. Er höre die unaufhörliche Bewegung der Luft. Nimmt auch das Auge nicht die geringste Bewegung auf der Wasseroberfläche wahr, so höre er doch die Bewegung der Wasseroberfläche, oder: die Bewegung in der Tiefe des Wassers, Geräusche von Bewegungen in der Wassertiefe. Aus der tiefsten Stelle höre er die Bewegung herauf und immer wieder soll er gesagt haben, nicht nur zu Fro, auch zu Wieser, unter meinem Fenster ist, wie Sie wissen, die tiefste Stelle, gerade unter meinem Fenster, als ob ich das immer gewußt hätte, daß unter meinem Fenster die tiefste Stelle ist. Naturgemäß höre aus dieser tiefsten Stelle immer nur das auf diese tiefste Stelle des Wassers geschulte Ohr Geräusche herauf, das auf diese tiefste Stelle geschulte Gehör, ein anderes Gehör hört aus dieser tiefsten Wassertiefe nichts, alle meine Versuchspersonen hören nichts herauf, ich kann mit wem immer hier am Fenster stehen, soll er zu Fro gesagt haben und fragen, hören Sie etwas aus dem Wasser herauf?, und der Gefragte antwortet, nein, er höre nichts. Und naturgemäß höre ich nicht nur ein einziges, ich höre viele Tausende von Geräuschen herauf und alle diese Tausende von Geräuschen kann ich untereinander unterscheiden. Allein über die Wahrnehmungen dieser Tausende von Geräuschen aus der tiefsten Wasserstelle unter meinem Fenster habe ich mehrere Dutzend Hefte vollgeschrieben, soll Konrad zu Fro gesagt haben, er, Fro, sei an diesen Heften außerordentlich interessiert, eines Tages könne er an diese Hefte kommen, meint Fro, wenn man wisse, wo sie sind, und wenn Konrad ihm, Fro, die Erlaubnis gebe, die Hefte an sich zu nehmen, zu Studienzwecken, so Fro, denn gerade solche Beobachtungen Konrads wie die Beobachtungen der Geräusche aus der Wassertiefe unter seinem Fenster interessierten ihn, er, Fro, werde, habe er beschlossen, auch gar nicht die Verhandlung gegen Konrad vor dem Kreisgericht Wels abwarten, die Verurteilung Konrads nicht abwarten, denn zweifellos sei es wichtig, daß Fro so bald als möglich an diese Hefte Konrads herankomme und er, Fro, bäte das Kreisgericht Wels um die Erlaubnis, die Hefte mit den Beobachtungen über die Geräusche aus der tiefsten Wassertiefe unter Konrads Fenster an sich nehmen zu dürfen. Konrad gibt wahrscheinlich sofort sein Einverständnis, daß ich die Hefte an mich nehme, sagt Fro, aber nicht nur diese Hefte interessieren mich, auch alle anderen Aufzeichnungen Konrads interessieren mich, vor allem interessierte mich die Studie, aber die Studie habe Konrad ja bis heute nicht niedergeschrieben, sagt Fro, und aller Voraussicht nach werde er, Konrad, die Studie niemals niederschreiben können, denn in Garsten, in der Strafanstalt, wohin man Konrad zweifellos überstellen wird, und zwar auf lebenslänglich, oder in Niedernhardt, wohin man ihn im Falle einer Unzurechnungsfähigkeitserklärung genauso auf lebenslänglich überweisen wird, werde er, ohne seine aus mehreren

Jahrzehnten stammenden Haufen von Aufzeichnungen die Studie betreffend, nicht an eine Niederschrift der Studie gehen können, das Aufschreiben der Studie sei ihm, Konrad, also letzten Endes doch unmöglich geworden, endgültig unmöglich geworden durch die Kurzschlußhandlung, wie Fro sich ausdrückt, des furchtbaren Mordes an seiner Frau. Gleich heute noch werde Fro einen Brief an Konrad abschicken, in welchem er ihn um Überlassung der Hefte über die Geräusche aus der Wassertiefe unter seinem Fenster ersuche. Selbst ein so intelligenter und meinen Versuchen immer nur positiv gegenüberstehender Mann wie der verstorbene Forstrat, soll Konrad zu Fro gesagt haben, habe, sei er mit ihm am Fenster gestanden und habe er ihn gefragt, ob er etwas aus der Wassertiefe unter seinem Fenster höre, nichts gehört. Und ein völlig Ungeschulter höre ja nicht einmal etwas von der Wasseroberfläche zum Fenster herauf, geschweige denn aus der tiefsten Wassertiefe, habe Konrad noch Ende Oktober zu Fro gesagt. Meine Objekte hören nichts, soll Konrad gesagt haben. Und genauso sei es, stehe er mit einer Versuchsperson am Geästefenster. Die Versuchsperson gestehe, daß sie nichts sehe und dadurch auch nichts höre. Aber ganz so einfach sei das nicht, erklären könne man den Vorgang, der zur Beobachtungsgabe führe, aber auch nicht. Und warum auch erklären?, soll Konrad zu Fro gesagt haben. Er denke: zwar habe er die Geduld seiner Versuchspersonen, Forstrat, Baurat, Höller, Wieser, Fro, Bäkker, Störschneider und andere, immer bewundert, er frage sich aber doch, warum, wo sie ihn doch am Ende nur immer deprimiert hätten in ihrer grenzenlosen Unfähigkeit. Seine Frau und Hauptversuchsperson, wie er selbst sagte, sagt Fro, habe für ihn und also für seine Studie und also für seine Versuche und Experimente überhaupt immer die größte Geduld aufgebracht und sie bringe, habe Konrad noch im Oktober zu Fro gesagt, immer mehr Geduld während seiner sich unglaublich radikalisierenden Versuche auf, an ihr habe er die sogenannte urbantschitsche Methode bis zur äußersten Perfektion entwickelt und im Grunde sei die urbantschitsche Methode durch diese Radikalisierung wahrscheinlich überhaupt nicht mehr als urbantschitsche Methode zu bezeichnen, tagtäglich habe sich seine Frau aber durch die urbantschitsche Methode von ihm total erschöpfen lassen. Gegen Abend, wenn wir schon in aller Frühe begonnen hatten, soll Konrad zu Fro gesagt haben, nach Mitternacht, wenn wir am Nachmittag damit begonnen hatten, sei sie völlig erschöpft gewesen. Mehrere Sätze mit kurzem I habe er ihr, seiner Frau vorgesagt, beispielsweise *Im Innviertel habe ich nichts,* an die hundert Male langsam, an die hundert Male schnell, schließlich an die zweihundert Male schnell, so schnell als möglich, abgehackt. Höre er auf, verlange er die sofortige Beschreibung der Wirkung seiner ihr vorgesprochenen Sätze auf ihr Gehör wie auf ihr Gehirn, soll Konrad zu Fro gesagt haben. Anschließend gehe er an die Analyse. Aber schon nach etwa zwei Stunden Dauer des Experiments frage sie ihn, wie lange das Experiment dauere, soll Konrad zu Fro gesagt haben, gleichzeitig klage sie, so Konrad zu Fro, über ihre sich mehr und mehr vor allem im Winter verschlimmernde Otalgie, und er sage ihr, wie lange das Experiment an dem Tag dauere, das Experiment dauere nur kurz, drei oder vier Stunden, länger, sechs oder sieben Stunden, immer erschienen ihm aber die Experimente nach der urbantschitschen Methode wichtig und er habe keinen Tag ohne Experimentieren vorübergehen lassen. Beispielsweise sage er: wie lange habe ich nicht mehr mit dem kurzen I experimentiert, oder, wie lange nicht mehr mit dem kurzen O, oder mit dem kurzen A oder mit dem kurzen U. Einmal sage er ihr den Satz *Im Innviertel habe ich nichts* beispielsweise von links ins Ohr, dann von rechts, abwechselnd von rechts und von links. Er mache in einer Stunde etwa zwei Seiten Notizen, vernichte diese Notizen aber meistens gleich wieder, damit man nicht wisse, wie er arbeite, finde man die Notizen. Beispielsweise sage er zu seiner Frau plötzlich mitten in einer Übung: du mußt zwischen dem harten und dem weichen I unterscheiden. Sie verstehe ihn, mache aber doch immer wieder alles falsch. Das bedeute doppelte Anstrengung, an manchen Tagen doppelte Mutlosigkeit. Die Übung habe keinen Zweck, sage er, wenn sie (seine Frau) sich nicht an die Regel halte. Es dauere oft eine halbe Stunde, bis sie (das Einfachste) kapiere. Natürlich sei vor allem alles mit der urbantschitschen Methode Zusammenhängende viel zu anstrengend für sie, denke er, wiederhole aber doch pausenlos innerhalb der Experimente bestimmte Übungen bis zum Zusammenbruch seiner Frau. Völlig unbeweglich sitze sie meistens im Sessel, die längste Zeit mit geschlossenen Augen. Aber sie habe sich andererseits in den ganzen Jahren, in welchen er mit ihr in der urbantschitschen Methode arbeite, an die Form seines Experimentierens gewöhnt. Den Satz beispielsweise *Im Innviertel habe ich nichts* mußte sie wochenlang hören, tagtäglich an die hunderte Male, so lange, bis er die Hand hob, das hieß: Übung beendet. Der Satz *Im Innviertel habe ich nichts* sei ein Kernsatz in seinen Übungen gewesen, sagt Fro. Er habe den Satz gesprochen und sie habe sofort kommentiert. Immer schneller gesprochen, immer schneller kommentiert, soll Konrad zu Fro gesagt haben. Den Vorwurf, er experimentiere zu lange, habe er tausende Male von ihr gehört, aber mit der Zeit vollkommen *überhört*. Er habe sich mit der Zeit an das Überhören gewöhnt. Tatsächlich sei die urbantschitsche Methode an ihr für die Studie unbedingt notwendig gewesen. Er soll immer gesagt haben: wir können uns gestatten, Schluß zu machen, und darauf sofort: willst du die Schallplatte hören?, worauf sie bat, er möge ihr ihre Lieblingsschallplatte, die Haffnersymphonie von Mozart, auflegen, das beruhigte sie. Immer die gleiche Platte, seit Jahren die gleiche Platte, habe er sich gedacht und er habe nichts gegen die Platte unternommen, solange sie die Haffnersymphonie gespielt haben will, soll sie die Haffnersymphonie gespielt haben, habe er sich immer wieder gesagt. Meistens sei er, Konrad, soll er zu Fro gesagt haben, während er ihr die Haffnersymphonie vorspielte, selbst so erschöpft gewesen, daß er einnickte. Wohl, weil sich unser beider Alterungsprozeß im Kalkwerk beschleunigte. Wenn er nur die Studie niederschreiben könne, bevor er alt sei, endgültig alt und also zum Niederschreiben der Studie unfähig, soll er zu Fro und zu Wieser gesagt haben. Kaum sei er in seinem Zimmer, gehe er zu Bett. Aber die durch die äußere Ruhe hervorgerufene innere Unruhe lasse ihn auch in der größten Erschöpfung nicht einschlafen und er gehe durch das ganze Kalkwerk, mehrere Male durch das ganze Kalkwerk und liege dann den Rest der Nacht, ohne einschlafen zu können auf dem Bett. Wenn man den Augenblick der Grenzüberschreitung von der Müdigkeit zur Erschöpfung übersieht, soll er zu Fro gesagt haben, sei es sinnlos, zu glauben, man könne einschlafen, sinnlos, einschlafen zu wollen, sich zum Einschlafen zu zwingen, man schlafe nicht ein. Dann trete das Gegenteil von dem, das man durch die äußere Ruhe erreichen habe wollen, ein, man beruhige sich nicht, man komme in immer größere Unruhe, diese Unruhe steigere sich so lange, bis man gegen die äußere Ruhe etwas tue, sie unterbreche, in sie Unruhe hineinbringe. Tatsächlich sei er ja nur im Hinblick auf diese äußere Ruhe hier, weil er, bevor er ins Kalkwerk eingezogen war, immer der Meinung gewesen war, äußere Ruhe erzeuge innere Ruhe, was sich sehr bald als Irrtum und grundlegend falsch herausstellte. Diesen Irrtum habe er schon sehr früh erkannt, trotzdem zu spät. Er habe sich gesagt, er gehe infolge der ihm aus früheren Besuchen in Sicking bekannten äußeren Ruhe nach Sicking und also ins Kalkwerk und war, weil er nicht wissen konnte, daß äußere Ruhe durchaus keine innere Ruhe hervorrufe, getäuscht, enttäuscht. Er habe sich aber einen Mechanismus erarbeitet, sagte er zu Fro, demzufolge er die äußere, ja die äußerste äußere Ruhe, wie sie charakteristisch für das Kalkwerk und seine unmittelbare Umgebung sei, nach und nach zu beherrschen, schließlich ganz und gar für seine Zwecke, also für die Studie, auszunützen imstande gewesen war. Dieser Mechanismus habe ihm jederzeit nicht wie von Natur aus, sondern vom Gehirn aus, von diesem Mechanismus aus ohne besonderen Eingriff in diesen Mechanismus, aus der äußeren Ruhe innere Ruhe erzeugen lassen. Die äußere und die äußerste äußere Ruhe auszunützen und umzuwandeln für und in innere Ruhe sei eine hohe, mit keiner andern vergleichbare Kunst nicht nur der Nervenbeherrschung, denke er, und selbst er beherrsche diese Kunst nicht immer, obwohl er schon einen sehr hohen Grad in der Beherrschung dieser Kunst erreicht habe. Anstatt Konzentration (auf die Studie), soll er gesagt haben, trete plötzlich A-Konzentration (auf die Studie) ein. Kurz: man müsse die äußere und die äußerste äußere Ruhe in

dem Augenblick abbrechen können, in welchem sie keine innere
Ruhe mehr erzeuge, auf die Dauer erzeuge äußere Ruhe niemals
innere Ruhe, nur auf die kürzeste, für Geisteszwecke viel zu
kurze Distanz. Das Wetter spiele, wie in allem, auch in dieser Beziehung, die größte Rolle. Zum Beispiel bei plötzlichem Föhn: je
länger er im Kalkwerk auf und ab und hin und her gehe, desto
größere innere Unruhe in ihm, weil er den Mechanismus nicht
beherrsche, der innere Ruhe erzeugt. Verschiedene Methoden,
Hilfsmittel als Ersatz für den nichtfunktionierenden Mechanismus wende er an, er lese im Kropotkin, versuche es selbst mit dem
Ofterdingen, der im Grunde ihr Buch sei, aber selbst durch den
Ofterdingen gelinge ihm nicht, in sich innere Ruhe zu erzeugen,
er setze sich, stehe auf, setze sich wieder, stehe wieder auf, abwechselnd schlage er den Kropotkin auf, den Ofterdingen, er
gehe, in seinem Zimmer, in die eine, dann in die andere Richtung,
ordne Papiere, bringe diese Papiere wieder durcheinander, mache den Kasten auf, mache den Kasten zu, ziehe verschiedene
Laden heraus, immer wieder die gleichen Kommodenladen,
Rechnungen, Notizblätter werfe er auf einen Haufen, ziehe einzelne heraus, lese die durch, werfe sie wieder auf den Haufen,
stelle den Sessel, der neben dem Fenster steht, neben die Tür, den
Sessel, der neben der Tür steht, neben das Fenster, drehe das
Licht aus, drehe das Licht auf, verfolge eine, verfolge schließlich
zwei, verfolge mehrere Linien auf der Landkarte an der Wand.
Es nütze nichts, in die Küche zu gehn, daß er Holz aus der Küche
in sein Zimmer trage, Asche ausleere, den Mistkübel, nichts. Sich
an das und das erinnern nütze nichts. Daß er, was er denke, was
er empfinde, laut ausspreche, Sätze, wie er zu Fro gesagt haben
soll, im Augenblick erfundene, völlig sinnlose Sätze vor sich hin-
spreche, möglicherweise Sätze, soll er zu Fro gesagt haben, die
ich schon einmal als Material für die urbantschitsche Methode
verwendet habe. Er gehe, sagte Konrad zu Fro, im ganzen Kalkwerk mit der völligen Unmöglichkeit, sich beruhigen zu können,
umher, nur das Zimmer seiner Frau betrete er dabei nicht, weil
er seine Frau nicht noch mehr durch seine Unruhe deprimieren
wolle, wo sie doch an sich schon in dem Zustande größter Depri-

mation sei und zwar dauernd in einem solchen Zustand, soll er zu Fro gesagt haben, sie mache sich, wie er sich, andauernd nur vor, daß Zeiten der Ruhe Zeiten der Unruhe ablösten, während in Wirklichkeit niemals Ruhe in sie beide einkehre und also lebten sie beide ständig nicht nur gegenseitig, sondern auch nebeneinander in dem Zustand der Dauerlüge, sie belüge sich, er belüge sich, dann belügten sie sich gegenseitig, abwechselnd er sie und dann wieder sie ihn und dann wieder gleichzeitig sie ihn und er sie, überhaupt machten sie beide sich ein erträgliches Leben im Kalkwerk vor, andauernd, wie Konrad zu Fro gesagt haben soll, ohne Unterbrechung, während sie doch beide ununterbrochen in einem unerträglichen Leben gefangen seien, aber machten sie sich nicht Erträglichkeit vor, wäre ihre Unerträglichkeit nicht zu ertragen, soll Konrad zu Fro gesagt haben, andauerndes Vormachen von Erträglichkeit in einem andauernden Zustand von Unerträglichkeit sei das einzige Mittel, weiter zu kommen, soll Konrad zu Fro gesagt haben, etwas Ähnliches hat er auch zu Wieser gesagt, auch zu mir hat er von der Erträglichkeit gesprochen mit den gleichen Wörtern, mit den gleichen unsichtbaren Gesten, wie ich mich erinnere, damals im Hochwald, also er gehe, habe er zu Fro gesagt, durch das ganze, ihm tatsächlich in solchen Zuständen und an solchen Tagen endlos erscheinende Kalkwerk und versuche, zum Ende des Kalkwerks zu kommen, komme aber zu keinem Ende, denn das Kalkwerk könne man durchgehen und durchlaufen und durchkriechen, soll er gesagt haben, und es nehme kein Ende und er müsse dann, auf dem Höhepunkt des für ihn zweifellos beschämenden Zustandes, oft seine Hände an die Wände legen, an die eiskalten Mauerwände, an die eiskalten Türstöcke, an die eiskalten eisernen Dachbodentüren, an die Fenstergläser, an die eiskalten Hölzer der wenigen, noch im Kalkwerk verbliebenen Möbelstücke und sich fortwährend mit geschlossenen Augen Ruhe, Ruhe, Ruhe, vorsagen. Das Kalkwerk sei keine Idylle, soll er zu Wieser gesagt haben, aber wie leicht glaube man, das Kalkwerk sei eine Idylle, weil man in bezug auf das Kalkwerk immer nur in oberflächlicher Beurteilung stehen und stecken geblieben sei, daß das Kalkwerk eine Idylle sei, glaubten die Leute, die das Kalkwerk mit ihrem oberflächlichen Beurteilungssadismus oder Beurteilungsmasochismus beurteilten, während das Kalkwerk, zum Unterschied von der Umgebung des Kalkwerks, ganz das Gegenteil einer Idylle sei. So seien die Besucher immer der Meinung gewesen, sie kämen in eine Idylle herein, wenn sie ins Kalkwerk hereingekommen sind, wenn sie nur in die Nähe des Kalkwerks gekommen sind, Sommerbesucher wie Winterbesucher hätten sich immer schon in dem Entschluß, zum Kalkwerk zu gehen, ganz darauf eingestellt, in eine Idylle zu gehn, während sie doch genau in das Gegenteil einer Idylle zu gehen sich entschlossen hatten, also in völliger Bewußtlosigkeit einem vollkommenen Irrtum zum Opfer gefallen seien schon zu dem Zeitpunkt des Entschlusses, in Richtung auf das Kalkwerk zu gehen. In eine Idylle, denken sie, soll Konrad zu Wieser gesagt haben, treten sie durch das Gestrüpp herein, in eine Idylle, wagen sie es, anzuklopfen. Alles deute, bevor man in das Gestrüpp tritt, wie wenn man aus dem Gestrüpp tritt, auf eine Idylle hin. Aber treten sie aus dem Gestrüpp heraus, seien sie entsetzt und kehrten um, treten sie ins Kalkwerk ein, seien sie entsetzt und flüchteten, die einen kehren schon, nachdem sie aus dem Gestrüpp herausgetreten sind, um und flüchten, die anderen, wenn sie das Kalkwerk betreten haben, die wenigsten kommen tatsächlich in die Zimmer herein und es ist ihnen in der kürzesten Zeit unerträglich. Die Leute instinktieren nicht, soll Konrad zu Wieser gesagt haben, die Menschheit instinktiert nicht mehr. Aha, in diese Idylle ist das Ehepaar Konrad hineingegangen, mögen sie denken, soll Konrad zu Wieser gesagt haben, in Wirklichkeit ist aber das Ehepaar Konrad, soll Konrad zu Wieser gesagt haben, genau in das Gegenteil einer Idylle hineingegangen, wie es ins Kalkwerk hineingegangen ist. Umkehr in die Idylle, denken sie. Gegen das Kalkwerk wäre alles andere idyllisch, soll Konrad zu Fro gesagt haben, London ist eine Idylle gegen das Kalkwerk, Wuppertal eine Idylle, das Häßlichste und Lauteste und Stinkendste eine Idylle. Bewußt zur Idylle verfälscht sei aber auch die ganze Umgebung des Kalkwerks. Natürlich, betritt ein Verstandesmensch das Kalkwerksareal, merke er sofort, daß das Kalkwerk keine Idylle ist, aber wir haben es ja, wie Sie wissen, soll Konrad zu Wieser gesagt haben, wenn wir es mit Menschen zu tun haben, nicht mit Verstandesmenschen zu tun, die Leute geben vor, Verstand zu haben, haben aber keinen Verstand, die Leute geben vor, etwas zu wissen, wissen aber nichts, die Leute geben alles nur vor. Der Stumpfsinnige merkt nichts und er kann sogar aus dem Gestrüpp heraustreten und merkt nichts. In das Kalkwerk gegangen, hieße zweifellos, in eine Falle gegangen. Zu Wieser: habe sie, die Konrad, sich im Herbst noch ohne seine, Konrads, Hilfe anziehen und fertigmachen können, so habe sie sich im Winter schon nicht mehr selbst anziehen und nicht mehr selbst fertigmachen können, und so habe er, Konrad, nachdem er in seinem Zimmer Feuer gemacht habe, in ihrem Zimmer Feuer machen und sie anziehen und fertigmachen müssen, was sich auf seine Studie katastrophal auswirken mußte, dazu: nichts sei für einen Menschen deprimierender, als wenn er sich auf einmal nicht mehr selber anziehen kann. Und wie lange würde es dauern, soll Konrad zu Wieser gesagt haben, und sie könne auch nicht mehr ohne seine Hilfe essen, nicht mehr den einfachsten Bissen ohne seine Hilfe machen. Aber noch gelinge ihr, allein zu essen, er zerschneide ihr das Fleisch, er zerbreche ihr das Brot und sie weise noch jede weitere, darüber hinausgehende Essenshilfe zurück. Aber bald werde sie die Essenshilfe nicht mehr zurückweisen, meinte Konrad zu Wieser. Jetzt weise sie ihn noch zurück, aber bald werde sie ihn nicht mehr zurückweisen und er werde ihr das Fleisch stückweise in den Mund stecken, den Grießbrei löffelweise eingeben, die Milch löffelweise einlaufen lassen müssen. Wie mühselig sie sich schon jetzt die Strümpfe anziehe, denke er, wenn er mit ansehen müsse, wie sie sich einerseits überhaupt nicht bücken, andererseits aber auch nicht mehr der Länge nach ausstrecken könne. Stehe sie, stehe sie nicht gerade, gehe sie, gehe sie nicht gerade, liege sie, liege sie nicht gerade, ihre Haltung sei schon bald die gebückteste und ihr Kopf ein schwerfälliger Gegenstand. Alles verursache ihr Schmerz. Sie könne oft nicht mehr sagen, was ihr mehr Schmerz verursache, der Körper oder der Kopf und sie wisse nicht, solle sie gegen die Kopfschmerzen kämpfen oder gegen die Körperschmerzen, Kopf und Körper seien ihr die längste Zeit schon nurmehr noch ein einziger Schmerz und daß sie existiere, könne sie nurmehr noch an ihren Schmerzen erkennen. Ihr ganzer Körper wie ihr ganzer Kopf seien nurmehr noch ein einziger Schmerz, habe sie selbst vier Wochen vor Weihnachten und also vier Wochen vor ihrem gewaltsamen Tode zu Konrad gesagt. Diesen Zustand mit ihr habe er einfach nicht mehr aushalten können, soll er, der sonst nichts gesagt haben soll, bei seiner Festnahme gesagt haben. Aber die Gerichte sind unzurechnungsfähig, sagt Wieser, es hänge ganz von der augenblicklichen Verfassung des Gerichts, des Schwurgerichts ab, ob man Konrad zu der Mindeststrafe oder doch zu der Höchststrafe verurteile oder doch für verrückt erkläre. Bis zum letzten Augenblick eines jeden Gerichtsverfahrens sei immer, das erweise die tägliche Praxis der Gerichte, alles offen. Nichts sei letzten Endes charakterloser und von Launen und Wetter und Sympathie und Antipathie abhängiger als die Gerichte und vornehmlich die Schwurgerichte seien die abhängigsten von den merkwürdigsten Umständen. Auch zum Baurat hat die Konrad einmal gesagt, daß ihr die Schmerzen allein noch beweisen, daß sie noch da (am Leben) sei. Wie er, Konrad, sehe, wie sie ans Fenster will und nicht kann, aufstehen will und nicht kann, ein paar Schritte machen will und nicht kann, wie er sehe, es ist ihr kalt, aber sie kann sich die Decke nicht hinaufziehen und er ziehe ihr die Decke hinauf. Daß sie nicht mehr sehe, daß er einen schmutzigen Rock anhabe, eine zerrissene Hose, sehe er. Die ganze monatelange Verwahrlosung an ihm sehe sie nicht. Das ganze Kalkwerk ist von oben bis unten schmutzig und sie sieht es nicht, soll Konrad zu Wieser gesagt haben. Daß vor allem die Bettwäsche vollkommen schmutzig ist, weil sie monatelang nicht gewechselt wird, sehe sie nicht und er habe nicht die Möglichkeit, die Bettwäsche zu säubern, nicht mehr die Kraft dazu, weil er dazu keine Zeit habe, habe sie sich noch vor einem halben Jahr von ihrem Krankensessel aus um die Bettwäsche et cetera gekümmert, den Höller mit Reinigungsaufträgen überhäuft, heute könne sie das nicht mehr, sie habe den Überblick über alles verloren, weil sie sich nur mehr noch auf das Aushaltenkönnen ihrer Schmerzen konzentriere, soll Konrad zu Wieser gesagt haben. Wie er sehe, daß sie aus ihrem Zimmer hinaus will und nicht kann. Daß sie in den Wald will und nicht kann, in den Ort hinein und nicht kann. Daß sie an Reisen denkt und nicht reisen kann. Daß sie Umgang mit Menschen braucht, aber Menschenumgang nicht haben kann, Umgang mit andern, soll Konrad zu Wieser gesagt haben. Seit Jahren hätten sie keinerlei Menschenumgang und das heiße, keinerlei Umgang mit ihnen beiden entsprechenden Menschen. Andererseits gäbe es ja gar keine ihnen entsprechenden Menschen, soll Konrad zu Wieser gesagt haben, weil es auf der ganzen Welt keinen einem andern entsprechenden Menschen gebe, diese Feststellung ist die für Konrad charakteristischste. Die Menschen, die sie, nicht mehr heute, also bis Ende Oktober, aufgesucht haben, diese sogenannten ihnen entsprechenden Leute, wären ja ganz und gar nicht solche ihnen entsprechenden Menschen, Neugierige, Erbschleicher, Fallensteller, soll Konrad gesagt haben. Da seien der Baurat und der Rauchfangkehrer und Höller und er, Wieser, Fro, viel entsprechendere als die sogenannten ihnen entsprechenden Menschen, aber Menschenumgang mit ihnen, den Konrad, sei grundsätzlich ein Anachronismus. Aber gänzlich ohne einen Menschen könne kein Mensch sein, soll Konrad gesagt haben, er schäme sich nicht, etwas immer wieder zu sagen, was alle Leute immer wieder sagen, das Lächerlichste, Einfachste, Abgedroschenste, nur sage er es bei vollem Bewußtsein, während es die andern niemals bei vollem Bewußtsein sagten, das sei der Unterschied, wie er, Wieser, wisse, sei es eben immer ein Unterschied, wer etwas sage und wie dieser Wer etwas sage und ein ernster Mensch oder ganz einfach ein ernstzunehmender Mensch könne ohne weiteres sagen, was er wolle, und brauche sich nicht darum zu kümmern, ob er nun etwas Banales und etwas Abgedroschenes und etwas, das man als eine Binsenwahrheit bezeichnet, sage, denn ein ernster oder ein ernstzunehmender Mensch sage, auch wenn er sie sage, auf keinen Fall, eine Banalität oder etwas Abgedroschenes oder eine sogenannte Binsenwahrheit. Sie hätten schon lange keinerlei Menschenumgang mehr, soll Konrad zu Wieser gesagt haben, denn alle diese für sie notwendigen Menschen, wie der Bäcker, der Höller, wie der Störschneider, seien für sie kein Menschenumgang, das seien eben notwendige Menschen, kein Menschenumgang. Wie er sehe, wie sie, seine Frau, fortwährend an Menschen denkt, deren Anwesenheit sie wünscht, Freunde, Verwandte, daß es nichts genützt habe, ihr ihre Verwandten und Freunde auszureden, nichts, daß er ihr klar zu machen versucht habe, daß es keine Freunde gibt und daß Verwandte im Grunde alles eher als verwandt seien, Verwandtschaft Betrug sei, Selbstbetrug, Verwandtschaft ein Irrtum. Am Anfang, denke er, seien alle diese ihre Verwandten und Freunde noch ins Kalkwerk gekommen, aus Tirol und aus Kärnten, die aus der Schweiz, alle Zryd, über die Gebirge, und ihre Verwandten aus dem Norden, ihre ostfriesischen Verwandten beispielsweise, lauter Menschen, die mit der Neugierde eine lebenslängliche Verschwörung eingegangen sind, so Konrad zu Wieser, aber jetzt kämen alle diese Leute nicht mehr, das Kalkwerk sei nach und nach frei geworden von diesem Verwandtschaftsunrat. Wir brauchen alle diese Leute nicht, soll Konrad zu seiner Frau gesagt haben, immer wieder, so lange, bis alle diese Leute endlich ausgeblieben sind und sich nicht einmal mehr brieflich zu melden getraut haben. Er, Konrad, soll zu Wieser gesagt haben, habe ihr, seiner Frau, zuerst alle diese Leute ausgeredet, schließlich habe er ihr diese Leute unmöglich gemacht. Daß sie mit sich selbst ohne alle Leute im Kalkwerk auskommen müßten, habe er ihr früh genug klar gemacht, aber es habe Jahre gedauert, bis sich der Erfolg, die völlige Kontaktlosigkeit zu ihren Verwandten, von seinen, die mit ihm schon seit Jahrzehnten keinerlei Kontakt mehr haben, ist nicht die Rede, eingestellt habe. Sie habe sich endlich abgefunden. Zuerst habe er sich für sie aufgeopfert, soll Konrad einmal zu Fro gesagt haben, jahrzehntelang für sie und ihre Verkrüppelung, jetzt habe sie sich ihm aufzuopfern, die Studie erfordere, daß sie sich ihm restlos aufopfere, er habe kein schlechtes Gewissen. Schließlich seien sie, die Konrad, ja zwei Jahrzehnte ununterbrochen auf Reisen gewesen, in allen möglichen Ländern, in allen Erdteilen und immer unter den ihn peinigendsten Umständen, man könne sich ja vorstellen, soll er zu Fro gesagt haben, daß es nicht einfach sei, mit einer vollkommen verkrüppelten Frau jahrelang durch die ganze Welt zu reisen, was das heiße, eine total Verkrüppelte von einer Stadt zur andern zu schleppen, von einem Museum ins andere, von einer Sehenswürdigkeit zur andern, von einer Berühmtheit zur andern, was das heiße, sich selbst auf ein Minimum von Existenzspielraum einzuschränken einer Verkrüppelten zuliebe, die tatsächlich, wie Verkrüppelte immer, gefräßig nach Neuigkeiten in der ganzen Welt, die Gefräßigste nach allem nur Möglichen und Unmöglichen gewesen sei, dazu damals von so anspruchsvollem Wesen (!), daß es in Wirklichkeit ununterbrochen über seine Kräfte gegangen sei, mit ihr zusammen zu sein. Später habe sie, mit dem Inangriffnehmen der Studie, ihre Ansprüche zurücknehmen müssen, sich nach und nach einschränken, sich ganz ihm und seinen Vorstellungen von ihrem Zusammenleben unterstellen müssen, diese, sie tatsächlich vor den Kopf stoßende plötzliche Veränderung, daß sich nämlich auf einmal alle Ansprüche nicht mehr auf sie, sondern auf ihn zu konzentrieren hatten, verstörte sie anfänglich, jahrelang soll sie in einer Art selbstzerstörerischem Trauma mehr neben und unter ihm, als mit ihm gelebt und sich am Ende doch für ihn mit ihm abgefunden haben. Von einem Menschen, der tatsächlich alles gesehen hat, was sehenswert ist und der so viele Menschen kennengelernt hat, die es wert sind, daß man sie kennenlernt, und alles durch die inständige und äußerste Aufopferung eines Mannes, von welchem man eine solche bereitwillige Aufopferung ja seiner wichtigsten Lebensjahre, ja der allerwichtigsten zwei Lebensjahrzehnte, nämlich der zwischen dem dreißigsten und fünfzigsten Jahr, nicht verlangen, keinesfalls naturgemäß fordern könne, könne man schließlich, das habe, soll Konrad zu Wieser gesagt haben, nicht das geringste mit Dankbarkeit oder mit einem anderen für Dankbarkeit stehenden Begriff als Verschuldungsmittel zu tun, ganz natürlich verlangen, daß er sich jetzt aufopfere. Denn naturgemäß hätte er, Konrad, die Studie längst niedergeschrieben, wenn sie, seine Frau, ihn nicht gezwungen hätte, herumzureisen. Schon vor zehn Jahren

83

hätte er die Studie niedergeschrieben, in London, in Paris, in Aschaffenburg, spätestens in Basel, soll er zu Wieser gesagt haben. Zu Fro: jeden Tag frage sie ihn, ob er ein frisches Hemd anhabe, und er antworte ihr, er habe ein frisches Hemd an, während er in Wirklichkeit schon ein oder gar zwei Wochen das gleiche Hemd anhabe, sie bemerke nichts mehr, sehe keinen Schmutz mehr, et cetera, nichts mehr. Er denke, sie will aus dem Ofterdingen vorgelesen haben und er lese ihr aus dem Kropotkin vor, damit sekkiere er sie, keine andere Strafe sei wirksamer, als wenn er ihr anstatt aus dem Ofterdingen, ihrem Buch, aus dem Kropotkin, seinem Buch, vorlese. Für Unaufmerksamkeiten während des Experimentierens mit der urbantschitschen Methode oder überhaupt für jede Art von Unaufmerksamkeit oder jede Art von Aufmucken, strafe er sie durch Vorlesen aus dem Kropotkin. Aber natürlich, soll Konrad zu Fro gesagt haben, lese ich ihr aus dem Ofterdingen vor, wenn sie mich darum bittet. Ich kann ihr nicht abschlagen, aus dem Ofterdingen vorzulesen, wenn sie darauf beharrt. Natürlich hasse sie alles, was im Kropotkin stehe, umgekehrt, liebe sie den Ofterdingen. Es sei richtig, sage er, Konrad, sich, ihr einmal aus dem Ofterdingen und einmal aus dem Kropotkin vorzulesen, nicht nur aus dem Ofterdingen, soll er zu Fro gesagt haben. Meistens frage er sie auch noch, hat er ihr ein Stück aus dem Kropotkin vorgelesen, was er ihr gerade aus dem Kropotkin vorgelesen habe, worauf sie nicht antworten könne, Beweis dafür, daß sie, während er ihr aus dem Kropotkin vorgelesen hat, in vollkommener Unaufmerksamkeit zugehört habe oder überhaupt nicht zugehört habe, während sie, lese er ihr aus dem Ofterdingen vor, die Aufmerksamkeit selbst sei. Was habe ich dir denn gerade vorgelesen?, soll er seine Frau dann ganz abrupt gefragt haben, naturgemäß antwortete sie ihm nicht oder antwortete ihm auf das Hilfloseste vollkommen unbefriedigend. In letzter Zeit soll sie sich aber nicht mehr getraut haben, während der Vorlesung aus dem Kropotkin unaufmerksam zu sein, sie habe Angst vor seinen Drohungen gehabt, die er immer mehr wahr gemacht habe, Essenssperre, Verlängerung der Urbantschitschübungen, längeres Verweigern der Zimmerentlüftung,

84

plötzliches Durchlüften ihres Zimmers, wobei sie sich vor der eiskalten Luft nicht schützen habe können, Verdoppelung der Vorlesung aus dem Kropotkin et cetera. Oft habe er, Konrad, nicht
gewußt, höre sie jetzt zu oder höre sie nicht zu, wenn er ihr aus
dem Kropotkin vorgelesen habe, las er ihr aus dem Ofterdingen
vor, brauchte er angeblich diese Frage gar nicht zu stellen, und:
höre sie ihm absichtlich oder unabsichtlich nicht zu, denn tatsächlich soll es vorgekommen sein, daß sie ihm absichtlich, und dann
wieder, daß sie ihm unabsichtlich nicht zugehört habe, nicht immer sei ihm das klar gewesen und oft habe er sie zu Unrecht be-
straft, was ihm leid getan haben soll; dann soll er ihr längere
Stücke aus dem Ofterdingen vorgelesen haben, was ihm selbst am
allerqualvollsten gewesen sei. Während der Vorlesungen aus dem
Kropotkin soll sie ihm aber meistens absichtlich nicht zugehört
haben. Alles, was er ihr aus dem Ofterdingen vorgelesen habe,
soll sie ihm einwandfrei und bis in die unscheinbarsten Details
hinein nacherzählen haben können, aus dem Kropotkin wußte
sie, fragte er sie danach, nichts. Jeden Tag soll sie von ihm, Konrad, verlangt haben, daß er ihr ein anderes Kleid anziehe, soll er
zu Fro gesagt haben, er, Konrad, verweigerte ihr aber, täglich ein
anderes Kleid anzuziehen, allein konnte sie sich kein Kleid anziehen, er half ihr meistens nicht zweimal in der Woche, weil ihm
einmal in der Woche ausreichend erschien, eine Frau könne doch
wohl eine ganze Woche ein- und dasselbe Kleid anhaben, habe
Konrad gesagt, noch dazu, wenn das Anziehen so große Umstände macht. Half er ihr, so war er recht ungeduldig, mehrere
Male soll er seine Frau während des Kleiderwechsels verletzt haben, so der Bäcker, der öfter Zeuge des Kleiderwechsels der
Konrad gewesen sein soll. Der Entscheidung, was für ein Kleid
sie anziehe, soll Konrad auch nicht immer seiner Frau überlassen
haben, manchmal soll sie ein Kleid anziehen haben müssen, das
er für richtig hielt, sie nicht, es habe oft stundenlange nicht wie-
derzugebende Wortwechsel (der Baurat) darüber gegeben, ob sie
das Kleid, das er ihr anziehen wollte, anziehe oder doch das Kleid,
das sie anziehen wollte, beinahe immer habe er aber seinen Willen durchgesetzt, er, Konrad, soll in diesen Fällen die Erschöp-

fung seiner Frau ausgenützt haben. Einerseits frage er sich, warum sie überhaupt ihre Kleider wechsle, er wechsle seine Kleider schon lange nicht mehr, andererseits denke er, könne sie ja nicht jahrelang in ein- und demselben Kleid in ein- und demselben Sessel sitzen, soll er zu Fro gesagt haben. Und sie habe noch immer eine Unmenge von Kleidern, eine Unmenge von Kleidern sie, eine Unmenge von Schuhen er, aber er ziehe ja auch schon lange immer nur die gleichen Schuhe an, warum soll sie also nicht immer das gleiche Kleid anhaben?, soll er sich gefragt haben. Andauernd müsse er ihr Zimmer lüften, will sie frische Luft haben und er müsse fortwährend die Fenster auf und zu machen, drücke ihn das Nichtniederschreibenkönnen der Studie, sei er seiner Frau vollkommen ausgeliefert, willenlos, sie könne dann machen, was sie wolle, und sie räche sich, beispielsweise verlange sie von ihm, daß er sie kämmt, stundenlang will sie von ihm gekämmt sein und er kämmt sie, dabei seien sie von geradezu exemplarischer Wortlosigkeit (Fro). Tatsächlich sei oft ein fürchterlicher Geruch in ihrem Zimmer, dann, wenn er sich längere Zeit weigere, zu lüften, weil er verärgert sei, lüfte er nicht. Aber es komme auch vor, daß sie sage, er solle lüften, wenn er gerade gelüftet habe, er solle das Fenster aufmachen, wenn er das Fenster gerade zugemacht habe. Damit versuche sie, ihn zu peinigen. Es ziehe bei der Tür herein, sage sie mehrere Male im Tag, genau in solchen ihn irritierenden Abständen, es zieht, soll sie gesagt und damit ihren Zorn gegen ihn zum Ausdruck gebracht haben, immer wieder es zieht, während es niemals auch nur ein einziges Mal in ihrem Zimmer gezogen haben soll, jedenfalls nicht bei geschlossenen Fenstern und Türen, sie habe sich aber diese Waffe gegen ihn angewöhnt, zu sagen, es ziehe, während es niemals ziehe, was ihn mehrere Male zu der Bemerkung veranlaßt haben soll, er werde, sage sie noch einmal, es ziehe, alle Fenster und Türen aufmachen und weggehen und die ganze Nacht ausbleiben und in der Frühe sehen, was aus ihr geworden sei, dann mach doch alle Fenster und Türen die ganze Nacht auf, soll sie darauf immer geantwortet haben, wenn ich nur wirklich erfrieren könnte, er aber machte diese seine schließlich lächerlich gewordene Drohung niemals wahr.

Einmal gehorche sie ihm, dann wieder er ihr, aber natürlich habe sie ihm öfter zu gehorchen als er ihr und in Wahrheit könne man nicht sagen, daß er ihr gehorche, er erfülle ihr nur ihre Wünsche. Tagelang unterwerfe ich mich ihr vollkommen, soll er zu Wieser gesagt haben. Dann aber weigere er sich plötzlich und es trete wieder eine Periode ein, in welcher sie ihm zu gehorchen habe, ausschließlich, und in welcher ihr kein Wunsch erfüllt werde. Die Studie verlange absoluten Gehorsam nicht nur seinerseits, sondern auch ihrerseits. Die meiste Zeit konzentrierten sie beide sich mit der größten Intensität auf die urbantschitsche Methode, das bedeute auch von ihrer Seite wochenlange ununterbrochene Disziplin, keinerlei Auflehnung. Manchmal ertrage sie es aber plötzlich nicht mehr, in ihrem Sessel zu sitzen, und sie sei nahe daran, die Beherrschung zu verlieren. Dieser Zustand wiederhole sich alle zwei, drei Wochen einmal, vornehmlich am Wochenende, wieso gerade da, wisse er nicht. Auf einmal antworte sie, fragt er sie etwas, nicht. Er frage sie zweimal, dreimal, viermal, sie antworte nicht. Es sei von großer Wichtigkeit für die Studie, daß sie ihm antworte, aber sie antworte ihm nicht. Daraufhin ginge er ans Fenster und ließe frische Luft herein, tatsächlich sei nach stundenlanger Arbeit mit der urbantschitschen Methode die schlechteste Luft im Zimmer. Aber auch in frischer Luft reagiere sie nicht, antworte sie ihm nicht. Auch wenn ihr Zimmer vollkommen ausgekühlt sei, antworte sie nicht. Er mache die Fenster wieder zu und fange an, ihr aus dem Kropotkin vorzulesen, darin glaubte er angeblich immer ein Mittel zu haben, sie zum Sprechen zu bringen, Auflehnung, Protest erwarte er, aber selbst nach längerem Vorlesen aus dem Kropotkin keinerlei Reaktion. Das gehaßte Buch bewirke in ihr nur noch größeres Schweigen, soll Konrad gesagt haben. Er klappt das Buch zu, steht auf und geht im Zimmer hin und her, sagt Wieser, immer rascher, immer lauter, er sage etwas, aber er wisse im Grunde nicht, was er sagen solle, er setze sich, stehe wieder auf. Er könne ihr ja aus dem Ofterdingen vorlesen, denke er, aber er liest ihr nicht aus dem Ofterdingen vor, das bedeutete ja Selbstaufgabe, soll er zu Wieser gesagt haben. Zu Fro: da ich aber die Übung mit I an diesem Tage unbedingt mit ihr durchmachen habe müssen, war es mir unmöglich, mich umzudrehen und in mein Zimmer zu gehn, sie hätten an dem Tage noch zu wenig geübt. Plötzlich soll er auf die Idee gekommen sein, sie zu fragen, ob er ihr etwas zum Essen aus der Küche heraufbringen solle, sie reagierte aber nicht darauf. Ob sie Schmerzen habe?, aber auch darauf reagierte sie nicht. Wenn sie Schmerzen habe, müsse man gegen diese Schmerzen etwas tun, soll er zu ihr gesagt haben, eine schmerzstillende Tablette?, soll er gefragt haben, aber nein, nichts. Gerade habe er sich entschlossen, ihr doch aus dem Ofterdingen vorzulesen und ihr diesen offensichtlich ununterbrochen in ihr vorhandenen Wunsch zu erfüllen, gibt sie zu verstehen, daß sie aufstehen und ein paar Schritte gehen will, soll Konrad zu Fro gesagt haben, zum Fenster und wieder zurück und sie habe sich tatsächlich aufhelfen lassen und er sei mit ihr ein paar Schritte zum Fenster hin und zurück gegangen und noch einmal hin und zurück und noch einmal hin und zurück, worauf sie dann so erschöpft gewesen sein soll, daß sie, kaum habe er sie in den Sessel setzen können, in dem Sessel zusammengebrochen sei. Wenn ich nur Geduld hätte, soll sie gesagt haben, wenn ich nur Geduld hätte, aber ich habe keine Geduld, er, Konrad, soll, während er das nachsagte, sogar ihre Stimme nachzumachen versucht haben, mehrere Male soll er Fro gegenüber wiederholt haben: wenn ich nur Geduld hätte, wenn ich nur Geduld hätte. Ich habe einfach die Geduld verloren!, soll sie gesagt haben. Darauf soll er ihr aus dem Ofterdingen vorgelesen haben, ein längeres Stück, alles immer gleich laut, alles immer mit der gleichen Betonung, als eintönig könne man seine Vorleseweise ohne weiteres bezeichnen, soll er zu Fro gesagt haben, ein durchaus eintöniges Vorlesen ist es, mit welchem ich die größte Wirkung erziele. Eine Stunde Vorlesen soll es ihm ermöglicht haben, die urbantschitsche Methode an ihr fortzusetzen, bis in die späte Nacht hinein. Während des Vorlesens aus dem Ofterdingen soll er ihre Hände festgehalten haben, das beruhigte sie nach und nach. Dieser Zustand soll im Abstand von einer oder von eineinhalb Wochen immer derselbe gewesen sein, aber natürlich wiederhole sich dieser Zustand, wie er sagte, sagt Fro, in immer kürzeren Abständen. Sie habe natürlich während der Experimente nicht immer gleich gut gehört, beispielsweise spreche er die Wörter *ganz gleich, Macht oder Ohnmacht* laut aus und sie verstehe sie nicht, er könne die Wörter so deutlich wie möglich sprechen und sie verstehe die Wörter nicht, und er spreche die Wörter *ganz gleich, Macht oder Ohnmacht* so leise wie möglich aus und so undeutlich wie möglich und sie verstehe die Wörter. Das sei das Merkwürdigste, daß ihr Gehör ununterbrochen das unzurechnungsfähigste Gehör sei. Beispielsweise sage er *wie mühevoll, zu gehen* und sage das ganz laut und deutlich und sie verstehe es nicht und er sage ganz leise *wie mühevoll, zu gehen* und sie verstehe sofort et cetera. Ihm sei klar, ein Wetterumschwung, ein durch diesen Wetterumschwung hervorgerufener Schmerz, und sie sei wie ausgewechselt. Aber im großen und ganzen komme er mit ihr im Zuge der immer noch erweiterten urbantschitschen Methode zu immer noch erstaunlicheren Ergebnissen. Längere Zeit, so Konrad zu Wieser, experimentiere er mit Mitlauten, dann aber sei das Experimentieren mit Mitlauten nicht mehr möglich und er experimentiere von da an mit Selbstlauten, plötzlich wieder mit Mitlauten und so fort. Er brauche aber, sei sie auf einmal unfähig, weiterzumachen, nur aus dem Fenster zu schauen, um die Ursache ihrer Unfähigkeit zu erkennen, die Luft zeige ihm an, daß ein Wetterumschwung bevorstehe et cetera. Von Wörtern, die keine Sätze bilden, keine Sätze bilden können, wechselte er zu ganzen Sätzen über, umgekehrt immer wieder von ganzen Sätzen auf einzelne Wörter ohne Satzmöglichkeit. Das Gehör und besonders ihr Gehör sei ja am empfindlichsten den unscheinbarsten Wetterumschwüngen ausgesetzt und: die unscheinbaren wie die unscheinbarsten Wetterumschwünge vollziehen sich ja ununterbrochen, soll Konrad zu Wieser gesagt haben. Jeden Augenblick ein anderer Wetterumschwung, jeden Augenblick ein anderes Wetter, soll er gesagt haben. Zu mir: ja, in den Bäumen sehe ich, es ist ein Wetterumschwung, am Felsvorsprung sehe ich, im Wasser sehe ich, an den Mauern sehe ich, ein Wetterumschwung. Fro berichtet: er, Konrad, wende sich ganz abrupt von den Vokalen ab und ganzen Sätzen zu, er sage den Satz *Gerech-*

tigkeit, wenn einer den andern umbringt und sie höre den Satz, obwohl er auch diesen Satz sehr undeutlich ausgesprochen habe und ihr auch noch von der linken Seite in ihr Gehör hineingesprochen habe, einwandfrei; ihr Kommentar: an die acht Sekunden habe sie das I in bringt noch im Ohr, naturgemäß, denke er. Es könne vorkommen, daß er in der Frühe beim Fenster hinausschaue und sofort wisse, heute nur Selbstlaute oder heute nur Mitlaute oder heute nur Sätze mit U oder nur Sätze mit E oder nur ganz lange Sätze mit O, oder nur ganz kurze Sätze heute. Er schaue zum Beispiel beim Fenster hinaus und atme einmal tief ein und wisse, womit er heute zu experimentieren habe. Oder er stehe an seinem Fenster und beschließe augenblicklich: jetzt in ihr Zimmer hinauf und ihr schnell den Satz *Vogelschwärme, immer mehr Vogelschwärme schwärzen den Park* vorsagen und sie kommentiere, habe er ihr den Satz vorgesagt, sofort. Am Heiligen Abend, genau ein Jahr vor ihrem gewaltsamen Tod, sei er gegen fünf Uhr nachmittag in ihr Zimmer und habe ihr folgenden Satz: *man macht sich an den Menschen nur schmutzig* mehrere Male vorgesprochen, abwechselnd in ihr linkes und in ihr rechtes Ohr, er soll diesen Satz an die achtzig- oder neunzigmal in ihr Gehör hineingesagt haben, immer wieder *man macht sich an den Menschen nur schmutzig,* und sie habe jedesmal zu kommentieren gehabt, so lange, bis sie in ihrem Sessel zusammengebrochen sei, erst gegen elf Uhr sei ihm, Konrad, eingefallen, daß ja Heiliger Abend sei, sie habe darauf, durch die intensive Beschäftigung mit der urbantschitschen Methode, gänzlich vergessen gehabt und er habe sie nicht mehr daran erinnert und sie beide seien gegen ein Uhr früh zu Bett gegangen, ohne daß er ihr noch gesagt hätte, daß Heiliger Abend sei, am nächsten Tag soll er zu ihr gesagt haben, heute ist Heiliger Abend, gestern war Heiliger Abend, aber für uns ist heute Heiliger Abend, natürlich habe ich gestern gewußt, daß Heiliger Abend ist, soll er zu ihr gesagt haben, aber das Experimentieren hat mich dich nicht darauf aufmerksam machen lassen, daß Heiliger Abend ist, also heute ist für uns Heiliger Abend, soll er gesagt haben, darauf sie: furchtbarer Mensch!, dieses furchtbarer Mensch soll er Wieser gegenüber in ihrem Tonfall nachgemacht haben. Daß er zeitweise nicht experimentiere, glaube sie öfter, soll Konrad zu Wieser gesagt haben, während er doch ununterbrochen experimentiere, auch wenn er Guten Morgen und Gute Nacht sage, experimentiere er, wenn er frage: willst du ein anderes Kleid anziehen? soll ich dich kämmen? willst du essen?, experimentiere er. Er frage sie, soll ich dir aus dem Ofterdingen vorlesen?, und experimentiere. Stehe er auf, setze er sich hin, gehe er auf und ab, schweige er, experimentiere er. Sein ganzer Umgang mit ihr wäre nur ein einziges Experimentieren gewesen, soll Konrad zu Fro gesagt haben. Zum Baurat: auf der urbantschitschen Methode beruhend, experimentiere ich sie (seine Frau) zu Tode. Natürlich verschlechtere sich ihre Otalgie, das sei selbstverständlich, daß sich ihre Otalgie bald in ihrem ganzen Kopf ausbreiten werde, weil er das Experimentieren intensiviere, immer schwierigere, immer anstrengendere Übungen, soll er zu Fro gesagt haben. Der größte Vorteil sei der, daß alle Leute, mit welchen er experimentiere, und mit allen Leuten experimentiere er, nichts davon wüßten, daß er, wenn er mit ihnen zusammen sei und nicht nur dann, mit ihnen experimentiere. Ein ganzes Jahr habe er sich nur mit der Wirkung von Kratzgeräuschen auf das Gehör beschäftigt, mit Schlaggeräuschen, Bohrgeräuschen, Tropfgeräuschen, Sausen, Surren und Summen, denke er, soll er zu Fro gesagt haben. Blasen. An die hunderte und tausende Schabversuche, die Aufnahmefähigkeit ihres Gehörs für Zwölftonmusik, soll er zu Fro gesagt haben, hätte die größte Rolle in seinem Experimentieren gespielt, die Orchesterstücke von Webern, Schönbergs *Moses und Aaron,* überhaupt Musik, wie die Streichquartette von Béla Bartók. Aber alles immer im Hinblick auf die ganze Studie, wie leicht verzettele sich der Dilettant, komme im Detail um, soll Konrad gesagt haben. Es erfordere eine beinahe übermenschliche Anstrengung, immer gleichzeitig alles zu sehen im Hinblick auf das Gehör. Allein die Erforschung verschiedener Tiergehöre soll ihn nicht weniger als zwei Jahre gekostet haben. Eine ganze Stunde gebe er, Konrad, sich seiner Frau oft nicht als Experimentator zu erkennen, dann sage er aber plötzlich: ich experimentiere, Gehörexperiment I, Anfang, gleich darauf schon die Wörter Luster und Lüster und Laster und mache eine sogenannte Gehörklangfarbenkontrolle. Ist das Ö düster?, frage er, ist das U düster? ist das O düster? Darauf sehr oft das Wort *Rinnsal,* das reinste. Mit dem Wort *Rinnsal* experimentiere er an die zehn Jahre, soll er zu Wieser gesagt haben. Fro: dieser Vorgang wiederhole sich täglich: er, Konrad, gehe in ihr Zimmer, sage etwas und sie müsse das von ihm Gesagte kommentieren. Er duldete keine sogenannte Ausrede. Manchmal erlaube sie sich aber auch eine Frage, wie: ist das jetzt ein Experiment oder ist das kein Experiment? und er antworte mit Ja oder Nein, sie glaube, einmal experimentiere er, einmal nicht, weil sie nicht wisse, daß er unaufhörlich experimentiere, daß ihm alles Experiment sei. Obwohl er die Studie fertig im Kopf habe, denke er, experimentiere er immer weiter, um die Studie, obwohl er sie fertig im Kopf habe, immer noch mehr zu komplettieren, zu vervollkommnen, abgesehen von der Tatsache, daß er die Studie in jedem Augenblick niederschreiben könnte, ohne Angst haben zu müssen, daß er sie nicht ganz und gar im Kopf habe, wenn er die Möglichkeit hätte, sie plötzlich niederzuschreiben. Er fülle die Zeit bis zur Niederschrift, an die er fortgesetzt und mit großer Zuversicht glaube, mit Experimenten aus. Man könne sich auch, habe man sich einmal für eine solche Studie entschlossen, nicht genug mit der urbantschitschen Methode befassen, soll er zu Fro gesagt haben. Und wenn man so lange mit solchen Experimenten, wie er sie betreibe, experimentiere, könne man mit diesen Experimenten nicht plötzlich aufhören, man ruiniere sich dann alles. Und hätte er seine sich ihm vollkommen aufopfernde Frau nicht, er hätte die Studie nicht im Kopf. Sie ermögliche ihm an jedem Tag und in jedem Augenblick immer wieder die Studie. Beispiele und Beispiele und immer wieder nichts als Beispiele hätten ihm die Studie ermöglicht. Der Experimentator, denke er, habe nichts anderes zu tun als zu experimentieren, er frage sich schließlich nicht mehr, warum er experimentiere, er habe sich diese Frage nicht zu stellen, er experimentiere sich zu Tode. Einfacher sei, mit kurzen Sätzen zu experimentieren, soll er gesagt haben, am einfachsten mit für sich

92

stehenden Wörtern, am allereinfachsten nur mit Vokalen. Komplizierter, anstrengender, also vor allem für sie, seine Frau, ermüdender, mit langen, längsten, sogenannten vielfachen Schachtelsätzen, mit welchen zu experimentieren ihm allerdings das größte Vergnügen mache. Mit dem Satz zum Beispiel: *die Zusammenhänge, die, wie du weißt, mit dem Zusammenhang nichts zu tun haben, aber die doch auf das empfindlichste mit den Zusammenhängen des Zusammenhangs, der mit dem Zusammenhang nichts zu tun habe, zusammenhängen* und so fort. Man könne auch sagen, das alles sei verrückt, aber dann müsse man auch sagen, daß alles verrückt sei, in Wahrheit sei auch alles verrückt, aber kein Mensch getraue sich zu behaupten, alles sei verrückt, denn dann behaupteten alle, er, der das behaupte, sei verrückt und in der Folge würde sich alles von selbst aufhören, nach und nach von selbst aufhören, soll Konrad gesagt haben. Die Menschen (und die Menschheit) existierten ja gerade durch Inkonsequenz (äußerste). Für ihn, Konrad, gebe es nur noch Experimentalsätze, soll er gesagt haben, und er denke, daß es für ihn nunmehr noch das Experiment gibt, alles sei ihm nichts mehr als nur Experiment, die ganze Welt Experiment, einfach alles, und er soll gesagt haben: es kommt natürlich nicht auf die Länge der Sätze an, wie es auch nicht auf die Kürze der Sätze (oder Wörter) ankomme, nicht nur beispielsweise auf A und O und I und U, immer auf alles. Plötzlich, soll er zu Fro gesagt haben, stehe er am Fenster und könne nichts sehen, hören zwar, aber nicht sehen, nichts. Die Augenschwäche, denke er, die mehr und mehr sich verschlimmernde Augenschwäche. Längere Zeit müsse er mit geschlossenen Augen am Fenster stehen, bis er die Augen wieder aufmachen und sehen könne. Von den Schwierigkeiten, die ihm im Winter das Einheizen mache, soll er gesprochen haben, daß er den Höller nicht einheizen lasse, weil der Höller beim Einheizen so viel Lärm und so viel Schmutz mache, aber, heize der Höller ein, soll er gesagt haben, verliere ich an die zwei oder drei Stunden Experimentezeit. Heize er allerdings selbst ein, sagt Konrad, koste ihn das die größte Überwindung. Unsere Kamine ziehen nicht, also ziehen unsere Öfen nicht, soll er gesagt haben. Ununterbrochenes Nachschauen und Nachlegen in den Öfen. Zum Glück werden die Kalkwerksöfen von den Gängen aus geheizt. Aber erst im Laufe der Jahre sei er darauf gekommen, wie man die Kalkwerksöfen heize. Jeder Ofen gehöre anders geheizt, eine Wissenschaft!, soll er gesagt haben, tatsächlich eine Wissenschaft! Diese Augenschwäche dauere immer länger, längst hätte er einen Arzt aufsuchen müssen, aber er suchte keinen Arzt auf. Hatte ihn die Augenschwäche vor einem Jahr noch nur alle drei, vier Wochen heimgesucht, trete die Augenschwäche jetzt schon jeden Tag auf, soll Konrad zu Wieser gesagt haben. Natürlich hänge das mit der Arbeit an der Studie zusammen. Wer so intensiv seine Augen gebrauche wie er, müsse natürlich mit einer solchen Augenschwäche rechnen. Seine Frau habe die Augenschwäche nicht gehabt, ihre Augen seien von Anfang an sehr geschwächt gewesen, ihre schwache Sehkraft habe sich aber im Laufe der Jahre durch diese schwache Sehkraft nicht mehr geschwächt. Er habe von Natur aus die schärfsten und die angestrengtesten Augen, soll er zu Wieser gesagt haben. Dazu das hervorragendste Gehör. Eine solche Augenschwäche führe nicht selten zu totaler Erblindung, soll Konrad gesagt haben, wie er wisse, sei ein naher Verwandter von ihm von der gleichen Augenschwäche befallen gewesen und urplötzlich total erblindet, davor habe er Angst. Man glaube, die Augenschwäche verginge, aber sie vergehe nicht und man sei von einem Augenblick auf den andern völlig blind, man könne dagegen tun, was man wolle, es nütze nichts. Zu Fro soll Konrad zwei Tage vor der sogenannten Bluttat gesagt haben: wie wir eingezogen sind, haben wir zum Großteil neue Fußböden legen lassen, denke ich, ich sitze in dem Sessel, der dem Sessel meiner Frau gegenüber steht und es hat den Anschein für sie, ich lese im Kropotkin, aber ich lese gar nicht im Kropotkin, ich kann mich nicht konzentrieren und obwohl ich den Kropotkin aufgeschlagen habe und obwohl ich Zeile um Zeile, Wort für Wort im Kropotkin lese, denke ich etwas ganz anderes, ich denke, daß wir, wie wir eingezogen sind, neue Fußböden legen haben lassen, Lärchenböden, das Lärchenholz nimmt eine immer dunklere Farbe an, möglichst breite Bretter habe ich

94

legen lassen, unregelmäßige Bretter von einem der vorzüglichsten Bodenleger überhaupt, von einem aus Toblach, der Heimat
meiner Frau, nach Sicking gekommenen Bodenleger. Brett an
Brett, Nute an Feder, Feder an Nute, denke ich, und im zweiten
Stock, denke ich, habe ich auch alle Fensterbänke erneuern lassen, im dritten alle Fensterstöcke, alle Türstöcke im ersten Stock,
ebenerdig. Im ersten Stock war außerdem das Einziehen einer
neuen Saaldecke erforderlich, denke ich, während ich meiner
Frau gegenübersitze und vorgebe, im Kropotkin zu lesen, ich
blättere im Kropotkin um, als hätte ich eine Seite fertig gelesen.
Zuerst habe ich geglaubt, ich werde im Kalkwerk überhaupt
nichts erneuern lassen, dann habe ich aber so vieles erneuern lassen. Diese Gegend ist durch ihre guten aber unverläßlichen
Handwerker bekannt, denke ich, in der kürzesten Zeit waren
aber im Kalkwerk alle diese Arbeiten aufs Vorzüglichste ausge-
führt gewesen. Wenn, dann läßt du gleich alle Stukkaturen auch
an der unteren Saaldecke erneuern, habe ich gedacht, denke ich,
und ich habe auch gleich alle Stukkaturen auf der unteren Saaldecke erneuern lassen. Nicht einen Augenblick dürfe man aber
den Eindruck haben, soll Konrad zu Fro gesagt haben, daß es sich
um vollständig erneuerte Stukkaturen handle, habe er, Konrad,
zum Stukkateur gesagt und der Stukkateur habe ihn verstanden
und man merke tatsächlich jetzt nicht, daß alle Stukkaturen an
den Saaldecken erneuert sind. Ein ganz vorzüglicher Stukkateur,
denke ich, soll Konrad zu Fro gesagt haben, während ich vorgebe,
im Kropotkin zu lesen, eine solche Arbeit wie die Arbeit an den
Saalstukkaturen habe die unauffälligste zu sein und der Stukkateur habe die Stukkaturen aufs Unauffälligste ausgebessert oder
erneuert. Überall wo man hinschaue, sehe man durch dilettantische Erneuerung und Ausbesserung ruinierte Stukkaturen, soll
Konrad zu Fro gesagt haben, habe er gedacht. Und in beinahe allen Zimmern haben wir neue Öfen setzen lassen, überall dort, wo
wir bis heute nie eingeheizt haben, soll Konrad zu Fro gesagt haben. Er sei in das Kalkwerk hineingegangen und habe ausgerufen: hier ist ja alles total verfallen, total verwahrlost und total verfallen!, und sei erschrocken über die Verwahrlosung und den

totalen Verfall, habe er gedacht, während seine Frau glaubte, er lese im Kropotkin, habe er zu Fro gesagt. Die Verwahrlosung sei aber nur eine oberflächliche gewesen, der Verfall nur ein oberflächlicher, soll er zu Fro gesagt haben. Im Grunde ein ungeheuer stabiles Mauerwerk! Am Kalkwerk könne man gut die folgerichtige Menschheitsgeschichte der letzten vier oder fünf Jahrhunderte studieren, soll Konrad zu Fro gesagt haben, wenn man Zeit und Lust dazu habe, an jeder Einzelheit der Jahrhunderte. Die Unsinnigkeit, im Kropotkin zu lesen, gleichzeitig aber etwas vollkommen anderes, etwas dem Kropotkin genau entgegengesetztes zu denken, läßt mich den Kropotkin zuklappen. Dieses fortwährende Lesen, sagt meine Frau in dem Augenblick, in welchem ich den Kropotkin zuklappe, schwächt dir die Augen, soll Konrad zu Fro gesagt haben, weil du fortwährend im Kropotkin liest, bekommst du in immer kürzeren Abständen die Augenschwäche. Sie sagt nicht: weil du liest, sondern sie sagt: weil du im Kropotkin liest. Er stehe auf und gehe zum Fenster, unten gehe der Höller vorbei und er, Konrad, denke, immer um diese Zeit gehe der Höller unten vorbei, immer um diese Zeit habe er seinen blauen Rock an und schwinge die Holzhacke. Wie gern habe er, Konrad, die Unterhaltung mit dem Höller, denke er, die Unterhaltung mit dem Höller beruhige ihn. Er fange mit dem Höller eine Unterhaltung an, über Wind und Wetter, denke er und beruhige sich. Die Lebensweise Höllers sei ihm Konrad, vertraut, umgekehrt sei dem Höller die Lebensweise der Konrad kein Geheimnis gewesen, im Kalkwerk leben seit mehreren Jahren der Konrad und seine verkrüppelte Frau, denke er, denkt Höller, soll Konrad zu Fro gesagt haben. Bei unserer ersten Begegnung (im Hochwald) hat Konrad folgendes gesagt: während er sich doch nach der elften oder zwölften Vorstrafe wegen sogenannter Ehrenbeleidigung in diesem Land nur mit der größten Vorsicht, am besten aber überhaupt nicht mehr äußern sollte, äußere er sich, begehe er doch tagtäglich den Fehler, sich zu äußern, Tatsachen, Meinungen auszusprechen, die in jedem Falle immer wieder den Tatbestand der sogenannten Ehrenbeleidigung erfüllten, ganz gleich, was er sage, er sage eine sogenannte Ehrenbeleidigung und genau betrachtet sei ja alles, was er in diesem ihm mehr und mehr durch seine extreme Unmenschlichkeit und Unverantwortlichkeit unheimlichen Land ausspreche, eine sogenannte Ehrenbeleidigung und die Wahrscheinlichkeit, vor ein in jedem Falle immer subjektives Gericht zitiert und verurteilt zu werden, sei die größte, die Möglichkeit bestehe ununterbrochen und was gerade ihn mit seinen Vorstrafen wegen Ehrenbeleidigung und wegen leichter und schwerer Körperverletzung betreffe, laufe er ständig Gefahr, angezeigt, verleumdet und angezeigt und verurteilt zu werden, er könne, gleich was aussprechen, sagen, es sei in den Ohren aller Leute immer eine sogenannte Ehrenbeleidigung und es sei nur Zufall, daß er nicht tagtäglich angezeigt werde, denn tagtäglich komme er unter Menschen und habe eine (seine) Meinung und spreche diese Meinung aus, erkenne die Wahrheit und spreche diese Wahrheit aus und natürlich seien die Meinungen und Wahrheiten, die er ausspreche, wiewohl durchaus aussprechens- und hörenswert, in den Ohren der Betroffenen, vor allem aber in den Ohren des verkommenen Vaterlandes, in welchem der Argwohn lauere, in jedem Falle Gerichts- und das heiße Anklage- und Verurteilungsmaterial. Seine Natur sei die unbequeme, in welcher es auszuhalten und mit welcher umzugehen die ununterbrochene höchste Geistes- und Körperbeherrschung und Geistes- und Körperanspannung erfordere, aus welcher gesagt werde, was gesagt werden müsse, und also sei sie die fortwährend Anstoß erregende, mit welcher er zwar fertig werden wolle, mit welcher er aber nicht fertig werde. Eine Welt, hat er gesagt, in welcher man wegen sogenannter Ehrenbeleidigung vor Gericht kommen könne und die behaupte, sie habe Ehre, und in welcher behauptet werde, in ihr gebe es Ehre, wo es doch ganz offensichtlich keine Ehre mehr gebe, besser, niemals auch nur so etwas Ähnliches wie Ehre gegeben habe, sei nicht nur eine fürchterliche, furchterregende, sondern auch eine lächerliche, aber daß wir in einer nicht nur fürchterlichen, furchterregenden und lächerlichen Welt existierten, damit habe sich jeder einzelne abzufinden, und wie viele Hunderttausende und Millionen hätten sich damit nicht schon abgefunden, denke er, wie viele vor allem in diesem

97

zweifellos fürchterlichen, furchterregenden und lächerlichen Land, in dem Vaterland, in dem lächerlichsten und fürchterlichsten. Was dieses Land, dieses sein Vaterland betreffe, so könne man ja in ihm, um existieren und um auch nur immer einen einzigen Tag weiterzukommen, niemals die Wahrheit sagen, zu keinem und zu und über nichts, denn nur die Lüge bringe in diesem Land alles vorwärts, die Lüge mit allen ihren Verschleierungen und Verschnörkelungen und Verstellungen und Einschüchterungen. Die Lüge sei in diesem Land alles, die Wahrheit nur Anklage, Verurteilung und Verspottung wert. Deshalb verschweige er nicht, daß sein ganzes Volk in die Lüge geflüchtet sei. Wer die Wahrheit sage, mache sich strafbar und lächerlich, die Masse oder die Gerichte bestimmten, ob sich einer strafbar oder lächerlich oder strafbar und lächerlich mache, sei er nicht strafbar zu machen, der Wahrheitssager, mache man ihn lächerlich, sei er nicht lächerlich zu machen, mache man ihn strafbar, lächerlich oder strafbar gemacht werde in diesem Land, wer die Wahrheit sage. Da sich aber die wenigsten lächerlich oder strafbar machen wollen und sich der einzelne vor nichts mehr als vor Bestrafung fürchte, die hohe Geld- oder Gefängnis- oder gar Kerkerstrafe sei einfach nicht Sache des Menschen, lügten oder schwiegen alle. Nur gebe es Naturen wie ihn, die nicht schweigen könnten, die, weil sie im Laufe der Zeit zur Vernunft gekommen seien, der Wahrheit auf den Grund gekommen seien und nicht schweigen könnten und sich äußern müßten und sich dadurch immer wieder strafbar oder lächerlich oder strafbar und lächerlich machten und nach der herrschenden Strafgesetzordnung immer noch strafbarer und nach der herrschenden Gesellschaftsordnung immer noch lächerlicher. Man müßte seine Natur einfach grundlegend ändern, aber keiner ändere seine Natur, weil die Natur sich nicht ändern lasse. So habe er sich, um einer neuerlichen Anzeige zu entgehen, im Kalkwerk eingeschlossen, seit zweiundzwanzig Tagen im Kalkwerk vollkommen eingeschlossen und auch niemanden ins Kalkwerk hineingelassen. Jetzt sei er das erstemal nach zweiundzwanzig Tagen wieder aus dem Kalkwerk herausgegangen, in den Hochwald herein, denn tatsächlich sei er ein unruhevoller Mensch, der den Umgang mit Mitmenschen brauche. Die ganzen zweiundzwanzig Tage habe er das größte Bedürfnis gehabt, aus dem Kalkwerk hinauszugehen, sei aber nicht aus dem Kalkwerk hinausgegangen, nicht einmal bis zum Gasthaus, nicht bis zum Sägewerk. Aber der Höller im Zuhaus zeigt dich ja nicht an, habe er sich immer wieder gesagt und sei trotzdem nicht ins Zuhaus gegangen. Aber es sind natürlich Leute zum Kalkwerk gekommen, ich habe sie aber nicht hereingelassen, hat Konrad gesagt, ich mache auf, hat er gesagt, und mache mich strafbar. Aber da kommt auf einmal der Baurat und der Bürgermeister kommt und ich muß aufmachen, denn es handelt sich ja um Amtspersonen, dem Gemeinderat muß ich aufmachen, dem Bezirkshauptmann, dem Parteiführer der Wildbachverbauung. Alle diese Leute kommen im amtlichen Auftrag und ich muß sie hereinlassen, sie kommen tatsächlich in amtlichem Auftrag oder sie geben vor, im amtlichen Auftrag zu kommen, lasse ich sie nicht herein, verschaffen sie sich durch die Amtsgewalt Einlaß, und ich habe die größte Angst, mit dem Strafgesetz in Konflikt zu kommen durch Äußerungen. Aber mit diesen sogenannten Amtspersonen habe er naturgemäß nur das Notwendigste zu sprechen und er komme dadurch mit dem Strafgesetz nicht in Konflikt. Damit man ihn also nicht anklagen und verurteilen und einsperren könne, nach seinen Vorstrafen müsse er ja jetzt schon auch wegen sogenannter Ehrenbeleidigung mit Einsperrung rechnen, gehe er nicht mehr aus dem Kalkwerk hinaus, spreche er andererseits zu den sogenannten Amtspersonen, zu welchen auch der Forstrat und natürlich auch der Baurat gehörten, mit größter Vorsicht. Zu Fro vor zwei Jahren: während des Frühstücks schweige er, sie rede. Er schweige, weil er sich zur Gewohnheit gemacht habe, zu schweigen, sie rede, weil sie sich zur Gewohnheit gemacht habe, zu reden (beim Frühstück). Ununterbrochen rede sie, während sie frühstückten, denn sonst habe sie keine Gelegenheit, ununterbrochen zu reden. Er wache mit dem Gedanken an die Studie auf, lasse den Gedanken, die Studie niederzuschreiben, aber bald fallen und beschließe, sofort nach dem Frühstück mit den Gehörübungen anzufangen. Er werde ihr aus der Ostecke ihres Zimmers Wörter mit U zurufen. Ural, Urämie, Urteil, Urfahr, Unrecht, Ungeheuer, Unzucht, Unendlichkeit, Ununterbrochen, Uruguay, Uriel et cetera. Dann Wörter mit Ö. Ökonomie, Oetker, Ör, Öre, Öl, Ödem, Öblarn et cetera. Dann Wörter mit Ka. Kastanie, Karte, Karthum, Karfreitag, Katastrophe, Katafalk, Kabbala, Kakanien, Kabul, Katharsis, Katarakte et cetera. Dann Wörter mit Es. Esterel, Esther, Estragon, Eskudos, Espania, Eskimo et cetera. Dann Wörter mit Al. Albanien, Alba, Alarcon, Alhambra, Algebra, Alkalisch, Almira, Alm et cetera. Dann Wörter mit Is. Island, Istrien, Ismail, Istanbul, Islam et cetera. Im Aufstehen denke er, daß er mit den Gehörübungen schon während des Frühstücks anfangen werde, die Unterhaltungen (oder die Schweigsamkeit) während des Frühstücks werden in die Übungen einbezogen. Über den genauen Unterschied zwischen Horchen und Hören rede er, er mache ihr zuerst Horchen, dann Hören klar, Zuhören, Zuhorchen, Aufhorchen, Abhorchen, dann Überhören, Mithören und so fort. Abhören, Aufhören, Anhören, plötzlich, sage er zu ihr mehrere Male das Wort weghören. Hinhören, sage er. Am Abend habe er für sie beide das Frühstück schon hergerichtet, er brauche nur das Tablett in ihr Zimmer zu tragen, sie frühstückten seit dem ersten Tag ihres Zusammenlebens miteinander. Während er in ihr Zimmer hinaufgehe, habe er die besten Einfälle, die Studie betreffend, die urbantschitsche Methode betreffend. Mit dem Tablett in den Händen, sich in der Vorhausfinsternis vorsichtig über die Treppe hinauftastend in den ersten Stock, in den zweiten Stock, in ihr Zimmer, in das er ohne anzuklopfen eintrete. Das Tablett auf den Tisch, denke er und er stelle das Tablett auf den Tisch, daß sie ihn dabei beobachte, denke er. Gleichzeitig denke er an ihre mißlungenen Versuche, sich anzuziehen, sich zu waschen, zu kämmen, sich auszustrecken, die er in ihrem Gesicht deutlich erkennen könne, das Kümmerliche an ihr. Er versuche jetzt, sie zu waschen, anzuziehen, zu kämmen, mache ihr möglich, sich auszustrecken. Unbedingt erforderliche Haarwäsche, denke er, während er sie wäscht, dieser Eindruck verstärke sich naturgemäß, während er sie kämmt. Aber er selbst habe sich seit vielen

Wochen nicht mehr die Haare gewaschen, denke er, während er sie kämmt. Das Geschirr kommt vom Tablett auf den Tisch, denke er während des immer rascheren Kämmens und er stellt das Tablett auf den Tisch. Zuerst stecke er den Wasserkocher an, dann beeile er sich mit dem Brotaufstreichen, Butter oder Margarine, in letzter Zeit naturgemäß Margarine. Dann soll sie gefragt haben: hast du gut geschlafen?, er gefragt haben: hast du gut geschlafen?, sie geantwortet haben, er geantwortet haben, sehr oft sie: natürlich nicht, er: natürlich nicht. Dann stelle er fest, das Teewasser koche, gieße das Teewasser in die Kanne, er sagt, soll er zu Fro gesagt haben: noch zwei Minuten, darauf sollen sie sich beide gegenseitig, er wie sie, schweigend, gefragt haben, ob mit den Übungen augenblicklich anzufangen sei. Zum Beispiel: während er Tee einschenke, bestimme er, wann mit den Übungen (erweiterte urbantschitsche Methode) anzufangen sei. Umlautewörter, sage er und er habe den Eindruck, daß sie wisse, daß er schon während des Frühstücks mit den Übungen begonnen habe, denn ihr entgehe die Aufmerksamkeit nicht, mit welcher er ihre Reaktionen auf das, was er (zu ihr) sage oder nicht sage, erwarte, kontrolliere, ungeduldig warte er auf ihre Reaktion auf das Geringste, kontrolliere er ihre Reaktionsfähigkeit. Gestern haben wir uns die größte Disziplinlosigkeit erlaubt, wir haben die Übungen um zwei Stunden früher als erlaubt abgebrochen, also dürfen wir uns heute keine Disziplinlosigkeit erlauben, sage er, auch haben wir die Übungen andauernd unterbrochen, während wir uns ein Unterbrechen der Übungen nicht erlauben dürften. Sie hört, was ich sage, schweigt, ißt mit großem Appetit, so Konrad zu Fro. Schon kurz nach Frühstücksbeginn sage ich, daß wir genug gefrühstückt hätten, während ich nämlich eine Vorliebe für kürzeste Frühstücke habe, hat sie eine Vorliebe für die längsten, er trinke also seine Schale aus und sage, eine Schale genügt, und räumt zuerst sein, dann auch ihr Frühstücksgeschirr weg. Das Schöpferische leidet unter längerer Frühstückerei, soll er gesagt haben, die Schalen kommen auf die Kommode, das Brot in den Brotsack, die erste Umlauteübung beginne. Er experimentiere bis elf, bis halb zwölf, da sei sie schon stundenlang ungeduldig in

Erwartung des Essens, das entweder Höller aus dem Gasthaus oder er, Konrad, aus der Küche heraufbringe, diese ihre andauernde Essenserwartung irritiere ihn, bringe ihn aus dem Konzept, er herrsche sie an, sage, sie solle sich konzentrieren, konzentriere dich doch, soll er zu ihr immer wieder, an die Hunderttausende Male gesagt haben, während ich mich bis zum Äußersten konzentriere, konzentrierst du dich überhaupt nicht, denkst nur an das Essen, an den Höller, der das Essen bringt, an Fleisch und an Kohl und an Mehlspeisen, während ich vollkommen auf die urbantschitsche Methode konzentriert bin, er könne also, weil er selber vollkommen auf die urbantschitsche Methode konzentriert sei, von ihr verlangen, daß auch sie hundertprozentig auf die urbantschitsche Methode konzentriert sei, aber sie erschöpfe sich rasch, ihre Antworten kämen immer zu spät, ihre Beobachtungsgabe verschlechtere sich von Minute zu Minute, von Satz zu Satz, von Wort zu Wort, manchmal höre sie überhaupt nicht, dann wieder zu wenig, er schreie ihr in das linke Ohr, in das rechte Ohr, sie höre nicht. Die Übung ende kümmerlich, wie die meisten Übungen im letzten Halbjahr, jämmerlich, alles jämmerlich, erbärmlich, sage er, stehe auf, gehe hin und her und horche auf einmal selber angestrengt auf Höller, den Essensbringer. Aber das Essen kommt erst um halb eins, er wisse nicht, aus was für einem Grund vielleicht ist eine Hochzeit im Gasthaus, denke er, soll Konrad zu Fro gesagt haben, da wird auf die Konrad vergessen, da haben die Wirtsleute nur die Hochzeit, sonst nichts, im Kopf, klopft der Höller unten, verläßt Konrad augenblicklich das Zimmer seiner Frau, so Fro, im Hinuntergehen ins Vorhaus denke er, er werde den Höller sofort nach der Ursache seines späten Essenbringens fragen, ihn zur Rede stellen, denke er, ihn nicht zur Rede stellen, ihn nur fragen, ihn zur Rede stellen, also, wie Konrad die Tür aufmacht, hat er vergessen, daß er Höller zur Rede stellen habe wollen. Wie es klopft, sage er, Konrad, zu seiner Frau, das Essen ist da, Höller ist unten, worauf sie plötzlich gänzlich entspannt sei, er sehe sofort ihre große Erleichterung, gehe hinunter. Während er noch im Hinuntergehen ins Vorhaus denke, das Essen wird kalt sein, weil sich der Höller zu lange mit dem Essen in des Eises Kälte im Wald oder am Ufer aufgehalten hat, denkt er, wie er die Tür aufgemacht und den dampfenden Essenträger gesehen hat, das Essen ist tatsächlich heiß, ein heißes Essen bekommen wir heute, ich brauche das von Höller gebrachte Essen nicht in der Küche aufzukochen, ich kann damit gleich zu meiner Frau hinaufgehen, rasch ist aufgedeckt, ich decke immer so rasch auf, daß es sie immer wieder verwundert, die Verwunderung sei die größte, als sie beide entdeckten, daß im Essenträger gebackene Leber ist, dazu Häuptelsalat, in der untersten Schüssel Griesauflauf, ihrer beider Lieblingsspeise. Nach dem Essen, denke er, setzen wir sofort die Übungen fort, nach der Lieblingsspeise mit um so größerer Intensität. Zuerst weigerte sie sich, soll Konrad zu Fro gesagt haben, augenblicklich nach dem Essen mit den Übungen anzufangen, du glaubst, weil wir die Lieblingsspeise gegessen haben, hättest du Grund, augenblicklich mit den Übungen anzufangen, soll sie gesagt haben, soll Konrad zu Fro gesagt haben, und er fange mit den Übungen augenblicklich an, sie füge sich, er rufe ihr aus der Fensterecke immer wieder das Wort Labyrinth zu, zuerst zehnmal kurz hintereinander (was er sie augenblicklich kommentieren lasse), dann in immer größeren Abständen immer wieder das Wort Labyrinth (ohne ihr Kommentieren). Vor halb fünf Uhr nachmittag gehe er in sein Zimmer, vorher sage er zu ihr: ruh dich aus, ich gehe in mein Zimmer, ich habe einen Einfall, die Studie betreffend. Bei seinem Eintreten in sein Zimmer sei aber dieser seine Studie betreffende Einfall plötzlich weg, er könne soviel hin und her denken wie er wolle, der Einfall sei weg. Zur Beruhigung setze er sich aber doch an den Schreibtisch und – lese im Kropotkin. Du mußt jetzt im Kropotkin lesen, weil du ja am Abend deiner Frau aus dem Ofterdingen vorlesen mußt, du hast ihr versprochen, ihr aus dem Ofterdingen vorzulesen, und er lese, so viel er könne, im Kropotkin. Gerade fange er in *Eine Wandlung zum Bessern* zu lesen an, klopft es. Meine Methode, soll er zu Fro gesagt haben, ist immer die gleiche, es klopft und ich denke, ich gehe nicht hinunter, das Klopfen wird aufhören. Aber das Klopfen hört nicht auf und ich gehe hinunter. Der Baurat stehe vor der Tür, er sagt, er habe das letztemal das Meßband vergessen. Ich wisse davon nichts, sage ich, so Konrad zu Fro, im Vorhaus müsse sein Meßband liegen, hätte ich doch einen Augenblick länger nicht auf das Klopfen reagiert, denke ich, der Baurat wäre wieder weggegangen, aber jetzt stand der Baurat schon im Vorhaus und wir suchten beide das Meßband. Sie fanden es aber nicht. Aber es müsse hier sein, soll der Baurat gesagt haben, aber wo? Konrad, der Baurat bückt sich, Konrad bückt sich, beide suchen das Meßband, sagt Fro, finden es aber nicht. Möglicherweise ist das Meßband oben im ersten Stock?, soll der Baurat zu Konrad gesagt haben, Konrad sofort: aber im ersten Stock sind Sie ja gar nicht gewesen!, darauf der Baurat: ja, richtig, im ersten Stock bin ich ja gar nicht gewesen, das Meßband könne also gar nicht im ersten Stock sein, sie suchten weiter, vor allem in dem sogenannten ebenerdigen holzgetäfelten Zimmer, ob er, der Baurat, das Meßband nicht im Gasthaus oder im Sägewerk, wo er ja sicher auch gewesen sei, verloren habe?, fragt Konrad, sagt Fro, aber der Baurat beharrt darauf: nein, hier im Kalkwerk habe er sein Meßband verloren, darauf: oder doch nicht im Kalkwerk? habe ich es vielleicht im Ort verloren? in meinem Büro liegengelassen?, aber nein, er erinnere sich genau, er sei mit dem Meßband ins Kalkwerk gekommen, habe das Meßband irgendwo im Kalkwerk hingelegt, irgendwo ebenerdig, ob es nicht jemand weggenommen haben könnte?, fragte der Baurat, sagt Fro, gleich darauf Konrad: ich allein bin hier im Kalkwerk, meine in ihrem Krankensessel sitzende Frau zählt ja nicht, sie kann ja nicht aus ihrem Krankensessel aufstehen, und ich, soll Konrad zum Baurat energisch gesagt haben, erinnere mich nicht an das Meßband, er, Konrad, wisse nicht einmal, wie das Meßband des Baurats aussehe, der Baurat habe ja ein neues Meßband, wie er gesagt haben soll, an ein neues Meßband erinnere sich Konrad aber nicht, das alte Meßband sei in einem grünen Etui gewesen, in einem grünen Lederetui, soll Konrad zum Baurat gesagt haben, ich sehe Ihr altes Meßband in dem grünen Etui vor mir, aber an ein neues Meßband kann ich mich nicht erinnern, beide suchten sie angeblich über eine Stunde das Meßband, fanden es aber nicht, in der Finsternis des Vorhauses könne man ja auch nichts finden, soll der Baurat zu Konrad gesagt haben. Beide sollen schließlich auf dem unteren Vorhausboden gelegen sein, völlig erschöpft, da, das Meßband!, und tatsächlich hatte der Baurat das Meßband gefunden, es war in seiner großen äußeren Brusttasche; daß er, der Baurat, das Meßband in seine Brusttasche gesteckt habe, habe er ganz vergessen, über eine Stunde suchen wir das Meßband und es steckt in meiner Brusttasche!, soll der Baurat ausgerufen haben, darauf: und wahrscheinlich habe ich Sie (Konrad) in Ihrer Arbeit an der Studie gestört, das tut mir aber leid, darauf Konrad, daß er, der Baurat, ihn, Konrad, nicht gestört habe. Konrad darauf: Sie haben mich nicht in meiner Arbeit an der Studie gestört, ich arbeite den ganzen Tag nicht an der Studie, es gelingt mir nicht, auch wenn ich alle Voraussetzungen, alle menschlichen Voraussetzungen, wiederholt Konrad laut Fro, habe, ich kann an der Studie nichts vorwärtsbringen, insofern, als ich ja gar nicht an der Studie arbeiten habe können, heute haben Sie mich auch gar nicht an der Studie gestört, alles störe ihn an der Arbeit, an der Studie, also könne der Baurat ihn gar nicht an der Studienarbeit gestört haben und so fort. Da habe Konrad gedacht: alles Lüge, und den Baurat verflucht. Nicht wie sonst auf ein Glas Schnaps und wenn auch nur im holzgetäfelten Zimmer, habe Konrad jetzt den Baurat überhaupt nicht eingeladen, nicht in das kälteste Zimmer, mit einem Wort, überhaupt nicht und der Baurat ist auf einmal wieder draußen, Konrad horche an der Tür, höre, wie der Baurat weggehe, im Schnee gehe der Baurat zehnmal schwerfälliger als sonst, soll Konrad zu Fro gesagt haben, mit aller Wucht habe der Baurat, so Konrad, das wiedergefundene Meßband in den Schnee geworfen, was Konrad durch das Schlüsselloch beobachtet haben soll und wieder eingerollt, der Baurat sei wütend gewesen über die Tatsache, daß er sich vor Konrad eine Blöße gegeben habe, schließlich sei er als erster auf dem Vorhausboden herumgekrochen, um das verlorene Meßband zu suchen, das er in Wirklichkeit in der Brusttasche gehabt hat. Der Baurat sei ein ganzer Haufen von Komplexen, soll sich Konrad gedacht haben, wie er den Baurat durch den Schnee weggehen gesehen hat, in dieser unbequemen Stellung, die man einnehmen muß, will man durch das Schlüsselloch schauen, was ich mir im Laufe der Zeit angewöhnt habe, soll Konrad zu Fro gesagt haben. Sofort sei er, wie der Baurat im Gestrüpp verschwunden gewesen war, in sein Zimmer und habe die Lektüre im Kropotkin fortgesetzt, kaum hatte er aber zwei Seiten, im Grunde eine Wiederholung des *Eine Wandlung zum Bessern,* gelesen, da läutete es und zwar von oben herunter, seine Frau meldete sich. Er sei sofort zu ihr hinaufgegangen. Und stellen Sie sich vor, mein lieber Fro, soll Konrad zu Fro gesagt haben, was ich Ihnen alles sage, schildere, andeute, wiederholt sich im Grunde tagtäglich, alles, was sich hier zuträgt, trägt sich tagtäglich zu, das Unsinnigste, dadurch Fürchterlichste, tagtäglich. Und tatsächlich stimmt, was Fro sagt, mit dem, was Wieser sagt, überein. Der Baurat bestätigt die Äußerungen Wiesers wie die Äußerungen Fros, umgekehrt bestätigen die beiden den Baurat, im Grunde bestätigt einer den andern, alle bestätigen alle. Was ist?, soll Konrad seine Frau gefragt haben, nachdem er in ihr Zimmer gegangen war, er habe im Kropotkin gelesen, nicht etwa an der Studie gearbeitet, der Baurat habe ihn gestört, endlich habe er, Konrad, aber wieder im Kropotkin weiterlesen können, da läute sie, er müsse zu ihr herauf, er mache ihr aber keinerlei Vorwurf, das Stadium sei erreicht, ihr in nichts mehr irgendeinen Vorwurf zu machen, sie soll, wie er in ihr Zimmer eingetreten war, sofort gesagt haben: lies mir vor, was bedeutete, daß er ihr aus dem Ofterdingen vorlesen mußte. Zu Wieser: tagelang sollen ihm, Konrad, die blutunterlaufenen Lider seiner Frau aufgefallen sein, er habe ihr aber von dieser Beobachtung nichts gesagt, weil er annehmen mußte, sie selbst wisse, daß sie blutunterlaufene Lider habe, schaue sie sich doch tagsüber mehrere Male ausgiebig in den Spiegel, oft sitze sie eine Stunde lang und schaue sich in den Spiegel, also müsse sie Kenntnis davon haben, so Konrad zu Wieser, daß sie blutunterlaufene Lider hat. Ursache: trockene Luft, Alleinsein, Alter. Er sagte ihr nichts von der Beobachtung, weil er über keinerlei Gebrechen ihrerseits noch ein Wort verliere, er gestatte sich nicht, sie auf ein neues Gebrechen aufmerksam zu machen. Zum Beispiel sei sie ja jetzt schon an die vier oder fünf Zentimeter unter die Miniatur, vor welcher sie in dem Krankensessel sitze, gebückt, innerhalb eines halben Jahres, soll Konrad zu Wieser gesagt haben, vor einem halben Jahr sei seine Frau noch derart aufrecht in dem Krankensessel gesessen, daß man, ihr gegenüber sitzend, die Miniatur, ihre Großmutter väterlicherseits darstellend, nicht habe sehen können, aber jetzt sieht man die Miniatur beinahe schon zur Gänze, soll Konrad zu Wieser gesagt haben. Von Woche zu Woche soll Konrad, seiner Frau gegenüber sitzend, mehr von dieser Miniatur gesehen haben, zuerst habe er geglaubt, wochenlang geglaubt, er täusche sich, aber schließlich habe er eingesehen, er sehe richtig: seine Frau sank mehr und mehr zusammen, die Miniatur stieg, so könne man sagen, höher und höher, er, Konrad, könne sich genau ausrechnen, wann er die ganze Miniatur sehen werde, aber er rechne sich das nicht aus, er denke nur daran, daß er ganz gut den genauen Zeitpunkt ausrechnen könne. Auch darüber, daß seine Frau, hilft er ihr auf, gehe er mit ihr ein Stück, jetzt nurmehr noch die Hälfte so große Schritte mache, wie noch vor einem halben Jahr, soll Konrad zu Fro gesagt haben, bald werde sie überhaupt nicht mehr bis in die Zimmermitte, bald werde sie nicht mehr aufstehen können, er denke, plötzlich sei dieser Moment da: er stellt fest, daß sie nicht mehr aufstehen kann und damit hat ein neuer Abschnitt ihres Zusammenlebens begonnen. Wenn er ihr aus dem Ofterdingen vorlese, verstehe sie oft ganze Abschnitte nicht, soll er zu Fro gesagt haben, er frage sie, ob sie aufmerksam zugehört habe und sie antworte, sie habe aufmerksam zugehört, sie hätte aber nicht alles verstanden, dazu muß man wissen, daß der Ofterdingen, obwohl er von ihr zum Unterschied von ihm, der den Ofterdingen nicht leiden könne, geliebt war, doch ein sogenanntes schwieriges Buch ist, ganz abgesehen davon, daß sie, liest er ihr sozusagen als Strafe aus dem Kropotkin, den er liebte, vor, absichtlich mindestens die Hälfte nicht verstanden haben wollte. Sie höre zu, aber sie verstehe nichts, das sei, den Ofterdingen betreffend, keine Verstellung, dagegen, was den Kropotkin betreffe, verstelle sie sich. Das Kalkwerk beherberge, höre ich im Laska, wo ich heute wieder

107

eine der neuen Lebensversicherungen habe abschließen können, einen Krüppel, die Konrad, von welcher es in den Gasthäusern beinahe nur »Die Frau« heißt, und dieser Krüppel werde von ihrem Mann, dem Besitzer des Kalkwerks, Konrad, einerseits gepflegt, andererseits tyrannisiert. Konrad sei fürchterlich, gleichzeitig hilfsbereit, Sadist, gleichzeitig fürsorglich. Er gehe, was sie ihm hoch anrechneten, für sie um das Essen ins Gasthaus, andererseits, was sie ihm verübelten, ruiniere er seine Frau durch ein fortgesetztes Intensivieren einer sogenannten urbantschitschen Methode, von welcher sie keine Ahnung haben, die ihnen aber offensichtlich der Höller auf Grund seiner jahrelangen Beobachtungen der urbantschitschen Methode merkwürdig beschrieben hat. Er, Konrad, tyrannisiere seine Frau mit unverständlichen Sätzen, die er einmal laut, einmal leise, einmal kurz, einmal lang, abwechselnd in eines ihrer beiden schon auf das Schmerzvollste entzündeten Ohren hineinrede, indem er die Arme, wie auch immer wieder von der Konrad gesagt wird, die von ihm in sie hineingesprochenen Sätze kommentieren lasse bis zur Bewußtlosigkeit. Oft sei die Konrad so erschöpft gewesen, daß sie auf nichts mehr von ihm reagierte, sagen die Leute im Laska, ihr Mann aber habe ihr keine Ruhe gelassen und setzte die sogenannte urbantschitsche Methode ungeachtet ihrer totalen Erschöpfung und also Teilnahmslosigkeit dann immer noch stundenlang, in manchen Nächten bis vier Uhr früh, an ihr fort, et cetera. Einmal sozusagen steinreich gewesen, sagen die Leute, habe er auf einmal durch finanzielles Ungeschick, vor allem durch die Beschäftigung mit einer sogenannten wissenschaftlichen Arbeit, einer von ihm sogenannten Studie, die sich mit dem Gehör befasse, kein Geld mehr, man könne ihn aber doch nicht als verarmt bezeichnen, andererseits müsse man Gerüchten Glauben schenken, die von einer bevorstehenden Zwangsversteigerung des Kalkwerks sprechen. Aber aus allen ihren Reaktionen merkt man doch, sie halten ihn immer noch für reich, aber natürlich ist für die Arbeiter ja bald einer reich, er braucht nur einen guten Anzug anzuhaben und nicht wie sie, im Arbeitsgewand um sechs Uhr früh zur Arbeit zu gehen, Konrad selbst, so Wieser, hätte sich

wahrscheinlich niemals als einen reichen Mann bezeichnet, mit
Vorsicht als einen wohlhabenden, wahrscheinlich noch in Zürich
und noch in Mannheim, obwohl er tatsächlich damals in jedem
Falle auch für den Anspruchsvollsten als reich zu bezeichnen gewesen wäre, tatsächlich, soll Konrad zu Fro vor zwei Jahren gesagt haben, tatsächlich bin ich ärmer als jeder von denen, die behaupten, ich sei ein reicher Mann, aber wie den Leuten
begreiflich machen, daß stimmt, was ich sage? Mit den Holzfällern und Arbeitern, die jetzt, zum Winterende, noch sehr häufig
sehr lang in den Gasthäusern sind, zu reden, habe er, Konrad, immer als das Angenehmste empfunden, mit keinem Menschen jemals habe er sich in seinem Leben lieber unterhalten, soll er zu
Wieser gesagt haben. Aber schon Monate gehe er, aus ihrer beider Allgemeinverschlechterung heraus, nicht mehr ins Gasthaus
und er vermisse tatsächlich auch schon immer weniger die frühere
Gewohnheit, ins Gasthaus zu gehn. Seit Monaten habe er mit den
Arbeitern, mit den Holzfällern, Waldhütern et cetera, keinerlei
Unterhaltung mehr geführt, monatelang sei er nicht mehr in den
Wald gegangen, den Ort habe er schon ein halbes Jahr nicht mehr
gesehen, er ginge zwar in den Ort hinein, aber nur auf die Bank,
mache den Versuch, eine Summe abzuheben, hebe die Summe ab
und gehe ins Kalkwerk zurück, eine Summe, die zu niedrig zum
Leben, tatsächlich aber noch zu hoch sei, um verrecken zu können. Mit dem Höller selbst habe er schon wochenlang nicht mehr
geredet, denn dem Höller zu sagen, er solle Holz hacken, oder
er solle nicht Holz hacken, oder ihm den vollen Essenträger ab-
nehmen und den leeren Essenträger durch die Tür hinausreichen,
sei ja nicht Unterhaltung. Seit einem Jahr habe sich der Höller
vollkommen verändert, das Zutrauen dieses außerordentlich
charaktervollen Menschen habe er, Konrad, die Ursache wisse er
nicht, er vermute nur, daß es die gleiche Ursache sei, die ihn sich
selbst gegenüber das Vertrauen bis zu einem bestimmten Grenzgrade entziehen habe lassen, bis zu einem gewissen Grenzgrade
verloren. Auf einfache Fragen habe er, Konrad, von Höller immer einfache Antworten erhalten, soll Konrad zu Wieser gesagt
haben, jetzt frage er einfach, bekomme aber keine einfache Ant-

wort von Höller, sondern eine zwiespältige. Es sei zwischen ihnen nurmehr noch ein sie beide gegeneinander unsicher, wenigstens aber voreingenommen machendes Mißtrauen, ein tagtägliches Herumreden um die Ursache allen Übels. Seit Höllers Vetter, der an die sieben oder acht Mal wegen Unzucht Vorbestrafte, heimlich, hinter dem Rücken Konrads, der weder von Höller, noch von dem Vetter um die Erlaubnis, im Zuhaus wohnen bleiben zu dürfen, gefragt worden war, im Zuhaus sei, lasse sich auch Höller nicht mehr bei Konrad blicken, ausgenommen, er bringe das Essen, frage, ob er Holz hacken soll. Wieser sagt, so sei Konrad gezwungen, auf die Unterhaltung mit Höller, die ihm vor allen anderen für seine Studie so wichtig erschienen sei, zu verzichten, überhaupt auf die Unterhaltung mit jenen einfachen Menschen im Umkreis des Kalkwerks zu verzichten, auf die Konrad immer den größten Wert gelegt habe. Sie, die Konrad, rätselten lieber den ganzen Vormittag herum, was sie essen werden, soll Konrad zu Fro gesagt haben, als daß Konrad kurz entschlossen in die Küche hinuntergehe, um etwas, gleich was, zu kochen, wenn der Höller eben nicht ins Gasthaus gehe, ein Essen zu holen, aus Krankheitsgründen, weil er Holz hacke, weil er Blochziehen müsse, wenn Konrad andererseits auch nicht an der Studie arbeiten könne, stundenlang säßen sich Konrad und seine Frau gegenüber und redeten andauernd von Sauerkraut, Kohl, Fleisch, Eierspeise, von Suppen und Saucen, von Salaten und Kompotten, ohne sich auf eine bestimmte Mahlzeit einigen zu können. Das sei ihm das Fürchterlichste, den ganzen Vormittag in Essensvorschlägen zu erschöpfen, in Essensgedanken. Begegnung III: gegen zwei Uhr früh höre er, Konrad, in der Nähe des Kalkwerks einen Schuß, der Schuß müsse in nächster Nähe des Kalkwerks gefallen sein, denke er, aber er könne nichts sehen, er öffne sogar das Fenster und schaue hinaus, sehe aber nichts. Aber da hat doch jemand geschossen, sage er sich, ein zweiter Schuß, ein dritter Schuß, auf diesen dritten Schuß sei es wieder still gewesen ... bevor sie ins Kalkwerk eingezogen waren, seien im Zuhaus immer die Jäger zusammengekommen; er verachte die Jäger wie die Jagd, alle seine Vorfahren seien Jäger gewesen, Waldleute, hät-

ten ihr ganzes Leben nichts anderes als die Jägerei im Kopf gehabt und ein Jäger sei immer ein dummer Mensch, ein Jäger in
jedem Fall immer ein jagender Dummkopf. Ihn habe die Jagd nie
interessiert. Er sprach von Jägerstumpfsinn. Kaum sei er im
Kalkwerk eingezogen gewesen, hätte er die mit dem Kalkwerk
zusammenhängenden Jägerprivilegien abgeschafft, kein Jäger
mehr ins Zuhaus!, habe er angeordnet, die Jäger haßten ihn von
da an und er habe immer Angst gehabt, wenn er durch den Wald
ging, ja schon wenn er aus dem Kalkwerk hinausging, von einem
Jäger angeschossen oder gar abgeschossen zu werden, ein Jäger
könne einen von ihm Gehaßten ohne weiteres abknallen, hat
Konrad gesagt, er müsse zwar vor Gericht, aber das Gericht spreche einen Jäger frei, oder es verurteile einen Jäger als Mörder zu
einer lächerlichen bedingten Freiheitsstrafe, die Jäger mordeten
wo sie nur könnten und gingen straflos aus. Er hasse die Jäger,
habe aber eine Vorliebe für Gewehre, vornehmlich für Jagdge-
wehre, diese Widersprüchlichkeit erklärte er. Dann: er fette seine
Stiefel mit den Handballen, und zwar mit konzentriertem Rin-
derfett, ein. Daß ihm das Stiefeleinfetten jetzt schon die größte
Anstrengung verursache, mit den Handballen müsse man Stiefel
einfetten, habe ihn sein Vater gelehrt, da sei er noch keine vier
Jahre alt gewesen, noch habe er in Erinnerung, wie ihn der Vater
das Einfetten der Stiefel mit dem Handballen, gelehrt habe, man
dürfe keinen Lappen dazu benützen, nur den Handballen, immer
wieder nur den Handballen, Lappen benützen sei Unsitte; das
Leder sei das geschmeidigste, wenn man es mit dem Handballen
einfette, immer von innen nach außen und mit immer größerer
Intensität und immer habe er, Konrad, den Geruch der Stiefel-
fette, polnischer, slowakischer, gern gehabt, den Zimmergeruch
geliebt nach dem winterlichen Stiefeleinfetten, denn er habe sich
immer im Zimmer die Stiefel eingefettet im Winter, vor dem
Haus in der übrigen Jahreszeit, aber das winterliche Stiefeleinfetten im Zimmer erwähnte er immer wieder als angenehme Beschäftigung mit einem angenehmen Geruch. Jetzt sei er aber nach
dem Stiefeleinfetten vollkommen erschöpft, an einem Tag, an
welchem er seine Stiefel einfette, könne er kaum noch experi-

mentieren, geschweige denn daran denken, die Studie niederzuschreiben, überhaupt jeder Gedanke an die Studie sei ihm
beinahe unmöglich, oder es komme für ihn nach dem Stiefeleinfetten jedenfalls nur ein sogenannter unwichtiger Gedanke in
bezug auf die Studie in Frage. Nach dem Stiefeleinfetten wie
überhaupt nach jeder ähnlichen körperlichen Anstrengung in
letzter Zeit, hat Konrad gesagt, lege er sich in einem unglaublichen Erschöpfungszustand auf sein zugemachtes Bett und atme
mehrere Male tief ein und aus und beobachte dabei die Zimmerdecke, die in ständiger Bewegung sei, wie er sagte, und versuche,
sich die in neun Teile unterteilte Studie klar zu machen, was ihm
aber durch den Schwächezustand nach dem Stiefeleinfetten oder
nach einer, wie gesagt, ähnlichen Anstrengung nicht möglich sei,
ein verschwommenes, mit der Studie nur durch Angst vor der
Studie zusammenhängendes Bild von der Studie lasse ihn ver-
zweifelt versuchen, auf andere Gedanken zu kommen, weg von
der Studie auf alles andere, was ihm größtenteils auch gelinge,
worin er aber bald wieder verzweifeln müsse, denn alles andere
als die Studie bringe ihn selbstverständlich in der allerkürzesten
Zeit zur Verzweiflung. Ruhig atmen und ruhig einatmen und ruhig ausatmen, denke er dann, tatsächlich ständig auch in der
Angst, von seiner Frau durch ihr plötzliches sogenanntes Hilfe-
läuten herausgerissen zu werden und in ihr Zimmer hinaufgehen
zu müssen und Zeuge einer ihrer Hilflosigkeiten zu werden, einer
immer neuen Hilflosigkeit, Gebrechlichkeit, Körperunfähigkeit.
Aber manchmal habe er gerade in diesen durch Stiefeleinfetten
et cetera hervorgerufenen Schwächezuständen, die Studie betreffende gute Einfälle, sagte er, die besten Einfälle sogar, solche
Einfälle, die ihm früher, zwanzig Jahre früher, gar nicht gekommen seien, weil sie typische Alterseinfälle seien, die besten Einfälle also, aber diese Einfälle wären im Augenblick, in welchem
er sie habe, auch schon wieder weg und der Wert dieser Einfälle
sei also dadurch, daß sie im Augenblick, in welchem sie da seien,
auch schon wieder weg seien, vollkommen wertlos, so gesehen
tatsächlich die fürchterlichsten wertlosen Einfälle, die man haben, die man sich vorstellen könne, die sich ein junger Mensch

112

gar nicht vorstellen könne, weil er solche Einfälle nicht haben, keinerlei Verständnis für solche Einfälle aufbringen könne. Man erinnere sich nur noch, einen guten Einfall gehabt zu haben, immer mache man das durch: einen guten, einen vorzüglichen, einen allerwichtigsten Einfall gehabt zu haben, einen geradezu fundamentalen, aber immer nur einen gehabt zu haben, man erinnere sich von einem Augenblick auf den andern gar nicht mehr an den Einfall, das Gedächtnis sei das Unverläßlichste, das Gedächtnis stelle einem fortwährend Fallen, in die man hineingehe, rettungslos verloren, sagte Konrad, das Gedächtnis locke einen in die Falle und verlasse einen, alle Augenblicke sei dieser Zustand da, daß einen das Gedächtnis in eine oder in mehrere, in tausende Fallen locke und verlasse und allein lasse und allein in grenzenloser Gedankenlosigkeitsverzweiflung; diese Alterserscheinung beobachte er mit zunehmender Erschreckensbereitschaft, und er sagte, daß das junge Gedächtnis, das man habe, von einem Augenblick auf den andern ein altes Gedächtnis sei, es kündige sich nicht an, das alte Gedächtnis, nicht, daß es da und dort, das alte ankündigend, zuerst noch in unwichtigen Gedankengängen versage, auslasse, für kürzeste Zeit nachgebe wie eben eine Brücke, ein Steg der Gedankenarchitektur nachgebe, nein, von einem Augenblick auf den andern sei es alt, von einem Augenblick auf den andern sei der Mensch alt, und viele seien schon sehr früh von einem Augenblick auf den andern alt, seien die jüngsten und von einem Augenblick auf den andern die ältesten, das sei ja das Charakteristische für Gehirnarbeiter, daß sie im Grunde keine sogenannte verlängerte Jugend hätten, keine Übergänge, augenblicklich geschehe das Auswechseln der Jugend, das Alter sei da, unangekündigt, plötzlich, tödlich. Der denkende Mensch mit einem alten Gedächtnis verliere alle Gedanken augenblicklich, die wichtigsten, besten, verliere er augenblicklich, die, welche er behalten könne, müsse er sofort notieren, denn sonst verliere er sie auch, also müsse der denkende alte Mensch fortwährend Papier und Bleistift mit sich herumtragen, ohne Papier und Bleistift sei der denkende alte Mensch vollkommen verloren, während ein junger denkender Mensch weder

Papier noch Bleistift brauche, er behalte alles, was ihm einfällt, er könne mit seinem Gehirn und also mit seinem Gedächtnis machen was er wolle, anstrengungslos könne er Gedachtes in seinem Gehirn und also in seinem Gedächtnis aufspeichern, solange und fast zur Gänze immer anstrengungslos das Außerordentlichste, bis er von einem Augenblick auf den andern alt sei. Der alte Mensch braucht die Krücke, braucht Krücken, jeder alte Mensch hat unsichtbare Krücken, hat Konrad gesagt, alle diese Millionen und Abermillionen von alten Menschen haben Krücken, Millionen und Abermillionen und Milliarden und Abermilliarden unsichtbare Krücken, mein Lieber, und diese Krücken, die kein Mensch sieht, sehe ich, natürlich, ich bin ein solcher, der alle diese unsichtbaren Milliarden und Abermilliarden Krücken sehen muß, meine Natur ist es, die alle diese Krücken sehen muß, kein Augenblick, hat Konrad gesagt, in welchem ich alle die Milliarden und Abermilliarden von unsichtbaren Krücken nicht sehe. Diese Millionen Einfälle, hat er gesagt, die ich alle gehabt und die ich alle wieder vergessen habe und zwar immer von einem Augenblick auf den andern vergessen habe. Eine ganze ungeheuerliche Großstadt des Denkens könnte ich mit allen diesen meinen verlorenen Gedanken bevölkern, über Wasser halten, eine ganze Welt hätte von allen diesen meinen verlorenen Gedanken, zweifellos eine ganze Menschheitsgeschichte davon zu leben. Wie unzuverlässig mein Gedächtnis geworden ist!, hat er gesagt, ich stehe auf und notiere den Einfall, den ich gerade (im Bett) gehabt habe, und die besten Einfälle habe ich im Bett, und während ich den Einfall notiere, frierend am Schreibtisch, weil ich mir nicht einmal Zeit genommen habe, mir eine Decke überzuwerfen, habe ich den Einfall auch schon verloren, er ist nicht mehr da, ich frage mich, wo der Einfall ist, aber ich finde den Einfall nicht mehr, fort ist der Einfall, ich weiß, ich habe einen Einfall gehabt, einen guten Einfall, einen vorzüglichen, außerordentlichen Einfall, aber dieser Einfall ist weg. Immer wiederhole sich der Vorgang: er habe einen Einfall, der zweifellos ein sehr guter Einfall sei, kein epochemachender, diese solle man sich aus dem Kopf schlagen, denn diese gebe es nicht, die sogenannten epochemachenden Einfälle

sind eine Verleumdung, hat er gesagt, also, er habe einen brauchbaren Einfall und während er diesen brauchbaren Einfall notiere,
sei dieser brauchbare Einfall auch schon weg. Man könne diesen
Vorgang gut als Komödie bezeichnen, alles sei nichts als Komödie, dadurch komme man selber vorwärts, also eine einzige Ent-
wicklungskomödie werde gespielt, was sonst, aber es falle einem
natürlich immer schwerer, ab dem sechzigsten Jahr naturgemäß
am schwersten, sich Tag für Tag und von Augenblick zu Augenblick in diese Komödie hineinzukatapultieren, es sei ihm schon
das anstrengendste und also das qualvollste und das unaufrichtig-
ste Zuwiderhandeln. Er sagte: während ich also den Einfall verloren habe, während ich den Einfall notiere, denke ich, ich werfe
das bekritzelte Blatt Papier weg, und ich werfe das Blatt weg, in
den Papierkorb, und ihm sei tatsächlich in seinem Alter auch
schon um diese vielen abgeschwächten, von ihm sogenannten
schwachsinnigen Einfälle leid, die er notieren habe wollen und
die er während des Notierens verloren habe und die zu Tausenden als sogenannte angefangene und verlorene in seinem Papierkorb verschwunden seien. *Was für ein Einfall* habe er denken und
was für ein jämmerliches Ergebnis notieren können. Die Wörter
ruinieren, was man denkt, das Papier macht lächerlich, was man
denkt, und während man aber noch froh ist, etwas Ruiniertes und
etwas Lächerliches auf das Papier bringen zu können, verliert das
Gedächtnis auch noch dieses Ruinierte und Lächerliche. Aus einer Ungeheuerlichkeit mache das Papier eine Nebensächlichkeit,
eine Lächerlichkeit, sagte Konrad. So gesehen, erschiene in der
Welt und also in der Welt durch die Welt des Geistes sozusagen
immer nur etwas Ruiniertes, etwas Lächerliches und also sei auf
der Welt alles nur lächerlich und ruiniert. Die Wörter sind dazu
geschaffen, das Denken zu erniedrigen, ja, er gehe sogar so weit,
zu sagen, die Wörter seien dazu da, das Denken abzuschaffen,
was ihnen einmal hundertprozentig gelingen werde. Auf jeden
Fall, die Wörter machen alles herunter, sagte Konrad. Die Depri-
mation ist aus den Wörtern, aus nichts sonst. Zu Fro vor drei Jahren: ich schaute auf die Zimmerdecke, siehe da, die Ruhe, die auf
einmal im ganzen Kalkwerk herrschte, war plötzlich nicht die un-

heimliche, an die ich mich schon seit Jahren gewöhnt hatte, es war auf einmal eine wohltuende. Kein Mensch, kein Geräusch, ein Idealzustand, nicht: kein Mensch, kein Geräusch, fürchterlich, nein, wohltuend. Einer dieser seltenen Geisteszustände, in welchem einem auf einmal wieder alles möglich ist, soll Konrad zu Fro gesagt haben. Plötzlich entwickelte sich wieder alles aus mir und ich entwickelte alles, ich hatte also Möglichkeit, Fähigkeit. Diesen Geisteszustand versuchte ich mir naturgemäß möglichst lange Zeit zu erhalten, aber schon nach kurzer Zeit hatte ich diesen Geisteszustand gar nicht mehr, diese frühere Selbstverständlichkeit, die gerade wieder da gewesen war, war auf einmal wieder weg gewesen, die Idealkonstellation, Idealkonstruktion des Mechanismus des Widerwillens war wieder das Gegenteil der Idealkonstellation, Idealkonstruktion des Mechanismus des Widerwillens. Wie leicht sei das früher gewesen, in einen Gedanken hineinzugehen, mein Gehirn fürchtete sich nicht, jetzt fürchtet sich das Gehirn vor jedem Gedanken und es gehe nur unter den größten Anherrschungen hinein und naturgemäß komme es gleich darin um, das sei ganz natürlich. Zuerst: natürlicher Aufwand aller möglichen Kräfte in der Jugend, soll Konrad gesagt haben, dann, im Alter, das plötzlich da gewesen war, der unnatürliche Aufwand aller unmöglichen Kräfte. Während ich früher nicht wehrlos in die Gedanken hineingegangen bin, gehe ich jetzt völlig wehrlos in die Gedanken hinein, schutzlos, obwohl schwerbewaffnet, völlig unbewaffnet, während ich früher völlig unbewaffnet, aber nicht wehrlos in die Gedanken hineingegangen bin. Jetzt seien sein Gehirn und sein Kopf voreingenommen, befangen, während sie früher nicht voreingenommen, die Unbefangensten gewesen wären, jetzt seien sein Kopf und sein Gehirn in allen Beziehungen, in allen Erscheinungsmöglichkeiten wie Erscheinungsunmöglichkeiten befangen und ein solches befangenes Gehirn müsse sich zweifellos aus einem solchen befangenen Kopf wie das seinige aus dem seinigen zurückziehen, ein solches befangenes Gehirn und ein solcher befangener Kopf aus der Welt zurückziehen, während es doch Tatsache sei, daß Kopf und Gehirn, umgekehrt Gehirn und Kopf sich nur aus der Welt in die Welt zurückziehen könnten und so fort. Man könne sich also und man könne also alles aus allem immer wieder in alles zurückziehen, man könne also gar nicht zurückziehen und so fort. Das verursache den Dauerzustand tödlicher Verzweiflung. Man versuche durch alle möglichen Schliche die Natur zu hintergehen und stehe immer wieder vor der Natur, die aber kein Rätsel sei. Der Kopf und also das Gehirn im Kopf seien zusammen das Unfähigste, untrennbar von sich selbst und von der Natur, die Natur und so fort. Manche Leute, die man sich Philosophen zu nennen getraue, eine gemeingefährliche Klassifizierung, versuchten es sogar mit Bestechung, soll Konrad zu Fro gesagt haben, mit dem ich gestern die neue Lebensversicherung abgeschlossen habe. Man beherrsche nichts, mißbrauche alles. Also: durch diese Ruhe, die auf einmal immer wieder einmal im Kalkwerk herrsche, soll Konrad einmal zu Fro gesagt haben, die ich Ihnen einmal beschrieben habe als die irrtümliche, weil sie gar keine Ruhe sein könne und also im Kalkwerk keine Ruhe sein könne und also in ihm, Konrad, keine Ruhe sein könne, durch diese irrtümliche Ruhe, die er aber auch nicht tatsächlich erklären könne, sei es ihm ab und zu möglich, auch noch in hohem Alter an Gedanken heranzukommen, die ihm rechtmäßig, wie er sich ausgedrückt haben soll, als sogenannte Gedanken der Jugend und also als sogenannte wirkliche Gedanken längst entzogen gewesen wären, ihm gar nicht mehr zuständen. Dann liege er auf seinem Bett und höre: kein Mensch, kein Laut, nichts. Und in solchen Momenten glaube er, daß ihm jetzt möglich sei, sich an den Schreibtisch zu setzen und mit der Niederschrift der Studie anzufangen und er setze sich auch an den Schreibtisch, aber noch in dem Gefühl, anfangen zu können, könne er nicht anfangen. Dann erlebe er einen Rückschlag um Jahrzehnte, weil er einen Rückschlag um alles durchmachen müsse in einem einzigen Augenblick. Diese Studie sei ja durchaus nicht lang, soll er zu Fro gesagt haben, vielleicht ist es die kürzeste Studie überhaupt, aber die Schwierigkeit, sie niederzuschreiben, ist die größte. Es sei vielleicht nur eine Frage der ersten Wörter, anzufangen mit den ersten Wörtern und so fort. Eine Frage des Augenblicks, wie ja alles eine Frage des Augenblicks

117

sei. Monatelang, jahrelang, im Grunde jahrzehntelang warte er auf diesen Augenblick, weil er aber auf diesen Augenblick warte, komme dieser Augenblick nicht. Und obwohl ihm das vollkommen klar sei, warte er doch immer auf diesen Augenblick, denn warte ich nicht auf diesen Augenblick, soll Konrad zu Fro gesagt haben, warte ich doch auf diesen Augenblick, und zwar immer noch, gleich, ob ich auf ihn warte oder nicht, mit noch größerem Energieaufwand, das sei wahrscheinlich sein Unglück. So präzisiere er, ändere er unaufhörlich und mache sich durch dieses fortwährende Ändern und Präzisieren und also durch das fortwährende unnachgiebige Beschäftigen, unnachgiebige Studium der Studie die Niederschrift der Studie unmöglich. Eine Studie, die man ganz und gar im Kopf habe, könne man wahrscheinlich nicht niederschreiben, soll er zu Fro gesagt haben, wie man auch eine Symphonie, die man zur Gänze durch und durch im Kopf habe, nicht niederschreiben könne und er habe die Studie zur Gänze durch und durch im Kopf. Er gebe aber nicht auf, wahrscheinlich muß die Studie in meinem Kopf wieder gänzlich zerfallen, damit ich sie auf einmal zur Gänze niederschreiben kann, soll er zu Fro gesagt haben, alles muß weg sein, damit es plötzlich vollkommen da ist, und zwar von einem Augenblick auf den andern. Begegnung IV: Konrad sagt in bezug auf seinen Aufenthalt in Brüssel vor jetzt zweiundzwanzig Jahren, er hatte damals seine Frau für kurze Zeit in einer Klinik in Leeuwen untergebracht, nicht wörtlich, aber doch beinahe wörtlich, folgendes: wenn ich es in meinem Zimmer nicht mehr aushalte, weil ich weder denken noch schreiben noch lesen noch schlafen und dann, weil ich überhaupt nichts mehr, auch nicht mehr in meinem Zimmer auf- und abgehen kann, das heißt, ich fürchte, weil ich schon die längste Zeit in meinem Zimmer auf- und abgegangen bin, daß mir, wenn ich auf einmal wieder auf- und abgehe, jeden Augenblick fürchte ich das, auch mein Auf- und Abgehen in meinem Zimmer unmöglich gemacht wird und weil ich das fürchte, dann auch tatsächlich unmöglich gemacht ist, weil man klopft, das heißt, man klopft, weil ich störe, weil ich auf- und abgehend störe, sie klopfen oder sie rufen oder ich höre sie gleichzeitig klopfen und rufen, was mir am unerträglichsten ist, weil ich fürchte, daß sie gleich wieder klopfen oder rufen oder gleichzeitig klopfen und rufen könnten... gehe ich, weil ich es nicht mehr aushalte in meinem Zimmer, aus meinem Zimmer hinaus, in den dritten Stock hinunter und klopfe an die Tür des Professors... ich klopfe und warte, bis der Professor mein Klopfen hört, ich stehe da vor der Tür des Professors und warte darauf, daß der Professor sagt, ich solle hereinkommen... denke, während ich wieder vor der Tür des Professors stehe, es ist kalt, mich friert, ich weiß nicht, ist es schon elf, ist es zwölf, ist es ein Uhr früh... ich habe durch das fortwährende Auf- und Abgehen in meinem Zimmer schon fast die Besinnung verloren, ich warte, ich denke jetzt, jedesmal, wenn ich vor der Professorentür stehe und warte, bis der Professor Herein! sagt, die Tür sei nicht verschlossen sagt, und ich mache die Tür auf und gehe hinein, und ich sehe den Professor an seinem Schreibtisch sitzen... ich warte, aber ich höre nichts. Nichts. Ich klopfe. Nichts. Ich warte und klopfe so lange, bis ich denke, ich sollte umkehren und in mein Zimmer zurückgehn, der Professor macht dir heute nicht auf, heute nicht... gestern hat er mir aufgemacht, vorgestern hat er mir aufgemacht, vorvorgestern, die ganze letzte Woche hat er mir aufgemacht, jedesmal, wenn ich geklopft habe, aufgemacht... aber heute, denke ich, macht dir der Professor nicht auf... ich klopfe und klopfe und horche und höre nichts. Ist der Professor nicht da? Oder ist er da und hört mich nur nicht? Ist er vielleicht wieder aufs Land gefahren? Wie oft fährt der Professor aufs Land, denke ich, unvorhergesehen fährt er aufs Land. Zu diesen vielen Hunderten von Verwandten, denke ich. Wenn ich noch lauter klopfe?, denke ich. Lauter? Aber ich habe schon zweimal, dreimal so laut geklopft... Klopfen! sage ich mir. Klopfen! Tatsächlich klopfe ich jetzt am lautesten, und ich denke, daß mich jetzt alle im Haus gehört haben müssen, denn ich habe so laut geklopft, wie ich niemals geklopft habe... Noch lauter klopfen! Tatsächlich muß jetzt jemand mein Klopfen gehört haben... alle diese Leute haben empfindliche Ohren, denke ich, die empfindlichsten Ohren, die Ohren aller dieser Leute sind die empfindlichsten... aber ich klopfte noch einmal, jetzt noch lauter, so laut, wie ich noch nie geklopft habe, und ich horche und höre den Professor, er geht auf die Tür zu und macht sie auf, macht sie aber nur halb auf, und ich sage: ich störe doch nicht, es ist zwar schon spät, aber ich störe doch nicht ... ich sehe sofort, sagt Konrad, daß der Professor mitten in einer geisteswissenschaftlichen Arbeit ist ... Meine Morphologie!, sagt er, sagt Konrad, meine Morphologie! ... und ich sage, sagt Konrad: wenn ich störe, gehe ich sofort wieder auf mein Zimmer. Aber!, sage ich, und der Professor sagt: meine Morphologie! und ich denke, sagt Konrad, warum hat der Professor die Tür nur halb aufgemacht?, er macht sie nur so weit auf, daß er seinen Kopf herausstrecken und mit mir reden, daß ich nicht hinein kann, nicht weiter ... Aber hören Sie, sage ich, sagt Konrad, wenn ich störe, gehe ich sofort wieder in mein Zimmer zurück. Wenn ich Sie störe ... jetzt sehe ich, sagt Konrad, daß sich der Professor schon ausgezogen gehabt hat, er ist völlig nackt, unter dem Schlafrock völlig nackt, sehe ich, und ich sage: Sie sind ja schon ausgezogen!, und darauf: wenn ich störe, gehe ich augenblicklich in mein Zimmer zurück!, sagen Sie nur, Sie wollen jetzt nicht mehr gestört sein! ... aber wenn Sie mir erlauben, wenn Sie es mir nur noch ein einziges Mal erlauben, dann komme ich noch für ein paar Augenblicke zu Ihnen, sage ich, ich werde mich gleich zurückziehn, ich weiß überhaupt nicht, wie spät es ist ... ich habe keine Vorstellung, wie spät es sein kann, sage ich, ich gehe die ganze Zeit in meinem Zimmer hin und her, in diesem meinem Problem hin und her und bin schon beinahe verrückt davon ... wie Sie wissen, arbeite ich jetzt schon tagelang nicht mehr, überhaupt nichts mehr, lieber Professor, es ist mir unmöglich, keine Zeile, nichts, keinen Gedanken, nichts ... immer wieder denke ich, jetzt habe ich einen Gedanken, in Wirklichkeit ist es nichts, nichts, sage ich ... und so gehe ich den ganzen Tag mit dem Gedanken beschäftigt, in Wahrheit immer nur mit diesem einzigen Gedanken in meinem Zimmer auf und ab, hin und her, keinen Gedanken zu haben, keinen einzigen Gedanken zu haben ... denn ich habe tatsächlich schon lange Zeit keinen Gedanken mehr, sage ich ... und so warte ich und so gehe ich, während ich warte und warte doch nur auf Sie, den ganzen Tag

warte ich, daß Sie nach Hause kommen... Heute sind Sie zwei
Stunden später nach Hause gekommen, sage ich, gestern eineinhalb Stunden später, tatsächlich heute zweieinhalb Stunden später... ich höre Sie, weil ich immer aufmerksamer bin, schon auf
der Straße, wie Sie die Haustür aufsperren und wie Sie die Haustür zusperren, ich höre, wenn Sie in das Vorhaus hereinkommen,
den ganzen Tag warte ich, daß Sie ins Vorhaus hereinkommen...
Heute haben Sie wahrscheinlich Ihre Einkäufe erledigt, Besorgungen machen müssen, wahrscheinlich Ihre Rechnungen einge-
zahlt, sind Sie wahrscheinlich auch auf dem Postamt gewesen...
und wenn Sie im Vorhaus sind, denke ich, jetzt sperren Sie gleich
die Wohnungstür auf, wenn Sie die Wohnungstür aufgesperrt haben, jetzt gehen Sie in Ihr Zimmer... jetzt ziehen Sie Ihren Mantel aus, Ihre Schuhe, jetzt setzen Sie sich an den Schreibtisch,
denke ich... jetzt essen Sie etwas, jetzt fangen Sie einen Brief zu
schreiben an, einen Brief an Ihre in Frankreich lebende Tochter,
an Ihren in Rattenberg lebenden Sohn... oder einen Geschäfts-
brief... oder Sie sind mit Ihrer Morphologie beschäftigt, denke
ich... immer deutlicher höre ich, wie Sie Ihr Zimmer aufsperren,
in letzter Zeit sperren Sie Ihr Zimmer viel rascher auf als am Anfang, Sie gehen rasch in Ihr Zimmer, Sie ziehen Ihren Mantel
ruckartig aus... und dann denke ich, daß Sie sich überlegen, ob
Sie sich auf Ihr Bett legen sollen oder nicht, in Ihren Kleidern auf
Ihr Bett legen sollen oder nicht, ohne Ihre Schuhe auszuziehen
auf Ihr Bett legen oder nicht auf Ihr Bett legen, bevor Sie sich mit
der Morphologie beschäftigen, hinlegen sollen oder nicht... daß
Ihnen dann, wenn Sie sich auf Ihr Bett legen, auf Ihr Bett gelegt
haben, die Unsinnigkeit Ihrer Arbeit und die Unsinnigkeit Ihrer
Existenz zu Bewußtsein kommt... daß Ihnen diese Unsinnigkeit
zu Bewußtsein kommen muß... daß Sie auf eine so erbärmliche
Weise Ihr Brot verdienen müssen, auf eine so erbärmliche Weise
studieren müssen, daß alle auf diese erbärmliche Weise ihr Brot
verdienen, alle auf diese erbärmliche Weise studieren müssen...
auf eine immer noch erbärmlichere Weise, denken Sie... und daß
Sie doch, im Grunde, denke ich, soll Konrad zu dem Professor
gesagt haben, sagt Konrad, überhaupt keinen Menschen mehr

haben ... daß Ihnen dann, ob Sie sich an den Schreibtisch setzen
oder nicht, ob Sie sich auf Ihr Bett legen oder nicht, Ihr ganzes
Unglück, und zwar ein immer noch größeres Unglück zu Be-
wußtsein kommt, zu Bewußtsein kommen muß ... In diesem
Augenblick läßt ihn der Professor hinein ... und ich gehe, sagt
Konrad, sofort auf sein Bett zu und sage, wie ich sehe, daß das
Bett bereits aufgeschlagen ist, Sie haben Ihr Bett schon aufgeschlagen, möglicherweise wollen Sie schon zu Bett gehen, oder
Sie waren vielleicht schon in Ihrem Bett ...? und ich sage: lassen
Sie sich nicht stören, legen Sie sich, wenn Sie Lust haben, hin, ich
will nur ein wenig in Ihrem Zimmer auf- und abgehen, in Ihrem
Zimmer, Sie wissen ja, in meinem Zimmer kann ich das nicht
mehr ... wenn ich in meinem Zimmer auf- und abgehe, sage ich,
glaube ich, daß alle im Haus hören, daß ich in meinem Zimmer
auf- und abgehe, wie Sie auch, wenn ich lese, wissen, daß ich in
meinem Zimmer lese, wissen, daß ich, wenn ich denke, in meinem
Zimmer denke, wie, daß ich schreibe, wenn ich in meinem Zimmer schreibe, wie, wenn ich im Bett liege, daß ich im Bett liege ...
alle diese Leute wissen, glaube ich, immer, was ich tue, sage ich ...
denn hören Sie, sage ich, diese Leute wissen auch, daß ich denke,
wenn ich in meinem Zimmer denke, an die Studie denke ... das
macht es mir unmöglich, in meinem Zimmer zu denken, in meinem Zimmer an die Studie zu denken und aus diesem Grund bin
ich schon so lange Zeit gedankenlos ... und wie fürchterlich,
denke ich, ist es mir in meinem Zimmer unmöglich, zu denken,
wie fürchterlich, in meinem Zimmer einen Brief abzufassen ...
dadurch lese ich schon so lange Zeit nichts mehr, kann ich auch
nichts mehr denken ... aber in Ihrem Zimmer, sage ich, ist es mir
immer noch möglich, auf- und abzugehen ... ich gehe in Ihrem
Zimmer auf und ab und beruhige mich ... nach und nach und
nach einiger Zeit immer intensiver, sage ich, und: dann kann ich
wieder in mein Zimmer zurück gehn ... sehen Sie, sage ich, jetzt
beruhige ich mich, mein ganzer Körper beruhigt sich ... und diese
Beruhigung, sage ich, geht dann auch langsam in mein Gehirn
über, es ist, wenn ich mich hier in Ihrem Zimmer beruhige,
gleichzeitig eine Körper- und eine Gehirnberuhigung ... tatsäch-

lich, sage ich, brauche ich nur in Ihr Zimmer hereinzugehn, und ich beruhige mich ... Was ist das? Wo es mir doch unmöglich ist, überhaupt jemals noch jemanden aufzusuchen ... ich betrete Ihr Zimmer, und ich beruhige mich ... Heute, sage ich, sind Sie so spät nach Hause gekommen, diese lächerlichen Besorgungen, sage ich, die Sie machen müssen ... diese lächerliche Post, die Sie tagtäglich bekommen und die Sie tagtäglich beantworten müssen, diese lächerlichen Leute ... ich bekomme keine Post, ich beantworte keine Post ... und diese widerwärtigen Mitarbeiter in Ihrem Büro, die Sie aushalten müssen, die Sie schon so viele Jahre lang aushalten müssen ... diese Widerwärtigkeiten, sage ich, halten Sie davon ab, früher nach Hause zu kommen ... und indem Sie den Schlüssel im Schloß umdrehen, sage ich, denke ich jedesmal, retten Sie mich, aus dieser fürchterlichen Situation, sage ich, denn wissen Sie, sage ich, mir ist immer, als ob ich ersticken müßte ... mit einem Ersticken mein Leben abschließen, sage ich, am Ende ersticken, grotesk, wenn ich am Ende ersticken müßte ... weil Sie einmal noch zusätzlich eine Reihe von Besorgungen machen müssen, zu spät in das Haus hereinkommen ... und in Ihr Zimmer, während ich längst erstickt bin, sagt Konrad zu dem Professor, tatsächlich glaube ich jeden Tag um die gleiche Zeit, ersticken zu müssen, ich ersticke, denke ich, an einer Lächerlichkeit, weil Sie, wie das einmal sein kann, durchaus einmal sein kann, noch eine Besorgung, noch einen Umweg, Ihrer Tante eine längere Aufwartung machen müssen ... ich höre Sie auf der Straße, ich höre Ihre Schritte, ich höre, wie Sie den Schlüssel im Haustürschloß umdrehen, wie Sie ihn in der Wohnungstür umdrehen ... jetzt, sage ich, beruhige ich mich, Sie sehen, daß ich mich beruhige, weil Sie mich in Ihr Zimmer gelassen haben, sage ich, wenn ich Sie nur nicht störe, sage ich, ich denke, sage ich, daß ich Sie schon so oft gestört habe, sagt Konrad, aber wenn ich noch einen Augenblick allein bleibe, sagt er zu dem Professor, denke ich immer, ersticke ich ... und dann höre ich Sie ... Was für eine schöne Miniatur, sage ich, haben Sie da an der Wand, diese schönen Miniaturen, die ich noch niemals gesehen habe ... und dann höre ich, wie Sie Ihre Wohnungstür aufsperren und wie Sie sie zusperren und wie Sie sich auf Ihr Bett legen und wie Sie sich an Ihren Schreibtisch setzen und wie Sie wieder aufstehn vom Schreibtisch ... und dann gehe ich an die hundertmal in meinem Zimmer auf und ab, immer auf und ab und sage mir: jetzt kannst du schon zum Professor hinuntergehen, jetzt darfst du schon und dann: jetzt noch nicht, noch nicht!, nein, noch nicht!, dann wieder: jetzt, gehen, hinuntergehen, rasch hinuntergehen, jetzt, jetzt ... und ich werde schon fast verrückt in dem Hinundherdenken, in dem unaufhörlichen Gehichodergehichnicht ... ob ich darf, oder nicht darf ... und ich denke: jetzt! und jetzt! und damit vergeht eine Stunde, und ich sage mir, möglicherweise ist der Professor aber mit seiner Morphologie beschäftigt ... tatsächlich sind Sie ja jetzt gerade mit Ihrer Morphologie beschäftigt gewesen, sage ich, sagt Konrad, gleichzeitig aber zu müde gewesen ... Sie sind zu müde, sage ich ... und wie beschäftigt!, sage ich, und ich gehe zum Schreibtisch hin und sehe, daß der Professor mit seiner Morphologie beschäftigt gewesen ist ... während ich eine ganze Stunde gedacht habe, gehe ich zum Professor oder nicht ... Ja, sage ich, wenn ich störe ... so sagen Sie, daß ich störe ... daß ich natürlich störe ... so sagen Sie, wenn ich störe, daß ich störe ... daß ich natürlich störe, ich störe Sie schon die ganze Zeit, sage ich, sagt Konrad, die ganzen Jahre störe ich Sie ... die ganzen Jahre, die ich mit Ihnen in diesem Hause zusammen wohne ... ich bin Ihr Störenfried! ... aber sehen Sie, sage ich, sagt Konrad, ich warte zwei Stunden, ich warte vier Stunden, sechs Stunden, acht Stunden ... und dann gehe ich nicht zu Ihnen herunter ... du wartest so lange und gehst dann doch nicht zum Professor hinunter, sage ich ... und ich gehe natürlich herunter und klopfe an die Tür, ich klopfe die längste Zeit, bis Sie aufmachen und mich hereinlassen ... und mich in Ihrem Zimmer hin- und hergehen lassen, so daß ich mich langsam beruhige ... und ich beruhige mich, sage ich und ich sage: möglicherweise komme ich heute nacht in meiner Studie ein Stück vorwärts, wenn auch nur das kleinste Stück vorwärts ... möglicherweise, sage ich, aber ich sage mir das tagtäglich, ich sage mir tagtäglich, heute, wenn der Professor nach Hause kommt, gehst du zu ihm hinunter und gehst in seinem

Zimmer hin und her und gehst dann in dein Zimmer zurück und fängst an, die Studie niederzuschreiben ... das sage ich ja, wie Sie wissen, sagt Konrad, heute noch immer, daß ich jetzt und daß ich jetzt, immer sage ich mir, jetzt fange ich mit der Niederschrift der Studie an ... und zum Professor sage ich, sagt Konrad, wenn ich Sie nur nicht gestört habe ... wenn ich nicht wüßte, sage ich, wie leicht man die Menschen stört, einen Menschen, der Ruhe braucht, stört, einen Menschen wie Sie, Professor, einen Menschen wie mich, Professor ... den man, während er doch nichts als allein sein will, stört ... aber zum Unterschied von mir, sage ich zum Professor, der ich nicht mehr allein sein kann, wollen Sie, und das Merkwürdige ist, daß Sie dabei schon so alt geworden sind, allein sein, denn natürlich müssen Sie allein sein ... und Sie sagen mir ja auch immer, wenn ich zu Ihnen hereinkomme, sage ich, sagt Konrad, daß Sie allein sein wollen, allein sein müssen, auch wenn Sie es nicht sagen, auch wenn Sie es nicht sind ... auch wenn Sie nichts sagen, höre ich, wie Sie sagen, ich will allein sein ... mein lieber Professor, sage ich, ich gehe jetzt in mein Zimmer, ich habe mich beruhigt und: es ist ausschließlich Ihr Verdienst, daß ich mich wieder beruhigt habe ... aber wahrscheinlich werden auch Sie mich bald nicht mehr beruhigen können, wie meine Frau mich nicht mehr beruhigen kann, niemand, nichts, sage ich ... ich danke Ihnen, ich danke Ihnen, sage ich und ich gehe zur Tür, und der Professor öffnet mir, und ich sage, ich wollte nicht, ich habe Sie doch nicht stören wollen, lieber Professor, nicht stören, nicht stören und ich drehe mich um, und ich höre, wie der Professor in sein Zimmer zurückgeht ... ich bin überraschend schnell in mein Zimmer gekommen, denke ich und ich setze mich an den Schreibtisch und fange zu schreiben an, aber ich kann nicht schreiben ... ich glaube, ich muß schreiben können, kann aber nicht ... und ich stehe auf und gehe in meinem Zimmer auf und ab, hin und her, wie ich auch hier im Kalkwerk in meinem Zimmer auf und ab und hin und her gehe ... eine unglückliche Veranlagung läßt mich die ganze Nacht in meinem Zimmer auf und ab und hin und her gehen ... die ganze Nacht und in der Frühe und während der Professor längst wieder fort ist, gehe ich noch immer hin und her und ich fürchte mich vor diesem Hinundhergehen, wie damals fürchte ich auch heute, wie damals in Brüssel fürchte ich mich auch heute im Kalkwerk vor diesem Hinundhergehen und ich gehe hin und her und gehe und warte und denke, ich warte und gehe und gehe und gehe ... und gehe ... Zu Fro: Konrad und seine Frau rätselten lieber in ihrer durch nichts zu übertreffenden, vom ersten Moment ihres Zusammenseins tödlichen Gemeinsamkeit den ganzen Vormittag um die Frage herum, was, weil er, Konrad, durch zu intensives Experimentieren einerseits, durch nur von diesem Experimentieren hervorgerufene Körperschwäche andererseits dazu nicht imstande sei, Höller aus dem Gasthaus heraufbringe, ob es eine Fleisch- oder eine Mehlspeise oder weder eine Fleisch- noch eine Mehlspeise, sondern Fisch sei und ob er Suppe mitbringe und Salat, gerade auf das Salatessen legten sie beide den größten Wert und lieber, soll Konrad zu Fro gesagt haben, verzichte er auf Fleisch und auf Mehlspeise, ja, auch auf Suppe verzichte er, auf Salat wolle er, wenn möglich, nicht verzichten, also lieber rätselten sie stundenlang um die Frage herum, ob der Höller zwanzig oder dreißig oder gar vierzig Minuten mit dem Essen vom Gasthaus zum Kalkwerk unterwegs sei, und auf das Erschütterndste (Fro), ob er sich nicht gar, weil er jemanden auf dem Weg treffe, durch eine längere Unterhaltung über das, wie Konrad zu Fro gesagt haben soll, zulässige Zeitmaß hinaus verspäte, als daß er, Konrad, sich mit allen ihm zur Verfügung stehenden Kräften auf die Niederschrift der Studie konzentriere, gleich was als Ablenkung sei ihm recht, alles sei ihm recht und nichts lächerlich und nichts minderwertig und unbedeutend und desavouierend genug, um sich abzulenken, um sich nicht mit der Niederschrift der Studie befassen zu müssen, schon wenn er aufwache, überziehe ein entsetzlicher wie Gehirnfäulnis schmeckender Film von Gewissensqual seine Umgebung und drücke auf seinen Hinterkopf, wenn er nur an die Niederschrift der Studie denke, er denke ja nicht mehr daran, soll er zu Fro gesagt haben, weil ihm das mit der Zeit das Entsetzlichste geworden sei, sei aber doch unter allen Umständen immer mit der Frage konfrontiert, wie die Niederschrift bewerkstelligen, wie, und er könne denken, woran er wolle, tun, was er wolle, in Betracht ziehen, was er wolle, es hänge unweigerlich mit der Studie und also mit der Niederschrift der Studie zusammen und verfinstere ihm auf ununterbrochene beschämende (er soll sich nicht erklärt haben, was beschämende) Weise den wehrlosen Kopf. Gibt es Sauerkraut oder gibt es Kartoffeln, oder gibt es gar gebackene Mäuse oder die von ihnen beiden geliebten lockeren Rindsrouladen, oder den mürben oder den ausgezogenen Apfelstrudel, den Topfenstrudel vielleicht, Grammelknödel oder Surfleisch oder gar eine Milzschnitten- oder eine Fridattensuppe, ein Krenfleisch oder gar ein gut abgelegenes Wild mit Preiselbeersauce, fragten sie sich, ob der Höller eventuell eine politische oder eine agrarische oder kommunale Neuigkeit aus dem Gasthaus bringe, eine Todesmitteilung oder die Nachricht von einer Hochzeit, von einer Taufe, eine Verbrechensneuigkeit, wie, wo und wann sich etwas auch für sie beide Außergewöhnliches zugetragen, etwas lange Geheimgehaltenes plötzlich nicht mehr geheimhalten habe lassen, wie weit die Arbeiten an den Güterwegen und an den sogenannten Ufer- und Wildbachverbauungen fortgeschritten, wie kalt es im Wasser, wie finster im Wald, wie gefährlich am Felsvorsprung, ob und was und vor allem ob und was über sie, die Konrad, im Gasthaus, im Sägewerk, im Ort geredet werde, ob man noch mit den Gerüchten hantiere (Baurat), inwieweit die Leute über ihrer beider Verhältnisse orientiert oder nicht orientiert seien und was für einen Eindruck es mache, daß Konrad so lange nicht mehr im Ort, die längste Zeit nicht mehr im Wald, die längste auch nicht mehr im Sägewerk, im Gasthaus, auf der Bank gewesen wäre, ob der Markt gut oder schlecht besucht gewesen wäre, was man vom neuen Geläute der Pfarrkirchenglocken halte, ob die Begräbniskosten gestiegen, die Regierungsmitglieder schon eingelebt, die Rehe dezimiert, die Gemsen dezimiert seien, ob wahr sei, was man seit Monaten als wahr hingestellt habe, unwahr, was jahrelang nur als wahr gegolten, eindeutig, was bis jetzt immer zweifelhaft gewesen sei, alles wollten sie wissen, sagt Fro, und sie sollen immer noch etwas zum Fragen gefunden, immer noch etwas Erkundigungswertes entdeckt haben und so Stunden um Stunden, allein mit allen diesen Unsinnigkeiten (Fro) beschäftigt, sich abgelenkt haben, er sich von seiner Studie, sie sich von ihrer Krankheit, von ihrer Verkrüppelung. Darüber abgestimmt sollen sie haben, welche Lektüre er ihr sozusagen tagtäglich als Belohnung für ihre Bereitwilligkeit, sich ihm für die urbantschitsche Methode und das daraus resultierende Experimentieren zur Verfügung zu stellen, vorzulesen habe, die das Experimentieren unterbrechenden Pausen füllten sie ja schon jahrzehntelang mit Vorlesen aus, ob, wie in den letzten Wochen, aus dem Kropotkin, also aus *seinem* Buch, oder aus dem Ofterdingen, also aus *ihrem* Buch, er habe ihr, wenn sie es wünschte, natürlich aus dem von ihr geliebten Ofterdingen, übrigens ein Buch, das sie ihr ganzes Leben lang immer wieder als ihr liebstes bezeichnet haben soll, vorgelesen, wochenlang, immer wieder aus dem Ofterdingen, aber auch aus den von ihm über alles bewunderten Kropotkinschen Memoiren habe er, tatsächlich gegen ihren Willen und Widerstand, in ihrem Zimmer laut vorgelesen, sie weigerte sich anfänglich, dem von ihm aus dem Kropotkin Vorgelesenen zuzuhören, er aber hatte sich nicht um diese ihre Unwilligkeit gegenüber dem Kropotkin gekümmert und sich durch zuerst wöchentliches, schließlich tägliches rücksichtsloses lautes Vorlesen aus dem Kropotkin in der Weise durchgesetzt, daß sie zwar, wie er, Konrad, meinte, letzten Endes noch immer sagte, sie hege eine natürliche Abneigung gegen das russische Buch, hasse es zwar nicht mehr wie zu allem Anfang, begegne ihm aber doch nach wie vor mit Mißtrauen, im Grunde, soll Konrad gesagt haben, redete sie zwar unaufhörlich gegen den Kropotkin, war aber längst für den Kropotkin gewonnen gewesen, das habe ihn eine ununterbrochene, von ihr größtenteils unbemerkte Überzeugungskunst gekostet. An manchen Tagen sollen sie, so Wieser, gehandelt haben, beispielsweise eine Stunde Kropotkin gegen eine Stunde Ofterdingen, oder zwei Stunden Kropotkin gegen eineinhalb Stunden Ofterdingen, oder umgekehrt zwei Stunden Ofterdingen gegen eineinhalb Stunden Kropotkin, oder kein Ofterdingen gegen kein Kropotkin, oder ein Kapitel Kropotkin gegen ein oder gegen zwei Kapitel Ofterdingen et cetera, wobei natürlich, so Wieser, immer die Konrad den Kürzern gezogen habe. Im Grunde bestimmte immer er, Konrad, was vorgelesen wurde. An jede Vorlesung schlossen sie eine Debatte über das Vorgelesene an, auch diese Debatte war, so Wieser, naturgemäß immer von Konrad, niemals von seiner Frau geführt worden. Ab und zu setzten sie beispielsweise den Kropotkin mit dem Ofterdingen in Beziehung, sehr oft die Vorlesungslektüre, meistens eine sogenannte ausschließlich wissenschaftliche, keine sogenannte schöngeistige, in Beziehung zu allem Möglichen, wie er, Konrad, sich gegenüber Wieser ausgedrückt haben soll. Die interessanteste Lektüre sei ihm immer die nach allen Richtungen, er wolle nicht sagen Himmelsrichtungen, offene erschienen, seine besondere Vorliebe habe immer den wissenschaftlichen Büchern, Aufsätzen des Zwanzigsten Jahrhunderts oder eben Büchern wie dem Kropotkin gehört, ihre Vorliebe den schriftstellerischen Erzeugnissen der zweiten Hälfte des Neunzehnten Jahrhunderts, naturgemäß, so Wieser. Eine Lektüre ohne daran anschließende Diskussion oder Debatte darüber, oder auch nur einer von ihm so genannten Selbstanalyse darüber, jedenfalls jede Art von Lektüre ohne kurz darauffolgenden Kommentar, habe er immer verabscheut. Freilich habe es viele Jahre größter Anstrengung seinerseits bedurft, um sie, seine Frau, mit der Tatsache wenigstens in Annäherung vertraut zu machen. Aber, so soll Konrad zu Wieser gesagt haben, man müsse Geduld haben, man überzeuge schließlich durch ehrliches und durch präzisionsfanatisches Argumentieren den widerspenstigsten Menschen von der widerspenstigsten Sache, überzeuge letzten Endes sogar einen Menschen wie seine Frau davon. Dem Manne sei angeboren, was der Frau angelernt werden müsse in mühevoller, oft verzweifelter Lehrmethode, nämlich der Verstand als chirurgisches Instrument gegenüber der sich sonst unweigerlich auflösenden, ja sonst rettungslos zerbröckelnden Geschichts- und Naturmaterie. Man könne, soll Konrad zu Wieser gesagt haben, aus einem hohlen oder doch wenigstens nur mit Verstandesmüll angefüllten Kopf, wenn man den Mut dazu habe, durchaus einen denkenden und jedenfalls einen vernünftigen machen. Die Schuld an den Dummköpfen liege nur bei den vernünftigen. Andererseits, soll Konrad sofort darauf gesagt haben, wäre alles ganz sinn- und zwecklos, man denke etwas, und das sei zwecklos, man tue etwas, und das sei zwecklos, man mache oder man unterlasse etwas und das alles sei immer zwecklos, sinnlos sei, was man denke, wie zwecklos sei, worin man handle, so lasse man als Vernünftiger alles sich selbst entwickeln, ganz gleich wohin. Der Verstand, der Mann, sei Zuwiderhandlung, soll Konrad gesagt haben. Zum Manne werde, wer bewußt zuwiderhandle, sich bewußt zuwiderhandeln getraue. Die Frau aber überziehe das nicht, weil sie nichts überziehe, verständnislos, meistens auch ohne Respekt, der ja weder Wissen, noch jede andere Art von Geschichtsbildung voraussetze, stehe sie dem Alleingang des, besser ihres Mannes durch eine Welt der Verblödung und des ordinären Halbgeistes gegenüber. Seine, Konrads, Frau, so er selber zu Wieser, habe bei aller ihr wie allen anderen angeborenen Widerstandsfähigkeit gegen das sogenannte Männliche, also gegen ihren Mann, diesen doch in allen Phasen ihres Zusammenlebens wenn auch mit Reserve, so doch andererseits inständig respektiert. Wieser wie Fro schildern jeweils den letzten Nachmittag, den sie mit Konrad zusammengewesen waren, jeder auf seine Weise, der eine den anderen durch seine Aussagen deckend, einmal Wieser Fro, einmal Fro Wieser widersprechend, gleichzeitig, wie gesagt, Wieser Fro, Fro Wieser bestätigend. Fro sei eineinhalb Wochen vor dem traurigen Ende der Konrad mit Konrad in dem sogenannten holzgetäfelten Zimmer zusammengewesen, merkwürdigerweise sei an diesem Nachmittag in dem sogenannten holzgetäfelten Zimmer eingeheizt gewesen, Konrad habe den Besuch des Forstrates erwartet, eine Besprechung über die Wildbachverbauung hinter dem Felsvorsprung sei auf dem Programm gestanden, Konrad habe den Forstrat schon gegen elf Uhr vormittag erwartet, der Forstrat sei aber auch um zwölf und um ein Uhr mittag noch nicht im Kalkwerk gewesen, schließlich habe ein Holzfäller, der im Sägewerk beschäftigt ist, an der Kalkwerkstür geklopft und Konrad habe dem Manne aufgemacht und der

Holzfäller sei, so soll der zu Konrad gesagt haben, vom Forstrat beauftragt worden, Konrad zu sagen, der Forstrat sei unabkömmlich, der Forstrat schlage einen neuen Termin vor, in der kommenden Woche, Konrad soll dem neuen Termin zugestimmt, dem Holzfäller ein Glas Schnaps eingeschenkt und ihm Grüße an den Forstrat mitgegeben haben, kurze Zeit später sei Fro im Kalkwerk gewesen und Konrad habe ihn gleich in das holzgetäfelte Zimmer geführt, da sei es warm, ich habe für den Forstrat eingeheizt, zwei Tage lang ununterbrochen für den Forstrat eingeheizt, aber jetzt kommt der Forstrat nicht und jetzt sind Sie da und das ist eine Gelegenheit, zu plaudern, ist es warm herinnen, soll Konrad zu Fro gesagt haben, merkt man erst, wie geeignet für Unterhaltungen das holzgetäfelte Zimmer ist, auch wenn keine besseren als diese fürchterlichen geschmacklosen, aber, das müsse man zugeben, doch recht bequemen Möbel herinnen seien; Konrad und Fro hatten, so Fro, in dem holzgetäfelten Zimmer Platz genommen, Konrad habe gesagt, er habe zwei Tage lang überhaupt nicht den Versuch gemacht, über die noch immer nicht angefangene Niederschrift der Studie nachzudenken, der Forstrat wollte kommen und, wie gesagt, mit mir über die Wildbachverbauung hinter dem Felsvorsprung reden, darauf konzentrierte ich mich, er, Konrad, habe sich hundertprozentig auf den Forstrat konzentriert, die Studie vollkommen außer Acht gelassen, im Grunde könne er sich ein vollkommenes Außerachtlassen der Studie gar nicht leisten, es sei aber unumgänglich, der Forstrat verlange ganz einfach die Unterredung, verweigere man eine solche Unterredung, verschaffe sich ein Mann wie der Forstrat, der ja ein sogenannter Staatsbeamter mit sogenannter höherer Staatsgewalt sei, Einlaß, Verhandlungsbereitschaft, et cetera; und auf dem Höhepunkt der Erwartung des Forstrats, auch seine, Konrads, Frau sei ganz auf den Besuch des Forstrates konzentriert gewesen und habe ihm, Konrad, Anweisung betreffend der Aufwartungen für den Forstrat, Speck, Schnaps, Most, gegeben, habe ein neues Kleid angezogen, habe sich von ihm, Konrad, schon in aller Frühe, anstatt daß sie experimentiert hätten, kämmen lassen, anstatt daß sie sich also mit der urbantschitschen Methode beschäftigten, die Fingernägel schneiden und eine neue Tischdecke auflegen lassen, alles an ihnen und in ihnen sei auf den bevorstehenden Besuch des Forstrates konzentriert gewesen, also auf dem Höhepunkt der Erwartung des Forstrats sei ein Holzfäller gekommen und habe die Absage des Forstrats überbracht, so Konrad zu Fro, sagt Fro. Jetzt, da Fro in dem holzgetäfelten Zimmer sitze, soll Konrad zu Fro gesagt haben, sei das Einheizen und seien die anderen für den Besuch des Forstrats bestimmten Vorbereitungen nicht umsonst gewesen, er, Fro, sei durch die Absage des Forstrats sogar in den Genuß ganz vorzüglicher Speckstücke gekommen, in den Genuß des Vogelbeerschnapses, den Konrad nur für besondere Gäste wie den Forstrat oder den Bezirkshauptmann oder den Gendarmerieoberst in Reserve gehabt habe, in den Genuß vor allem eines auf einen höheren Besuch vorbereiteten und ganz und gar nicht von der Studie beherrschten Konrad, einer, wie Fro sagt, geradezu aufgeräumten Frau Konrad, denn offensichtlich war die Absage des Forstrates so überraschend und auf die unerwartetste Weise so im allerletzten Moment gekommen, daß die beiden Konrad nicht mehr imstande gewesen waren, ihrer Enttäuschung über die Absage des Forstrates Ausdruck zu geben, ihm, Fro, sei vorgekommen, daß die beiden Konrad ganz einfach aus der Unfähigkeit heraus, von einem Augenblick auf den andern, die Enttäuschung durch die Absage des Forstrates sofort auf den gänzlich unerwartet zu Besuch gekommenen Fro zu übertragen, sozusagen Fro als den Forstrat behandelt haben, denn noch nie, so Fro, bin ich in dieser zuvorkommenden und tatsächlich herzlichen und durch nichts getrübten Weise empfangen worden, eben empfangen und bewirtet worden, wie man im Hause der Konrad immer den Forstrat empfangen hat, sagt Fro. Seit Jahren habe er, Fro, immer das Gefühl gehabt, er sei ein sogenannter Gewohnheitsbesuch im Kalkwerk, alles deutete, kam er ins Kalkwerk, darauf hin und man wisse ja, wodurch sogenannte Gewohnheitsbesuche in jedem Falle gekennzeichnet sind, an diesem, dem letzten Tag im Kalkwerk aber habe sich ihm gegenüber alles im Kalkwerk durch Herzlichkeit, Zuvorkommenheit, ja Noblesse von den vorangegangenen unterschieden. Fro erinnert sich, daß Konrad ihm den bequemeren der beiden Sessel im holzgetäfelten Zimmer angeboten habe, nicht, wie sonst, den unbequemen, daß er ihm das Hirschfell unter die Füße geschoben habe, eine Tatsache, die ihn, Fro, verblüfft habe, gleich bei seinem Eintreten sei ihm von Konrad ein Glas Vogelbeerschnaps angeboten worden. Und bevor sie beide noch im holzgetäfelten Zimmer Platz genommen hätten, wäre er von Konrad auf das höflichste, wie sich Fro erinnert, zu Konrads Frau in den zweiten Stock hinaufbegleitet worden, fortwährend unter Fragen wie: mein lieber Fro, Sie sind aber lange nicht mehr dagewesen und mein lieber Fro, was machen denn Ihre Kinder?, und mein lieber Fro, ist Ihr Fischteich schon verpachtet?, und mein lieber Fro, ich weiß ja gar nicht, ob Ihre Tochter schon geheiratet hat?, und mein lieber Fro, Ihre Besuche im Kalkwerk werden immer seltener, und mein lieber Fro, wenn Sie möglicherweise ein Buch aus meiner Bibliothek brauchen, es steht Ihnen selbstverständlich zur Verfügung, denn wie Sie wissen, habe ich ja eine vorzügliche Bibliothek und vor allem besitze ich von den besten und von den berühmtesten und von den allerwichtigsten Büchern die schönsten und in jedem Falle immer nur Erstausgaben, und mein lieber Fro, meine Frau freut sich ganz besonders auf Ihren Besuch, und mein lieber Fro, ich kann Ihnen gar nicht sagen, wie ich mich freue, daß Sie uns aufsuchen, und mein lieber Fro, meine Frau ist Ihnen noch heute dankbar für die Vorschläge, die Sie ihr in bezug auf das hohe Gestrüpp gemacht haben, das wir aus der Schweiz, der Heimat meiner Frau, wie Sie wissen, mein lieber Fro, kommen haben lassen. Als wäre ich der Forstrat, erinnert sich Fro, hat mich die Konrad empfangen, in einem neuen Kleid und auf das charmanteste. Sie habe mit ihm, Fro, eine halbe Stunde über den Ofterdingen geplaudert und von ihm Auskünfte über den Kropotkin haben, Abwertendes darüber hören wollen, wie sich Fro erinnert, Fro kennt aber den Kropotkin gar nicht, habe das aber gegenüber der Konrad nicht zugegeben und andauernd auf alles, was die Konrad in bezug auf die Kropotkinschen Memoiren gesagt hat, ja oder jaja oder nein oder neinnein gesagt, in jedem Falle immer ihr recht gegeben, er, Fro, meint, die Gegenwart der Konrad habe bei jedem seiner Besuche im Kalkwerk ein augenblickliches Inkrafttreten seiner, wie er sie nennt, korrekten Erziehung verursacht, das Jaja oder das Neinnein an der jeweils richtigen Stelle wäre für diese Art von korrekter Erziehung fast immer genug, man könne damit jedenfalls über Stunden auskommen, beherrsche man darüber hinaus das zu diesem Jaja und Neinnein Gehörige. Die Konrad sei an diesem Nachmittag auffallend ruhig gewesen, die sonst an ihr zu bemerkende ständige Unruhe ihres ganzen Körpers habe sie mit einer Gefühls- und Geistesbeherrschung ohnegleichen (Fro wörtlich) verbergen können. Zuletzt habe sie zu Fro gesagt: kommen Sie wieder, mein lieber Fro, wir freuen uns immer, wenn Sie kommen, und Fro sei mit Konrad wieder ins holzgetäfelte Zimmer hinuntergegangen. Auch während dieses Hinuntergehens ins holzgetäfelte Zimmer habe, laut Fro, Konrad seine im Grunde dem Forstrat zugedachte Komplimentemacherei fortgesetzt. Mein lieber Fro, soll Konrad auf dem Weg vom zweiten in den ersten Stock gesagt haben, ein Mensch wie Sie im Kalkwerk macht immer Freude, auf dem Weg vom ersten Stock ins holzgetäfelte Zimmer: sehen Sie, mein lieber Fro, ein Mensch wie Sie taucht auf und es herrschen selbst in unserer Behausung klare Verhältnisse. Unten, im holzgetäfelten Zimmer, hätten sie über alles Mögliche geredet, drei Stunden lang, dazu Schnaps getrunken, Speck gegessen. Zum Beispiel soll Konrad gesagt haben, sie, ihre Familie, gibt mir, meiner Seite, die Schuld an dem nach und nach, wie die Gegenseite es sich zu formulieren getraut und worin sie zweifellos auch recht habe, an dem nach und nach zur Katastrophe gewordenen Zusammensein zwischen mir und meiner Frau, während meine Seite, nicht aber ich, soll Konrad zu Fro gesagt haben, meine Familie, das heißt, der Rest dieser meiner Familie, die sich, wie ich Ihnen schon einmal angedeutet habe, bald von den Höhen einer sogenannten eingesessenen klassischen herunter in einer lächerlichen, nichtswürdigen erschöpft hat, die Schuld ihr und das heißt ihrer Seite gibt, alles schiebe seine Seite auf ihre Krankheit und Verkrüppelung, während ihre Seite alles auf seinen Kopf und auf seine Studie schiebe, schließlich und endlich könnten sich ja einmal beide Seiten darauf geeinigt haben, soll Konrad zu Fro gesagt haben, daß an allem Unglück und das heiße jedenfalls an allem, nichts als die Studie und das heißt, nichts als das Gehör schuld sei. Man suche hinter chaotischen oder wenigstens hinter merkwürdigen, jedenfalls hinter außergewöhnlichen Zuständen naturgemäß immer gleich nach der Ursache dieser chaotischen, merkwürdigen, außergewöhnlichen Zustände et cetera und erkläre, was sich als nächstes anbiete, in diesem Falle, mein lieber Fro, soll Konrad zu Fro gesagt haben, das Oberflächlichste, auch für den Minderwertigen leicht als ein solches erkennbares Oberflächliches als Ursache, also, man erkläre ganz einfach die Studie über das Gehör zur Ursache für die, wie sie alle glauben, denken zu müssen, unabänderlich zur völligen Auflösung der Konrad führenden Katastrophe. Die Einschätzung der Mitmenschen und also der Ummenschen sei immer eine viel zu hohe, soll Konrad gesagt haben, wo größtmögliche Geringschätzung am Platz wäre, schätze man immer zu hoch, man stufe selbst die am geringsten eingeschätzten Glieder der nahen und nächsten Umgebung, Verwandtschaft et cetera, immer noch viel zu hoch ein und man denke in bezug auf manchen Menschen, man habe sich einem doch sehr hoch stehenden Menschen ausgeliefert, während man sich in Wirklichkeit immer dem niedrigsten aller menschlichen Elemente ausgeliefert habe. Und in jedem Falle habe man sich selbst als dem niedrigsten aller menschlichen Elemente ausgeliefert, frage sich das aber nicht tagtäglich, weil man sonst nachgeben und aufgeben und auf das grundlegendste verzweifeln, sich auf beschämendste Weise auflösen müßte, zu Nichts machen. Manche glaubten, dadurch, daß sie ihren Kopf mit Phantasie bevölkerten, gerettet werden zu können, aber kein Mensch und also kein Kopf könne gerettet werden, da sei ein Kopf und dadurch, daß dieser Kopf da sei, sei er rettungslos verloren, lauter verlorene Köpfe bevölkerten lauter verlorene Körper auf lauter verlorenen Kontinenten, soll Konrad zu Fro gesagt haben. Meiner Frau aber solches sagen, bedeutete genausoviel, wie einem durch Jahrmillionen durch und durch taub gewordenen Stein etwas zu sagen. Ja, natürlich, soll Konrad zu Fro gesagt haben, die Ursache nicht zu finden, quäle sogar den mit einem kompletten Dummkopf auf dem Hals Verheirateten, und dieser Gedanke quäle lebenslänglich, aber die Ursache finde man nicht, werde niemals gefunden, immer nur eine Ersatzursache, betreibe man die sogenannte heute doch recht mißbrauchte weil mißverstandene Ursachenforschung, komme man immer nur auf Ersatzursachen und man gebe sich auch immer mit solchen Ersatzursachen zufrieden, die ganze Welt, wie wir sie glauben oder ganz einfach tagtäglich wiederzuerkennen glauben, erkläre man (sich) aus nichts anderem als aus Ersatzursachen durch Ersatzursachenforschung. Die doppelte Verstellung zu beherrschen versuchen, daran könne man Jahrzehnte verschwenden, werde dabei aber nur alt und sonst nichts, gehe zugrunde dabei und sonst nichts. Sage man beispielsweise, soll Konrad zu Fro gesagt haben, einen Satz, gleich, welchen Satz, und sei dieser Satz, um ein großes Beispiel zu geben, von einem unserer sogenannten größeren oder gar großen Schriftsteller, so beschmutze man diesen Satz nur, weil man sich nicht beherrschen könne, diesen Satz nicht, einfach überhaupt nichts zu sagen, beschmutze man, so treffe man, wo man hingehe und wo man hinschaue, nur auf Beschmutzer, eine in die Millionen, und, genau genommen, in die Milliarden angewachsene Gesellschaft von Beschmutzern sei am Werk, das erschüttere, wenn man sich erschüttern lasse, der Mensch lasse sich aber gar nicht mehr erschüttern, das sei ja das Merkmal des Heutigen, daß er sich ganz und gar nicht mehr und durch nichts mehr erschüttern lasse. Erschütterung sei durch Heuchelei abgelöst, das Erschütternde sei Heuchelei, die großen Menschenerschütterer zum Beispiel seien nichts anderes als noch größere Heuchler. Insofern als wir es nur noch mit Beschmutzern zu tun hätten, wäre die Welt auch eine durch und durch beschmutzte. Das Gemeine werde immer nur gemein bleiben und so fort. Man getraue sich nichts, sei zu feige und so fort. Niemand und nichts sei konsequent, dadurch Verletzungsmöglichkeit auf das tödlichste und so fort. Das Tier mißtraue von vornherein, dadurch unterscheide es sich von den Menschen und so fort. Er, Konrad, habe sich zusammen mit seiner Frau aus der Gesellschaft, die längst nurmehr noch eine sogenannte Gesellschaft sei, zurückgezogen, sich ihr eines Tages durch einen philosophisch-metaphysischen Gewaltakt entzogen und so fort. Andauernde Gesellschaftslosigkeit aber stumpfe genauso ab, wie andauernde Gesellschaft und so fort. Man setze sich beispielsweise plötzlich mit der Familie eines Maurermeisters an einen Tisch und sage, man gehöre dazu, wie wenn ich mich zu Höller an den Tisch setzte, soll Konrad gesagt haben und ihn (und mich) zwingen würde, allein zu dem Gedanken, daß ich dazugehöre, und diesen Betrug noch dazu bei vollem Bewußtsein durchsetzte und so fort. Tatsächlich betreibe seine Frau auch heute, Jahrzehnte nach ihrer durch ihre Krankheit erzwungenen Trennung von der Gesellschaft, Kontakt mit dieser Gesellschaft, ja, sie gehe, obwohl sie Jahrzehnte von dieser Gesellschaft durch das Kalkwerk, durch ihn, Konrad, durch die Studie, andererseits durch ihre Verkrüppelung, durch ihren Krankensessel, durch die stümperhafte Medizin, getrennt sei, den innigsten, ja schon das Perverse nicht mehr nur schon streifenden, sondern rücksichtslos als Mittel zum Zweck benützenden Kontakt, gehe in dieser Gesellschaft vollkommen auf, während ich mir, soll Konrad zu Fro gesagt haben, mit allen mir zur Verfügung stehenden Mitteln sage, die Gesellschaft ist nichts, die Studie ist alles, beharre seine Frau auf der Formel, die Studie ist nichts, die Gesellschaft ist alles und so fort. Und wie er, Konrad, aus der Tatsache heraus existiere, daß die Gesellschaft nichts sei, die Studie alles, existiere sie naturgemäß aus der Tatsache heraus, daß die Studie nichts, die Gesellschaft alles sei und so fort. Bei klarem Verstand und in der Macht aller Mittel, soll Konrad zu Fro gesagt haben, öffnete er zuerst und sofort alle Kerker und so fort. Weiter: die Religion sei der plumpe Versuch, sich die Menschen als einer Masse voll Chaos gefügig zu machen und: redet die Kirche, redet sie in der Vertretersprache, hören wir einen Kardinal, glauben wir, einen Reisenden reden zu hören und so fort. Andererseits glaubten wir alle, wir hätten schon alles gehört, alles gesehen und alles gehört und alles schon einmal erledigt, uns mit allem schon einmal abgefunden, doch wiederhole sich dieser Prozeß unaufhörlich in alle Zukunft,

137

die eine Lüge sei und so fort. Das größte Verbrechen, etwas erfinden, soll Konrad zu Fro gesagt haben. Noch einmal: die Zukunft gehöre niemand und nichts. Die Leute kämen immer mit ihrer Wehleidigkeit, sie hätten Kinder gemacht, sie hätten sich Gedanken gemacht, sie hätten das und jenes und nichts gemacht und so fort. Und sie könnten sich Kinder und Gedanken machen, so viel sie nur wollten, verlangten aber dafür, daß sie sich Gedanken und Kinder gemacht haben, Entschädigungen und so fort. Und die Gesellschaft entschädige, wo die Natur nicht entschädige. Die Gesellschaft spiele sich als eine von ihm so genannte Ersatznatur auf und so fort. Dann: in der Zeitung sei gestanden, der Fleischhauer Hager sei gestorben. Vor einer Woche habe er, der Fleischhauer Hager, ihnen, den beiden Konrad, noch Würste ins Kalkwerk gebracht in einem sogenannten Zöger, übrigens einer Art von urpraktischer Tragtasche, die nicht mehr hergestellt werde. Er lese über den Tod des Fleischhauers Hager in der Zeitung und gehe ins Zimmer seiner Frau, klopfe an, warte auf ihr Ja und gehe hinein und sage: der Fleischhauer Hager ist gestorben, worauf sie gesagt haben soll: also ist der Fleischhauer Hager doch gestorben, eine Äußerung, die einer längeren Untersuchung, Studie, soll Konrad zu Fro gesagt haben, wert sei. Zwei Tage später sei Konrad wieder ins Zimmer seiner Frau gegangen und habe ihr gesagt, daß er gerade in der Zeitung gelesen habe, der Trafikant habe sich mit Benzin übergossen, angezündet und auf solche Weise zu Asche gemacht, worauf die Konrad gesagt haben soll: ah, der hat sich also mit Benzin übergossen, der Trafikant, was wiederum, wie Konrad zu Fro gesagt haben soll, Anlaß für eine längere Studie hätte sein müssen, Anlaß dazu sei nicht der Tod des Trafikanten, nur die Äußerung der Frau Konrad auf die Mitteilung Konrads, der Trafikant habe sich mit Benzin übergossen, angezündet und auf diese Weise zu Asche gemacht. Vorher hat er das ganze Vermögen, Bargeld, Tabakwaren, Papier, Stöße von vollen Bleistiftschachteln, Faschingslarven et cetera, soll Konrad zu seiner Frau gesagt haben, der Trafikantin vermacht. Und darauf die Konrad: ja, der Trafikant hat natürlich vorher alles seiner Frau vermacht; wiederum Stoff für eine längere Studie, sehen Sie, soll Konrad im holzgetäfelten Zimmer zu Fro gesagt haben, sagt Fro. Die Feuerwehr löschte den Brand innerhalb einer Stunde, soll Konrad zu seiner Frau gesagt haben, und konnte von dem Trafikanten nichts mehr außer Asche finden, die Feuerwehrleute sollen in der Trafik gewütet haben, worauf die Konrad gesagt haben soll: die Feuerwehrleute wüten in der Trafik und ruinieren mehr als sie nützen. Über diese Bemerkung seiner Frau würde er, Konrad, gern eine Studie schreiben, soll Konrad zu Fro gesagt haben, sehen Sie, zu Fro, fortwährend machen Frauen solche Äußerungen, wäre ich nicht vollkommen auf *Das Gehör* konzentriert, ich scheute mich nicht, eine Studie über *Merkwürdige Sätze meiner Frau als Antworten auf Alltägliches* abzufassen. Den gutmütigen Fleischhauer Hager liebten sie, den gehässigen Trafikanten haßten sie, soll Konrad zu seiner Frau gesagt haben, darauf die Konrad: *Zersetzer!*, sofort sei ihm, Konrad, klar gewesen, daß die Konrad mit Zersetzer! nur den Trafikanten gemeint haben konnte. Der Trafikant habe seine Frau umgebracht, indem er sie nach und nach immer mehr, schließlich gänzlich erwürgt habe, soll Konrad zu seiner Frau gesagt haben, darauf die Konrad: aus Abhängigkeit gehen die Leute auseinander, so oder so. Schon die längste Zeit seien nurmehr noch die einfachsten Sätze zwischen ihnen, Konrad und seiner Frau, gewesen, sagt Fro, das Notwendigste, wie Konrad einmal zu Fro gesagt haben soll, es habe längst keinen sogenannten Gedanken-, nurmehr noch einen Wörteraustausch zwischen ihnen beiden gegeben, Fro sagt jetzt: wahrscheinlich tauschten sie, indem sie gegenseitig die ganze Skala von Alltagswörtern und Notwendigkeitsfloskeln austauschten, nurmehr noch gegenseitigen Haß aus. Fro sagt, auf Lächerliches habe sich in den letzten Wochen, möglicherweise aber schon in den letzten Monaten, der Wörterverkehr zwischen Konrad und dessen Frau beschränkt, beispielsweise soll, laut Konrad selbst, seine Frau immer wieder alles auf das Paar Fäustlinge gelenkt haben, das sie für Konrad gestrickt haben soll, an einem einzigen Paar Fäustlinge soll die Konrad ein halbes Jahr gestrickt haben, indem sie jeden der beiden Fäustlinge, kurz bevor sie sie fertig gehabt habe, wieder aufgetrennt

139

habe, und wäre einmal einer der Fäustlinge fertig und das heißt tatsächlich auch zur Gänze zusammengenäht gewesen, habe sie, die Konrad, ihrem Mann plötzlich wieder eine andere Wollfarbe als die des fast fertigen Fäustlings eingeredet und sie habe mit seiner Einwilligung den Fäustling wieder aufgetrennt und habe von neuem begonnen, einen Fäustling zu stricken, wieder in einer anderen Farbe und so fort alle paar Tage oder Wochen, je nach der Inanspruchnahme ihrerseits oder seinerseits oder beiderseits durch die urbantschitsche Methode, einen neuen Fäustling in einen anderen, wie Konrad zu Fro gesagt haben soll, in einer immer geschmackloseren Farbe, vornehmlich alle möglichen geschmacklosen Grün soll die Konrad für die Fäustlinge verwendet haben, er habe schließlich Abscheu vor diesen Fäustlingen, überhaupt Abscheu vor ihrer Strickerei empfunden, sich das aber nicht anmerken lassen, ich gab ihr immer wieder, heuchlerisch, wie ich durch ihre unendliche Strickerei und ihre fortwährende Inanspruchnahme durch ihre Strickerei geworden war, zu erkennen, daß ich Freude an ihrer Strickerei und also Freude an den Fäustlingen hätte, gleich in was für einer Wolle, soll Konrad immer wieder zu seiner Frau gesagt haben, die Fäustlinge gefallen mir, seine Frau aber soll, und zwar immer erst knapp bevor sie mit dem Stricken eines Fäustlings fertig gewesen war, plötzlich erklärt haben, sie werde den Fäustling wieder auftrennen und einen neuen in einer anderen Farbe stricken, sie hätte ja Zeit, soll sie immer wieder zu Konrad gesagt haben, während sie das gesagt habe, auch schon damit angefangen haben, den fast fertigen Fäustling wieder aufzutrennen, andauernd sehe er, wenn er in letzter Zeit nur an sie denke, wie sie einen Fäustling auftrenne, soll Konrad zu Fro gesagt haben, dieser unangenehme Geruch aufgetrennter Wolle sei in seiner Nase, im Schlaf, soll Konrad zu Fro gesagt haben, sehe er plötzlich, in einer Art nervösem Halbschlaf, Charakteristikum seiner letzten Wochen im Kalkwerk, seine Frau einen Fäustling auftrennen, dabei, soll er zu Fro gesagt haben, hasse ich nichts auf der Welt mehr als Fäustlinge, habe Fäustlinge immer gehaßt, schon als Kind habe er die Fäustlinge, die man ihm an einer meterlangen Schnur um den Hals gehängt habe, gehaßt, ununterbrochen stehen die Fäustlinge im Mittelpunkt, soll Konrad zu Fro gesagt haben, während ich auf die urbantschitsche Methode, während ich also ganz und gar auf die Studie und auf das Vorwärtskommen in der urbantschitschen Methode und in der Studie interessiert bin, hat meine Frau nur die Fäustlinge im Kopf, die sie mir strickt, obwohl ich die Fäustlinge hasse, und stellen Sie sich vor, lieber Fro, soll Konrad zu ihm gesagt haben, außer in meiner frühesten Kindheit habe ich niemals Fäustlinge getragen, oft habe ich zu meiner Frau gesagt, aber ich trage ja überhaupt keine Fäustlinge, während du dir in den Kopf gesetzt hast, mir Fäustlinge zu stricken, niemals werde ich Fäustlinge tragen und du strickst mir Fäustlinge, soll er zu ihr gesagt haben, wie sie früher jahrzehntelang Nachthemden für Armenhausleute und für Waisenhauskinder genäht habe, zu Hunderten und Tausenden, soll Konrad zu Fro gesagt haben, stricke sie in den letzten Jahren Fäustlinge, das heißt, nicht, wie man annehmen müsse, im Laufe der Zeit Hunderte Fäustlinge, sondern nur ein einziges Paar Fäustlinge, immer das gleiche Paar Fäustlinge, für ihren Mann, sie stricke und stricke und trennt auf und strickt wieder und trennt wieder auf, sie strickt ein Paar dunkelgrüne, sie strickt ein Paar hellgrüne, sie strickt ein Paar weiße, ein Paar schwarze strickt sie und trennt sie wieder auf, so Konrad zu Fro. An die Hunderte Male müsse er ein und denselben Fäustling probieren, soll Konrad zu Fro gesagt haben, dieses fürchterliche IndenFäustlingschlüpfen, soll er gesagt haben, wenn an dem halbfertigen Fäustling die Stricknadeln baumeln. Noch etwas habe sie, soll Konrad zu Fro gesagt haben: sie verlange fortwährend die sogenannte Toblacher Zuckerzange, ein Erbstück ihrer Großmutter mütterlicherseits, alle Augenblicke verlange sie, ohne ersichtlichen Grund, die sogenannte Toblacher Zuckerzange, gib mir die Toblacher Zuckerzange, soll sie alle Augenblicke zu Konrad gesagt haben und Konrad soll ihr die immer in der Tischlade liegende Toblacher Zuckerzange gegeben haben, mehrere Male am Tag soll sie gesagt haben, gib mir die Toblacher Zuckerzange, aber nicht nur dann, wie man annehmen müsse, wenn sie sie zum Beispiel zum Frühstück brauchte, während der

Mahlzeiten beispielsweise, sondern plötzlich auch während des Vorlesens, vornehmlich während des Vorlesens aus dem Kropotkin, soll Konrad zu Fro gesagt haben, sie verlangte angeblich diese sogenannte Toblacher Zuckerzange, Konrad gab sie ihr und sie legte sie eine Zeitlang vor sich auf die Tischplatte; ohne daß sie diese sogenannte Toblacher Zuckerzange auch nur berührt hätte, soll sie nach einiger Zeit wieder gesagt haben, Konrad möge die Toblacher Zuckerzange wieder in die Lade legen und er, Konrad, soll die Toblacher Zuckerzange widerspruchslos in die Lade gelegt haben. Eine Reihe solcher Merkwürdigkeiten könne er, Konrad, aufzählen, er habe aber keine Lust dazu und eine solche Aufzählung von höchst außergewöhnlichen Eigenheiten seiner Frau führte auch aller Wahrscheinlichkeit nach überflüssigerweise, wie er meinte, zu fürchterlichen Mißverständnissen; davon abgesehen, soll Konrad zu Fro gesagt haben, leide er selber an einer Reihe solcher Eigenheiten, Merkwürdigkeiten, ganz und gar bewußt sind mir diese Merkwürdigkeiten an mir, soll Konrad gesagt haben, mir meine allerdings *bewußt,* ja, mein lieber Fro, *überbewußt,* soll Konrad gesagt haben. Aber auch an Ihnen, also auch an Fro, soll Konrad gesagt und ihm ein Glas Schnaps eingeschenkt haben, sind ja eine ganze Reihe solcher Merkwürdigkeiten, Seltsamkeiten, ja Absurditäten, an allen, mit welchen wir zu tun haben, beobachten wir Merkwürdiges, Seltsames, es fällt einem aber nur an solchen, mit welchen wir auf das intensivste zusammenleben, weil wir dazu gezwungen sind, unangenehm auf, und zwar immer am allerunangenehmsten, am fürchterlichsten, am empfindlichsten, das gleiche Merkwürdige zum Beispiel, das einem an einem nahestehenden Menschen so unangenehm und so fürchterlich und in so katastrophaler nervenstörender und nervenzerstörender Weise auffällt, empfinden wir an anderen, Außenstehenden, uns nicht immer, sondern seltener Begegnenden, meistens als angenehm, als nicht fürchterlich, ja überhaupt nicht als nervenirritierend und so fort. Tatsächlich, soll Konrad gesagt haben, einmal sind es die Fäustlinge, einmal ist es die sogenannte Toblacher Zuckerzange, dann ist es das Wort zügellos, dann das Wort komisch, eine Reihe solcher

Wörter sind es, die sie, meine Frau, in merkwürdigster Aussprache auf das merkwürdigste an sich selber mißbraucht, um ihre Umwelt zu mißbrauchen. Was mich betrifft, soll Konrad gesagt haben, so gehe ich ganz plötzlich zu dem sogenannten Kasten aus Schwarzindien und mache ihn auf und nehme die Gorosabel heraus und entsichere sie und ziele durch das Fenster auf den äußersten Zipfel des Felsvorsprungs, zwei, drei Sekunden ziele ich, dann breche ich das Manöver wieder ab und die Gorosabel kommt wieder in den sogenannten Kasten aus Schwarzindien (ein Ort bei Mondsee!), ich sperre den Kasten wieder zu und atme tief ein und meine Frau sagt hinter meinem Rücken: hast du wieder auf den äußersten Zipfel des Felsvorsprungs gezielt?, und ich antworte, ja, ich habe auf den äußersten Zipfel des Felsvorsprungs gezielt. Komm, sagt sie, setz dich her zu mir, ein Kapitel aus dem Ofterdingen habe ich mir jetzt verdient, und tatsächlich setze ich mich hin und lese ihr ein Kapitel aus dem Ofterdingen vor. Bin ich damit fertig, sage ich: und jetzt natürlich ein Kapitel aus dem Kropotkin. Ja, sagt sie. Dieser Vorgang wiederhole sich seit vielen Jahren, keine Bewegung, kein Wort mehr, keine Bewegung, kein Wort weniger, soll Konrad zu Fro gesagt haben. Natürlich könne man sagen, ein solches Vorkommnis grenze ganz nahe an Verrücktheit. Sie, die Konrad selbst, greife Hunderte und Tausende Male (!), so Konrad über seine Frau zu Fro, nach dem hinter ihr an ihrem Krankensessel befestigten Mannlicher-Karabiner, grundlos, wie Konrad gesagt haben soll, eine Gewohnheit, keine Notwendigkeit, nicht einmal ein ganz gewöhnlicher Übungsmechanismus, der sie den Mannlicher-Karabiner hinter ihr angreifen lasse, ein Gewehr übrigens, mit welchem man nur auf die kürzeste Distanz, an die fünfzehn oder zwanzig Meter gezielt schießen könne, soll Konrad zu Fro gesagt haben, Fro erinnerte sich an diese Äußerung Konrads sofort nach Bekanntwerden der sogenannten Bluttat. Im übrigen soll die Konrad ihrem Mann ununterbrochen seine Vorstrafen vorgehalten haben, andererseits er ihr ihre Herkunft, in welcher, so Konrad zu Fro, immer alles faul und morbid gewesen sein soll. Und diese Vorstrafen, sagt Fro, haben in Anbetracht der Ungeheuerlichkeiten

dieses letzten Verbrechens Konrads oder der zweifellos ungeheuerlichen Wahnsinnstat jetzt keinerlei Wirkung, sie fallen
überhaupt nicht ins Gewicht. Im Grunde, soll die Konrad oft zu
ihrem Mann gesagt haben, sie sei ja weniger mit einem Verrückten, mehr mit einem Kriminellen verheiratet, so Konrad zu Fro
im holzgetäfelten Zimmer. Dann soll er, Konrad, gesagt haben:
wir beide wissen, daß wir am Ende sind, machen uns aber jeden
Tag vor, wir seien noch nicht am Ende, schließlich hätten sie,
Konrad und seine Frau, aber sogar an der Tatsache, am Ende zu
sein, Gefallen gefunden, weil an nichts anderem mehr; wir sagen
uns von Zeit zu Zeit, wir sind am Ende, soll Konrad zu Fro gesagt
haben, und sind dadurch, daß wir zu uns sagen, wir sind am Ende,
das tatsächlich mehrmals am Tage, vor allem aber in unseren
mehr und mehr vollkommen schlaflosen Nächten, beruhigt, daß
wir aussprechen, was wir denken, daß wir uns, gleich was für eine
Zukunft, die wir einfach nicht mehr haben, uns einfach nichts
mehr vormachen, beruhigt uns, der Gedanke, das Fürchterliche,
das es zweifellos gewesen ist, mein lieber Fro, andere mögen anders denken, dadurch auch anders handeln, dadurch auch anders
behandelt werden, weil sie immer anders behandelt worden sind,
lieber Fro, das Fürchterliche also, mein lieber Fro, hat bald aufgehört, beruhigt uns, der Gedanke, alles in kurzer Zeit überstanden zu haben. Ihrer beider Zusammensein (zu Wieser: *Zusammenleben)*, wäre von Anfang an falsch gewesen, aber, ehrlich
gesagt, soll Konrad zu Fro gesagt haben, welches Zusammensein
ist nicht ein falsches, welche Ehe ist nicht eine vollkommen falsche, verkehrte, also, einmal zustande gekommen, unaufrichtige,
fürchterliche, welche Freundschaft nicht ein Trugschluß, welche
zusammenlebenden Menschen könnten sich denn in Wahrheit als
glücklich oder auch nur als intakt bezeichnen? Nein, lieber Fro,
das Zusammenleben, gleich welcher Leute, gleich welcher Menschen, gleich welchen Standes, gleich welchen Herkommens,
gleich welcher Profession, man mag die Sache drehen, wie man
will, ist, solange es dauert, ein gewaltsames, einfach von Natur
heraus immer schmerzvolles, zugleich, wie wir wissen, das ein-
gängigste, grauenhafteste Beweismittel für die Natur. Aber auch

das Martervollste wird zur Gewohnheit, soll Konrad gesagt haben, und so gewöhnen sich die, die zusammen leben, zusammen vegetieren nach und nach an ihr Zusammenleben und Zusammenvegetieren und also an ihre gemeinsame von ihnen selber als Mittel der Natur zum Zwecke der Naturmarter hervorgerufene gemeinsam erduldete Marter und gewöhnen sich schließlich an diese Gewohnheit. Das sogenannte ideale Zusammenleben sei eine Lüge, da es das sogenannte ideale Zusammenleben nicht gibt, habe auch niemand ein Recht auf ein solches, in eine Ehe gehen heiße wie in eine Freundschaft gehen, den Zustand doppelter Verzweiflung und doppelter Verbannung ganz bewußt auf sich nehmen, aus der Vorhölle des Alleinseins in die Hölle des Zusammenseins gehen. Und ganz zu schweigen von ihrer beider Zusammensein. Denn die doppelte Verzweiflung und doppelte Verbannung zweier intelligenter Menschen, zweier, die sich alles durch den Verstand letzten Endes doch, wenn auch nicht immer, so doch zeitweilig vollkommen klar bewußt machen könnten, sei eine doppelte doppelte Verzweiflung und doppelte doppelte Verbannung. Sie könne nicht aufstehen und er müsse ihr also aufhelfen, sie könne nicht gehen und er müsse ihr also gehen helfen, sie könne nicht lesen und er müsse ihr also vorlesen, sie könne ihre Notdurft nicht allein verrichten, also müsse er ihr dabei helfen, essen könne sie nicht, er helfe ihr dabei und so fort. Und sage er zum Beispiel, wie ungeheuerlich der Kropotkin sei, verstehe sie ihn nicht, was ihm die Studie bedeute, verstehe sie ihn nicht, was er denke, verstehe sie ihn nicht. Sagt er: die Naturwissenschaft ist es, allein, die Naturwissenschaft, so verstehe sie ihn nicht. Sage er: das Politische ist es, das Politische, verstehe sie ihn nicht. Sage er Pascal oder Montaigne oder Descartes oder Dostojewskij oder Gregor Mendel oder Wittgenstein oder Francis Bacon, sie verstehe ihn nicht. Rede er von der Arbeit an der Studie, sage sie darauf, meistens urplötzlich: du wärst sicher ein anerkannter Naturwissenschaftler geworden, rede er etwas Politisches, sage sie, du wärst sicher ein anerkannter Politiker geworden, versuche er ihr den Wert der Kunst des Francis Bacon zu erklären, sage sie, du wärst sicher ein großer Künstler geworden.

So aber, und das sage sie nicht, das sehe er ihr an, sei er überhaupt nichts geworden, ein Verrückter, aber was sei ein Verrückter. Sie glaube ja nicht an das, was er ihr tagtäglich zu beweisen versuche und was sich ganz einfach nicht beweisen lasse, daß er eine grundlegende, er scheute sich in letzter Zeit, aus Verzweiflung, wie er zu Fro gesagt haben soll, gar nicht mehr zu sagen epochemachende Studie im Kopf habe. Darauf soll sie gelacht und gesagt haben: ich möchte nicht sehen, was in deinem Kopf ist, könnte man deinen (also Konrads) Kopf umkippen, so fiele etwas Entsetzliches heraus, Mist, Verfaultes, Undefinierbares, Erschreckendes, völlig Wertloses. Die sogenannte Studie, als solche getraute sich die Konrad die Studie im Kopf ihres Mannes in letzter Zeit ohne weiteres, weil er selber schon sehr geschwächt gewesen war, zu bezeichnen, sei in Wirklichkeit nichts anderes als ein Hirngespinst. Mit dem Wort Hirngespinst hatte sie eine Waffe in der Hand, vor welcher er sich fürchtete, mehrere Male am Tag soll sie sich getraut haben, vor ihm das Wort Hirngespinst auszusprechen, sie wartete, soll Konrad zu Fro gesagt haben, auf einen geeigneten Augenblick, auf einen sogenannten tödlichen Augenblick und warf mir dann, immer dann, wenn sie glaubte, ich sei im Augenblick der Schutzloseste, das Wort Hirngespinst an den Kopf (Konrad). Und ich habe zwanzig Jahre an dieses Hirngespinst geglaubt!, soll sie mehrere Male noch am Vorabend der sogenannten Bluttat (wie im Laska gesagt wird) ausgerufen haben, möglicherweise, sagt Fro, habe ihn, Konrad, das seine Frau erschießen lassen. Andererseits soll er, Konrad, gerade am Vorabend der Tat nach langer Zeit wieder zärtlich zu ihr gewesen sein (heißt es im Lanner). Im Gmachl ist davon die Rede, daß Konrad die Bluttat *von langer Hand* vorbereitet habe, im Stiegler sprechen sie aber heute noch von einer *Kurzschlußhandlung,* wie, wenn es, wie es im Lanner auch heißt, *gemeiner vorsätzlicher Mord,* wenn es, wie im Gmachl, *eine Wahnsinnstat* gewesen sei, im Laska wird auch vermutet, Konrad habe seine Frau gar nicht erschießen wollen, nach längerer Zeit habe er versucht, den Mannlicher-Karabiner zu putzen, aus dem Gewehr wäre zweifellos monatelang kein Schuß abgegeben worden, ein solches monatelang unbenütztes Gewehr verstaube, noch dazu, wenn es seinen Platz ganz offen in einem tatsächlich recht staubigen, von Hunderten von Holzwürmern durchbohrten Zimmer habe, beim Laufputzen habe sich der Schuß gelöst, aber warum gerade in den Hinterkopf, oder in das Genick, wie auch gesagt wird, das, sagen sie im Laska, sei doch ein mehr als merkwürdiger Zufall, daß sich beim Gewehrlaufputzen ausgerechnet in die Mitte des Hinterkopfs der Konrad ein Schuß gelöst habe, außerdem, so wird gesagt, wären ja aus dem Mannlicher-Karabiner zwei, jedenfalls mehrere Schüsse abgefeuert worden, das gebe zu denken. Im Lanner ist sogar von fünf Schüssen die Rede, im Stiegler heißt es: vier Schüsse, zwei in den Hinterkopf, zwei in die Schläfen, Konrad selbst soll ja bis heute zu der Tat nicht die geringste vorwärtsbringende Aussage gemacht haben, angeblich hockt er völlig gebrochen in der Welser Kreisgerichtszelle und beantwortet keine der Hunderte und wahrscheinlich Tausende von Fragen, die an ihn gestellt werden. Fro habe ihm, sagt er, Schuhe in das Kreisgericht schicken lassen, gleichzeitig habe er tatsächlich in einem Brief an Konrad diesen um Überlassung der die Studie betreffenden Notizen ersucht, Fro sagt, er habe Konrad geschrieben, er biete sich ihm, Konrad, an, die überall in Konrads Zimmer verstreuten und von der Gerichtskommission in tagelangem Herumsuchen noch mehr durcheinandergebrachten Notizen zu ordnen, er, Fro, wisse am besten, wie diese Notizen zusammengehörten, denn er, Fro, sei ja der einzige, außer Wieser, der aber zu viel Arbeit auf dem Trattnerschen Gute habe, um sich um Konrads Notizen zu kümmern, er, Fro, sei der einzige, den Konrad die Notizen betreffend ins Vertrauen gezogen habe, mehr noch als Wieser, mit welchem Konrad ja, so Fro, doch immer nur auf eine gewisse Distanz verkehrt habe, während Konrad mit Fro (so Fro!) den innigsten Kontakt gehabt habe, also Schuhe ins Kreisgericht und die Bitte dazu, Konrad möge Fro um die die Studie betreffenden Notizen ins Kalkwerk hineinlassen, schon vor acht Tagen hätten die Behörden das Zimmer Konrads freigegeben, das Zimmer der Erschossenen sei noch immer plombiert, der ganze zweite Kalkwerksstock, nicht aber der erste, und in diesem befinde sich ja Konrads Zimmer und in diesem seien Konrads Aufzeichnungen, Zettel, die Studie betreffend, er, Fro, glaube, sagt er, daß diese Notizen, Zettel, seien sie auch zu einem Großteil verrückte, doch von großem Interesse wenn schon nicht für die Gehörwissenschaft, wie Fro sich ausdrückt, so doch für die psychiatrische, mit Bestimmtheit, sagt Fro, ist dieser Haufen Zettel über die sogenannte Studie (während Fro dem Konrad ins Kreisgericht nur über die Studie schreibt, über seine, Konrads, wissenschaftliche Arbeit und sich vor allem vor Konrad den Anschein gibt, er nimmt dessen Studie völlig ernst, spricht er vor mir andauernd nur von der sogenannten Studie und fällt dadurch, wie ich glaube, Konrad in den Rücken), ist also dieser Haufen Zettel über die sogenannte Studie, sagt Fro, für eine Menge Leute von größtem Interesse, was nicht ernst ist, obwohl es doch ernst gemeint sei, sagt Fro, könne letzten Endes doch ernst und von größter Bedeutung sein, es komme nur darauf an, in welchen Köpfen, bei welchen Leuten, wann, wo. Wenn er die Zettel in der Hand habe, werde er sie ordnen und einem befreundeten Psychologen in Gugging (so Fro wörtlich), der aus Linz stamme, zukommen lassen, naturgemäß heimlich, sagt Fro, so, daß Konrad davon nichts weiß, mich habe er nur aus dem einen Grund, weil er glaube, ich sei verschwiegen, in der Sache ins Vertrauen gezogen, er werde sämtliche dann von ihm geordneten Zettel nach Linz zu dem mit ihm befreundeten Psychiater bringen und möglicherweise, wenn der Psychiater tatsächlich großes Interesse an den Zetteln habe, diese photokopieren lassen, damit er die Originale wieder ins Kalkwerk zurückstellen könne; jetzt warte er, Fro, auf Antwort von Konrad, aus dem Kreisgericht eine Post zu erhalten, dauere allerdings mindestens zehnmal so lange wie von überall sonst, sagt Fro. Er, Fro, glaube schon, daß Konrad auf seinen, Fro's, Vorschlag eingehen und ihm die Erlaubnis geben werde, die die sogenannte Studie betreffenden Zettel an sich zu nehmen, denn Konrad glaube, Fro nehme ihn ernst, seien seine, Konrads, Zettel in Fro's Händen, seien sie in den besten und so fort, übrigens sagt Fro, dem ich die neue Lebensversicherung heute bis in die kleinsten Details erklärt habe, ich habe aber nicht den Eindruck, daß Fro mit mir abschließen wird, dazu ist er zu vorsichtig, übrigens sagt Fro, was auch Wieser sagt, daß Konrad die Bluttat vorausgeträumt habe, Konrad habe vor etwa einem Jahr folgenden Traum gehabt: Konrad stehe in der Nacht auf, weil er einen die Studie betreffenden Einfall habe, setze sich hin und fange tatsächlich an, die Studie niederzuschreiben, es gelinge ihm, die Hälfte der Studie niederzuschreiben, er habe, während er schon die Hälfte der Studie niedergeschrieben hat, das Gefühl, jetzt auch noch den Rest, also auch noch die andere Hälfte der Studie und also die komplette niederzuschreiben und er gibt nicht nach und schreibt und schreibt und es ist ihm möglich, die komplette Studie auf Papier zu bringen, wie er die ganze Studie fertig hat, fällt ihm vor Erschöpfung sein Kopf auf den Schreibtisch, als ob er, Konrad, ohnmächtig wäre, bleibt sein Kopf auf dem Schreibtisch liegen, das sieht Konrad, einerseits ist er ohnmächtig vor Erschöpfung und sein Kopf liegt auf der gerade niedergeschriebenen Studie, andererseits beobachtet er, wie sein vor Erschöpfung auf die komplett fertige Studie gefallener Kopf bewegungslos ist, Konrad ist bewußtlos und in der Lage, seine Bewußtlosigkeit zu beobachten, alles im Zimmer zu beobachten, es ist folgender Zustand: Konrad hat die Studie tatsächlich, wie er es sich oft und oft, jahrzehntelang vorgestellt gehabt hat, niederschreiben können, in einem einzigen Zuge, ist nach dem letzten Wort völlig erschöpft und wird ohnmächtig und beobachtet sich in dieser Ohnmacht von allen Seiten seines Arbeitszimmers aus, diesen Zustand bezeichnete Konrad als den Idealzustand seines Lebens; stundenlang habe Konrad sich in dieser Ohnmacht im Besitze der niedergeschriebenen Studie beobachtet, deutlich habe er, als er mit dem Text der Studie fertig gewesen war, auf das Deckblatt der Studie, in seiner altmodisch-großen Schnörkelschrift, wie Fro sagt, den Titel *Das Gehör* geschrieben, stundenlang habe sich Konrad in diesem Zustand von allen Seiten des Zimmers aus beobachtet, diese Szene, die er selber später als die glücklichste in seinem Leben bezeichnete, während sie zweifellos im Grunde seine allerunglücklichste darstellt, als auf einmal, urplötzlich, soll Konrad zu Fro gesagt haben, die Tür aufgegangen war und seine,

149

Konrads, Frau ins Zimmer eingetreten ist, die verkrüppelte,
jahrzehntelang an ihren Krankensessel gefesselte Konrad, die in
Wirklichkeit nicht einmal imstande gewesen war, einen einzigen
Schritt zu machen, ja nicht einmal sich von selbst aufrichten habe
können in ihrem Krankensessel, steht auf einmal in Konrads
Zimmer und tritt zu dem noch immer ohnmächtigen, die Szene
aber beobachtenden Konrad, ihrem Mann, hin und schlägt mit
der Faust auf die Studie und sagt: in aller Heimlichkeit also hast
du die Studie niedergeschrieben, in aller Heimlichkeit, mehrere
Male wiederholt die Konrad: in aller Heimlichkeit und Konrad
beobachtet das und hört das, während er vollkommen ohnmächtig ist, sein Kopf liegt, wie gesagt, auf der fertigen, niedergeschriebenen Studie, auch die Erschütterung durch den Faust-
schlag seiner Frau auf die Studie hat ihn nicht aus der Ohnmacht
herausgerissen, plötzlich aber schlägt die Konrad ein zweites Mal
mit der Faust auf die Studie, man denke, die völlig Entkräftete,
durch jahrzehntelange Körperlähmung und -verkrüppelung völlig Kraftlose, schlägt mit aller Wucht auf die Studie und sagt: das
wäre ja noch schöner, hinter meinem Rücken die Studie einfach
tatsächlich niederschreiben, in einem Zuge auf einmal die Studie
niederschreiben!, und die Konrad nimmt den Pack Papier mit der
Studie und wirft ihn in den Ofen. Konrad will aufspringen und sie
daran hindern, kann aber nicht, er kann sich nicht rühren. So, die
Studie ist verbrannt, die ganze Studie ist wieder verbrannt, sagt
die Konrad und: jetzt kannst du dir wieder den Kopf zerbrechen,
wie du die Studie niederschreibst, wieder ein paar Jahrzehnte den
Kopf über der Niederschrift der Studie zerbrechen, die Studie ist
nicht mehr da! Da wacht er plötzlich auf und kann sich bewegen
und erkennt: ein Traum. Ich bin unfähig gewesen, aus meinem
Zimmer hinauszugehen, zuerst unfähig, aus dem Bett zu steigen,
unfähig, zu allem unfähig. Zwei Tage bin ich nicht mehr aus meinem Zimmer hinausgegangen, sie, meine Frau, soll Konrad zu
Fro gesagt haben, hat zwar geläutet, ununterbrochen hat sie geläutet, denn natürlich hätte sie meine Hilfe gebraucht, aber ich
habe mich nicht gemeldet, ich bin in meinem Zimmer geblieben,
zwei Tage lang. Monatelang hat mich dieser Traum beschäftigt,

wie Sie sich denken können, aber ich habe meiner Frau nichts von diesem Traum erzählt, ich deutete ihn nicht einmal an, manchmal war ich nahe daran, ihr den Inhalt des Traums zu erzählen, aber immer wieder tat ich es nicht, du darfst ihr den Traum nicht erzählen, habe ich mir immer gesagt, wenn ich nahe daran gewesen war, ihn ihr, und zwar, wie ich mir oft vorgenommen habe, in seiner ganzen Fürchterlichkeit, zu erzählen. Tatsächlich sehe ich noch, wie meine Frau hereinkommt und mit der Faust auf die Studie schlägt, und ein zweites Mal auf die Studie schlägt und ich kann mich nicht rühren und ich kann nicht verhindern, daß sie die Studie, die ganze, komplette Studie ins Feuer wirft. Etwas Gespenstisches hat diese Szene gehabt, soll Konrad zu Fro gesagt haben, einerseits meine Ohnmacht, andererseits ihre ungeheuerlichen Kräfte, einerseits meine Bewegungslosigkeit, andererseits ihre raschen Bewegungen, einerseits meine vollkommene Ohnmacht und Beobachtungsfähigkeit, andererseits ihre Entschlußkraft, ihre ungeheuerliche Entschlußkraft, denken Sie, Fro, ihre Rücksichtslosigkeit. Manchmal denke ich, soll Konrad zu Fro gesagt haben, daß ich ihr eines Tages den Traum erzählen werde, den ganzen Traum, alles in diesem Traum ohne Auslassung und daß ich ihr auch die Kommentierung nicht ersparen werde, aber ich verwerfe dann immer wieder das ohne Zweifel Tödliche. Eine solche lückenlose Erzählung eines solchen fürchterlichen Traums, soll Konrad zu Fro gesagt haben, und man vernichtet den betreffenden Menschen. Wiesers Bericht über diesen Traum deckt sich vollkommen mit dem Bericht Fros. Während aber Fro den Traum in einer naturgemäß mit der Erzählweise Konrads unmittelbar auf das Zwingendste zusammenhängenden Erregung berichtete, berichtet Wieser Konrads Traum völlig ruhig. Die Wirkung des Traums aus dem Munde Wiesers ist dadurch eine noch viel größere als aus dem Munde des Fro. Fro sagt: zum erstenmal seit drei oder gar vier Jahrzehnten hat Konrad in diesem Traum seine Frau so gesehen, wie sie einmal wirklich gewesen ist, gerade gewachsen, schön, wenn auch in entsetzlicher Handlungsweise. Alle Augenblicke schicke sie ihn, Konrad, in den Keller, soll Konrad zu Fro gesagt haben, *Most holen!* soll sie alle Augen-

blicke gesagt haben, *hol Most!,* und er sei auch immer, wenn sie
frischen Most haben wollte, in den Keller hinunter. Einen Krug
voll, damit ich nicht alle Augenblicke in den Keller hinunter muß,
soll Konrad immer wieder zu ihr gesagt haben, nein, nur ein Glas,
soll sie geantwortet haben, nur ein Glas, hol' nur ein Glas voll,
damit wir immer frischen Most haben, also habe er ihr nur ein
Glas, keinen Krug voll Most gebracht, immer von neuem er: einen Krug voll!, sie darauf: nein, nur ein Glas voll!, so habe er
mehrere Male am Tag um ein Glas Most in den Keller hinunter
müssen, soll Konrad zu Fro gesagt haben, immer nur um ein Glas,
während es doch das Naheliegendste gewesen wäre, einen großen
Krug voll Most aus dem Keller heraufzuholen, damit sie einen
ganzen Tag daraus zu trinken gehabt hätten und er nicht fortwährend in den Keller hätte hinunter müssen, denn trinke man tagsüber aus einem großen, noch dazu in der kalten Küche stehenden
und mit einem Holzbrett zugedeckten Krug, habe man genauso
immer wieder frischen Most, als wenn man, wie er, Konrad, sich
ausgedrückt haben soll, um jeden Schluck extra in den Keller geht
und daran beinahe verrückt wird, immer heiße es: in den Keller
hinunter und aus dem Keller herauf und, so Konrad zu Fro, wahrscheinlich weidete sie sich daran, mich alle Augenblicke in den
Keller hinunter-, und wieder aus dem Keller heraufgehen zu sehen oder ganz einfach zu wissen, jetzt geht er in den Keller, jetzt
steigt er aus dem Keller herauf, immer mühsamer, müssen Sie
wissen, mein lieber Fro, soll Konrad zu Fro gesagt haben (das
gleiche hat Konrad auch zu Wieser gesagt), mit denselben Wörtern. In eine längere genaue Betrachtung des Mostpressens und
der Mostlagerung habe Konrad bei diesem letzten Zusammensein Fro gezogen: wie die Fässer gereinigt gehörten, soll Konrad
Fro erklärt haben, wie sie gelüftet und wie während des Lüftens
gelagert, welche Birnenmischung einen herberen, welche einen
süßeren Most bewirke und daß es alles in allem nicht auf die Birnenmischung, auch nicht auf die Art und Weise wie man den Most
presse und also überhaupt zubereite, ankomme, sondern auf den
Keller, im Kalkwerk, soll Konrad zu Fro gesagt haben, sei der beste Keller in der ganzen Gegend, also hätten sie im Kalkwerk

auch immer den besten Most gehabt. Man könne fragen, wo und wen man wolle, der Kalkwerksmost sei der beste Most. Sein Vetter Hörhager, soll Konrad gesagt haben, habe den Most noch selber zusammen mit Kalkwerksarbeitern, allen voran Höller, gepreßt, er, Konrad, habe den Most immer von Höller und zweien oder dreien von den Sägewerksarbeitern, die Höller aufgetrieben habe, pressen lassen, das Mostpressen sei immer Sache Höllers gewesen, soll Konrad zu Fro gesagt haben. Vier Fässer für sie, die Konrad (die sie auch immer im Laufe eines Jahres ausgetrunken haben sollen), zwei Fässer für den Höller, der die zwei während eines einzigen Jahres immer allein bewältigt habe, Besuche im Zuhaus, der Vetter Höllers sei sogar als starker Trinker bekannt, spielten, bei einem Faßinhalt von über zweihundert Litern, keine Rolle. Aber die Geschichte mit dem Most, der schon immer weniger gebräuchlich sei in diesem Land, das als das erste Birnenmostland in Europa bekannt sei, weil die Leute heute lieber schlechtes Bier trinken als den besten Most, soll Konrad zu Fro gesagt haben, nicht zufällig bezeichnete man ja die Bewohner dieses Landes als die sogenannten *Mostschädel,* diese Geschichte habe Konrad Fro gegenüber nur deshalb zur Sprache gebracht, weil er das Sadistische seiner Frau gegen ihn, ihren Mann, andeuten habe wollen, sie, seine Frau, schicke ihn ja nicht deshalb in den Keller, weil sie unbedingt Most trinken wolle und nicht unbedingt jeden Augenblick in den Keller, weil sie jeden Augenblick den frischesten Most trinken wolle, sondern weil sie ihn, Konrad, alle Augenblicke zu demütigen beabsichtige, größtenteils trinke sie ja den Most, den er ihr aus dem Keller heraufbringe, gar nicht, sie schütte ihn weg, in den Kübel, aus dem Fenster hinaus, soll Konrad zu Fro gesagt haben, verlange aber alle Augenblicke, daß er in den Keller hinuntergehe, um Most zu holen, sie warte den für sie günstigsten Moment ab, ein solcher Moment sei der Moment, in welchem er aus dem Kropotkin vorzulesen beabsichtige, in welchem er ihr etwas die Studie Betreffendes sagen wolle, in welchem er mit dem Francis Bacon anfange, mit Wittgenstein, dessen Sätze er mit Vorliebe zitiere, es sei das eine von ihm in der letzten Zeit allerdings schon auf das tatsächlich einer Frau Unerträglichste zur Gewohnheit gewordene Zitieren aus dem Wittgensteinschen Tractatus, das sie, seine Frau, immer gehaßt habe, gerade dann, wenn er ihr aus dem Wittgenstein zitiere, schicke sie ihn in den Keller um Most, und, soll Fro zu Konrad gesagt haben, dieses Gehorchen seinerseits, Konrads, das er, Fro, doch nur als ein hündisches bezeichnen könne, widerspreche andererseits aber doch nicht dem übrigen Verhalten Konrads, seiner Natur, dem, daß er sich immer in allem seiner Frau gegenüber durchsetzte, worauf Konrad gesagt haben soll, er wisse natürlich ganz genau, warum er sich alle Augenblicke in den Keller schicken lasse, um Most zu holen et cetera, warum er sich von ihr, seiner Frau, oft zum lächerlichsten Menschen machen lasse von Zeit zu Zeit, denn nichts sei lächerlicher, soll Konrad zu Fro gesagt haben, als ein Mensch, der ständig um Most in den Keller geschickt werde und tatsächlich ständig folgsam mit einem Mostkrug in der Hand in den Keller gehe, ein sich mit dem leeren Mostkrug über die finstere Kellerstiege hinunter-, dann wieder in Finsternis, denn die herrsche in den Kalkwerkskellern, mit dem vollen Mostkrug wieder herauftastender, über die Treppe hinunter- und wieder herauftappender Mann, welcher auch noch dazu, um sich in den kalten Kellergewölben nicht zu verkühlen, von den seltsamsten Verkleidungen (alte Kutschenkotzen et cetera) auf den Schultern verunstaltet sei, während er Most hole; sie, seine Frau, ziele ja nurmehr noch darauf ab, ihn, Konrad, lächerlich zu machen, sie habe nichts anderes mehr im Kopf, als aus ihm, von welchem sie glaube, daß er selbst sich noch immer als einen Wissenschaftler, als einen, sagen wir es ehrlich, soll Konrad zu Fro gesagt haben, wissenschaftlichen Philosophen empfinde, einen Narren zu machen. Im Grunde, soll Konrad zu Fro gesagt haben, hat meine Frau längst, glaubt sie, aus mir einen Narren machen können, weil ich ihr, ohne daß sie das bemerkt hat, gestattet habe, aus mir einen Narren zu machen, einen sogenannten Hausnarren, soll Konrad zu Fro gesagt haben, indem ich sie nämlich in dem Glauben lasse und in dem Glauben bestärke, ich sei ein Narr und sie setze sich dadurch durch, könne er, Konrad, sich seiner Frau gegenüber durchsetzen. Diese Taktik sei aber zu diffizil, um sie

154

ganz erklären zu können, andererseits sei diese Taktik durchschaubar. Also wisse er genau, warum er sich von seiner Frau alle Augenblicke in den Keller schicken lasse, sich durch sogenannte Schutzbedeckungen (Kutschenkotzen et cetera) lächerlich machen lasse, zum Narren machen lasse von ihr, unter anderem, indem sie ihm jahrelang ungeniert denselben Fäustling stricken könne und er sich in das ununterbrochene Anprobieren des wenn auch nicht immer gleichen, so doch immer ein und desselben Fäustlings widerspruchslos füge. Trotz allem, soll er zu Fro gesagt haben, abgesehen von allen diesen Sadismen ihrerseits, Unsinnigkeiten, Frauen seien ja in nichts so schöpferisch wie im Erzeugen von Unsinnigkeiten, Absurditäten, Lächerlichkeiten et cetera, komme er ja vorwärts, die urbantschitsche Methode entwickle er, die Studie behalte er im Kopf et cetera, und wenn er sie bis heute nicht niederschreiben habe können, sei das noch nicht das Ende, denn, so Konrad zu Fro plötzlich: man kann eine Geistesarbeit, die man zu Papier bringen will, nicht lange genug hinauszögern, gleich darauf: freilich könne man durch Verzögerung eine solche Geistesarbeit wie die Studie auch ruinieren, aber in fast allen Fällen gewinne eine solche Geistesarbeit durch die sogenannte bewußte oder die unbewußte Verzögerungstaktik. Manchmal sage sie auch plötzlich: wieviel Most haben wir denn noch im Keller?, und sie schicke ihn hinunter, lasse ihn die Fässer abklopfen, damit er den genauen Inhalt eruieren kann, oder sie frage ihn: haben wir noch Knoblauch im Haus? oder wieviel ist es auf deiner Uhr unten?, worauf er aufstehen und in sein Zimmer gehen und in seinem Zimmer auf die dort hängende Uhr schauen muß und wieder in ihr Zimmer zurückgehen und ihr sagen muß, wieviel es auf seiner Zimmeruhr sei, sie verlasse sich auf keine der beiden Uhren, weder auf die ihrige, noch auf die seinige, nur auf beide zugleich, soll Konrad zu Fro gesagt haben, aber: letzten Endes ist auf beide Uhren kein Verlaß. (So die Konrad.) Ist es finster, so frage sie, laut Konrad, sagt Fro, andauernd, ob es draußen schneie, sie könne das nicht feststellen und er müsse das Fenster aufmachen und hinausschauen und feststellen, ob es schneit oder nicht, und immer dann wolle sie von ihm wissen, ob es draußen schneie, wenn er den Kropotkin aufgeschlagen habe. Immer, soll Konrad zu Fro gesagt haben, befolge er natürlich nicht ihre Befehle, das wäre wieder falsch, sehr oft überhöre er, was sie von ihm verlange, sie sage: schneit es draußen?, was so viel bedeute wie, steh auf und schaue hinaus, ob es schneit und sage mir, ob es schneit oder nicht, und er fange, davon unberührt, aus dem Kropotkin vorzulesen an. Sie fragt oft sechsmal oder siebenmal, ob es draußen schneit, soll Konrad zu Fro gesagt haben, aber ich reagiere gar nicht darauf, ich lese und lese und schließlich gibt sie es auf, zu fragen. Meistens befolge er ja nur dann ihre sogenannten Befehle, wenn er selber glaube, er habe einen Vorteil dadurch, oder wenn er überhaupt nichts besseres zu tun habe als ihre Befehle zu befolgen, denn nicht immer, wenn er zum Beispiel gerade aus dem Kropotkin vorlese, von seiner Studie berichte, störe ihn ein Befehl ihrerseits, oft sei ja seine Konzentration auf den Kropotkin oder auf die Studie, oder auf eine andere Geistessache, keine echte und im Gegenteil, sei er geradezu erlöst, wenn sie sage, er solle in den Keller gehen, Most holen, er solle in die Küche gehen, er solle in sein Zimmer gehen et cetera. Auch während seiner morgendlichen und abendlichen Klavierspielereien (so Konrad selbst), soll sie sich die Freiheit herausgenommen haben, ihm zu läuten, gerade setze er sich an das Klavier, läute sie, er stehe dann auf, schlage den Deckel des Klaviers zu, warte, setze sich wieder hin, um weiterzuspielen, da läute sie wieder, so wiederhole sich das oft eine Stunde lang. In letzter Zeit sei er aber beinahe gänzlich davon abgekommen, auf dem Klavier zu spielen, das Klavierspiel beruhigte mich auf einmal nicht mehr, soll er, Konrad, zu Fro gesagt haben, pathetisch: es tat seine Wirkung nicht mehr. Habe er in den ersten Kalkwerksjahren noch tagtäglich, meistens schon ab vier Uhr früh, auf dem Klavier gespielt, Wieser sagt ja dilettiert, und zwar in den verschiedensten klassischen Klavierstücken, wobei er sich merkwürdigerweise, aber doch auch wieder nicht merkwürdigerweise, weil es ja geradezu das Merkmal des Dilettanten sei, sich immer wieder im Schwierigsten zu versuchen, wobei er sich also gerade in den kompliziertesten Sonaten und Konzerten et cetera versucht haben soll, so soll er in den letzten beiden Jahren das Klavier fast überhaupt nicht mehr angerührt haben, der Klavierdeckel bleibt zu, soll er zu Fro gesagt haben, zuerst habe ich das Klavier zur Beruhigung meiner Nerven gebraucht, heute brauche ich das Klavier nicht mehr, weil ich eine viel wirkungsvollere Methode brauche und habe (zu Wieser), und seine Frau, die jahrzehntelang eine Vorliebe für ihren, ihr von Konrad einmal zu Weihnachten geschenkten, aus London mitgebrachten HMV-Plattenspieler gehabt habe, lasse sich auch schon jahrelang nichts mehr auf diesem Plattenspieler von ihm, ihrem Mann, vorspielen, auch ihr genüge der Plattenspieler nicht mehr, soll Konrad zu Fro gesagt haben, das Klavier bewirkt bei mir nichts mehr, wie bei meiner Frau der Plattenspieler nichts mehr bewirkt, die Musik bewirkt einfach nichts mehr. Monatelang habe er, Konrad, beispielsweise seiner Frau die Haffnersymphonie von Mozart, Dirigent Fritz Busch, soll er zu Fro gesagt haben, vorspielen müssen, eine ganz ausgezeichnete Platte, die aber dadurch, daß wir sie uns tagtäglich vorspielten, zu unserer meistgehaßten Schallplatte überhaupt geworden ist, heute dürfe er nicht einmal mehr das Wort Haffnersymphonie in Gegenwart seiner Frau sagen, ihm selbst drehe es den Magen um, wenn er nur an die Haffnersymphonie denke und alle Platten, auf welchen Fritz Busch als Dirigent angegeben sei, hätten sie weggeworfen, sie hätten Fritz Busch, einen der hervorragendsten Dirigenten, Kapellmeister, wie Konrad sich ausgedrückt haben soll, nicht mehr hören können. Die Musik sei nach und nach zur Gänze aus dem Kalkwerk hinausgespielt worden, soll Konrad zu Fro gesagt haben. Die Mühe, die es mich gekostet hat, das Klavier in das Kalkwerk hereinzuschaffen, und jetzt steht dieses Klavier da und ich spiele nicht mehr darauf. Andererseits habe er das Klavier aber aus gutem Grund auch nicht verkauft, denn es könne ja sein, daß er, Konrad, eines Tages wieder auf dem Instrument zu spielen anfange et cetera. Ich glaube aber nicht, soll er gesagt haben, daß ich wieder einmal auf das Mittel des Klavierspiels zurückkommen muß, hoffentlich kommt auch meine Frau nicht mehr auf die Idee, sich alle Augenblicke eine Schallplatte vorspielen zu lassen. Natürlich, das Klavier könnte ich ja verkaufen, tatsächlich, das Klavier zu Geld machen, daran habe ich gar nicht mehr gedacht, aber: dazu kommt es nicht, daß ich das Klavier verkaufe, auch den Bacon verkaufe ich nicht, den Francis Bacon und das Klavier verkaufe ich nicht. Nein, keine Musik mehr im Kalkwerk, soll Konrad zu Fro gesagt haben. Zu Fro: nach dem Frühstück sei er im Zimmer seiner Frau sitzen geblieben in der Absicht, gleich nach dem Frühstück die urbantschitsche Methode fortzusetzen. Übungen mit St und Tz habe er vorgehabt. Zuerst aber habe seine Frau ihn den Fäustling probieren lassen, dann habe sie seine Hilfe zum Kämmen in Anspruch genommen, er habe ihr Haar rasch durchgekämmt, dabei sei ihm aufgefallen, daß ihr Haar schmutzig sei, die Prozedur des Haarwaschens aber sei für ihn die fürchterlichste und er habe deshalb zu seiner Frau nicht gesagt, daß ihre Haare gewaschen gehörten, sondern auf ihre Frage, sind meine Haare schmutzig?, nur nein gesagt, dann habe sie ein neues Kleid anziehen wollen und er habe ihr tatsächlich ein anderes, kein neues, ein anderes Kleid angezogen. Ein Kleid, das er ihr von einem Mannheimer Schneider habe machen lassen, ein Kleid mit einem steifen Seidenstehkragen, ein ihr bis zu den Knöcheln hinunter reichendes hellgraues Satinkleid, ein heute völlig unmodernes Kleid, soll Konrad zu Fro gesagt haben. Schließlich wollte er kurzen Prozeß machen und mit der urbantschitschen Methode anfangen und sagte: also, wir fangen an, sie aber habe ihn ausgelacht und gesagt, er könne machen, was er wolle, heute tue sie überhaupt nichts, weder sei sie ihm für die urbantschitsche Methode gefügig, noch für sonst etwas, sie sei auf einmal in einer sogenannten Feiertagsstimmung, aus diesem Grunde habe sie sich ja auch von ihm ein anderes Kleid anziehen, sich auf das ausgiebigste kämmen und von ihm auch die Nägel schneiden lassen, alle paar Wochen einmal, so Konrad zu Fro, soll die Konrad an einem ganz gewöhnlichen Wochentag plötzlich gesagt haben, sie fühle sich wie an einem Feiertag, also sei Feiertag und sie weigere sich, zu arbeiten, ich arbeite heute nicht in der urbantschitschen Methode, soll sie zu Konrad gesagt und sich sogar geweigert haben, auch nur eine halbe Stunde, mit einer solchen hätte er sich an dem Tage zufrieden gegeben, in Wörtern mit St und Tz zu experimentieren. An solchen von ihr zu Feiertagen proklamierten gewöhnlichen Wochentagen, ließ sie sich von Konrad, der das Fro gegenüber als eine der größten Torturen bezeichnet haben soll, eine oder mehrere mit alten Photographien angefüllte Schachteln vor sich auf den Tisch stellen, um diese Schachteln auszupacken und von diesen Hunderten und Tausenden von alten Photographien eine nach der andern anzuschauen und zu kommentieren, ihre Kommentare dazu seien immer die gleichen Kommentare, soll Konrad gesagt haben, immer soll sie siehst du, siehst du gesagt haben, eine Photographie aus dem Haufen herausgenommen und angeschaut und dazu siehst du, siehst du gesagt und die Photographie wieder auf einen neuen sich dadurch entwickelnden Haufen weggelegt haben und diese Beschäftigung, die ihr, wie Konrad meinte, das größte Vergnügen, vielleicht das einzige überhaupt, das sie noch hatte, gemacht haben soll, wäre von ihr über viele Stunden eines solchen für nichts anderes mehr zur Verfügung stehenden Tages hingezogen worden. Und sei sie mit den Haufen von Photographien fertig gewesen, mit fortwährendem siehst du, siehst du, habe sie, wie an diesem Tage, Konrad gezwungen, mehrere Schachteln voller Briefe, alle an sie adressiert und mindestens fünf oder sechs, größtenteils aber zehn und zwanzig und dreißig Jahre zurückliegend, herbeizuschleppen und habe angefangen, ihn ohne Unterbrechung zu zwingen, ihr aus diesen Briefen vorzulesen und ununterbrochen zu sagen hörst du, hörst du sei ihre Gewohnheit gewesen, eine Gewohnheit, die ihn zwar zur Verzweiflung, aber doch nicht so weit gebracht habe, daß er ihr, wie er es kaum zurückhalten habe können und wie er sich Fro gegenüber ausgedrückt haben soll, diesen ganzen Briefehaufen an den Kopf werfen hätte können. An einem solchen von ihr so bezeichneten Feiertag habe er immer schon gleich gewußt, daß das ein für ihn vollkommen verlorener Tag sei, zurückgeworfen in seiner Experimentierarbeit, hätte ein solcher sogenannter Feiertag in ihm nichts anderes mehr als nur Abscheu vor ihr, seiner Frau, gleichzeitig aber auch vor ihm selbst bewirkt, alles in allem Abscheu vor ihrer beider grauenhaftem Zustand. Dann habe es unten geklopft, Höller habe ihnen das Essen gebracht. Sie hat ihren Feiertag, soll Konrad bei dieser Gelegenheit unten an der Tür, während er dem Höller das Essen im Essenträger abgenommen hat, gesagt haben, der Höller habe dann sofort gewußt, was das bedeute, an diesem Tag sei das Essen noch warm gewesen, der Höller hatte sich also nicht auf dem Weg vom Gasthaus ins Kalkwerk verplaudert gehabt, wahrscheinlich, weil er keinen Gesprächspartner getroffen hat, soll Konrad zu Fro gesagt haben, kein Wunder bei dem Schneesturm, und ich bin sofort wieder ins Zimmer meiner Frau, ich brauchte das Essen ja nicht aufzuwärmen, oben soll die Konrad zu ihrem Mann gesagt haben, wie sie gesehen hat, was im Essenträger sei: als ob die Leute im Gasthaus gewußt hätten, daß heute Feiertag ist, das habe sich auf große Stücke sehr gut durchgebackener Leber im Essenträger bezogen, auf Rindsuppe mit Bandnudeln, auf eine große Portion sogenannten Vogerlsalates und auf eine Mehlspeise, die sich, nachdem Konrad sie aus dem Essenträger herausgenommen und auf einen großen Teller gelegt, als Topfenstrudel herausgestellt hatte. Natürlich, soll Konrad zu Fro gesagt haben, ein solcher Tag während eines solchen Schneetreibens kann vielleicht gar nicht besser als mit gut essen und gut trinken und mit Unsinnigkeiten verbracht werden. Im übrigen, soll er zu Fro gesagt haben, sei es ihm und sei es ihnen beiden im Grunde vollkommen gleichgültig, was ihnen Höller aus dem Gasthaus bringe, also vollkommen gleichgültig, was sie essen, früher hätten sie auf gutes Essen den größten Wert gelegt, das sei aber lange her, Konrad soll gesagt haben: an die zwanzig Jahre. Die Bemerkungen über das Essen erinnerten ihn, soll er zu Fro gesagt haben, an den toten Sägewerker, vor drei Wochen, soll Konrad zu Fro gesagt haben, bemühe ich mich gerade von einem gekochten Surfleisch (im Gasthaus war kurz vorher ein Schwein geschlachtet worden) möglichst dünne Scheiben, so will es meine Frau, aber auch ich will es so, abzuschneiden, immer dünnere Scheiben, soll Konrad gesagt haben, da klopft es unten. Zuerst denke ich, ob ich das Klopfen ignorieren solle, gehe aber dann doch sofort hinunter und der Höller steht vor der Tür, tatsächlich habe ich geglaubt, der Höller

160

sei in der Stadt, da steht er plötzlich und ich frage, warum er da stehe, was ist denn? frage ich, gerade schneide ich Surfleisch, sage ich, wir sind beim Essen, da sagt der Höller, der Sägewerker sei gestorben und zwar auf folgende Weise: er, der Sägewerker sei heute um fünf Uhr früh auf den Traktor gestiegen, Blochziehen wollten sie, der Sägewerker habe seiner Frau noch zugerufen, sie solle Ketten aus der Scheune herausbringen, mit diesen Ketten habe er die im Wald aufgeladenen Stämme am Traktor festzurren wollen, schnell sei die Sägewerkerin um die Ketten in die Scheune gelaufen, nicht zwei, drei Minuten und sie sei schon wieder aus der Scheune zurück gewesen, soll Konrad zu Fro gesagt haben, da habe sie ihren Mann nurmehr noch tot am Traktorsitz hängen sehen, kopfüber sei der Sägewerker aus dem Traktorsitz gestürzt, aber am Traktorsitz hängen geblieben, zum Glück sei der Motor abgestellt gewesen; zuerst habe die Sägewerkerin geglaubt, ihr Mann hänge lebend aus dem Traktorsitz, versuche, sich vom Traktorsitz bis zur Radnabe hinunterzuneigen, um dort, an der Radnabe, etwas zu reparieren, wie sie aber zu ihm hingegangen sei, habe sie festgestellt, daß ihr Mann schon tot gewesen sei, sofort hatte sie gedacht, daß ihn der Schlag getroffen habe, der von ihr herbeigerufene Arzt habe auch gleich Herzschlag an ihm festgestellt, es sei nichts Außergewöhnliches, soll der Doktor gesagt haben, daß Landmänner, kaum sind sie auf den Traktor gestiegen, vom Schlag getroffen werden, der Herzschlag treffe vor allem die zwischen vierzig und fünfzig, der Sägewerker sei gerade zweiundvierzig gewesen, zuerst essen sie, trinken sie und dann steigen sie auf den Traktor, verfettet von dem unaufhörlichen Traktorfahren und in ihrer beinahe gänzlichen Bewegungslosigkeit auf und an den Maschinen, seien die Landmänner die anfälligsten für den Herzschlag. Die Frau des Sägewerkers habe ihren Mann ganz allein vom Traktor heruntergezogen, er sei ihr ins Gras gefallen, Sie können sich vorstellen, dieser schwere Körper des Sägewerkers, soll Konrad zu Fro gesagt haben, andererseits, dieser Prachtmensch, ihren Mann ins Haus zu tragen, sei die Sägewerkerin zu schwach gewesen, zu viert oder zu fünft aber, sie hatte inzwischen ein paar Holzfäller und Hilfsarbeiter von der

Wildbachverbauung herbeirufen können, hätten sie den schweren Toten bald aus dem Gras heben und ins Haus hineintragen können; sofort, wie der Tote im Haus gewesen sei, habe sie, die Sägewerkerin, gedacht, wo sie ihren Mann aufbahren werde und es sei ihr der ehemalige Saustall, in welchem jetzt eine riesige Mostpresse stand, sonst nichts, am geeignetsten für die Aufbahrung ihres Mannes erschienen, noch bevor sie den Arzt verständigt hatten, war sie entschlossen gewesen, ihren Mann in dem ehemaligen Saustall aufzubahren, die Arbeiter waren ihr, weil ihre Schwestern gerade in der Stadt gewesen waren, beim Waschen des Leichnams behilflich gewesen, er, der tote Sägewerker, soll Konrad zu Fro gesagt haben, sei rasch ausgezogen und gewaschen und gekämmt gewesen, kaum wäre der Doktor wieder weggewesen, seien sie alle darangegangen, in dem ehemaligen Saustall einen provisorischen Katafalk zusammenzuzimmern, schließlich waren die Kinder aus der Schule nach Hause gekommen, die Schwestern der Sägewerkerin aus der Stadt und alle taten, was sie konnten, um den toten Sägewerker so bald als möglich auf den Katafalk zu bringen, soll Konrad zu Fro gesagt haben, Höller schilderte mir alles aufs Genaueste, bis in scheinbar unbedeutendste Einzelheiten hinein, soll Konrad zu Fro gesagt haben, die Kinder des Toten hätten sich erstaunlich ruhig verhalten über die Tatsache, daß ihr Vater plötzlich vom Traktor heruntergefallen und tot gewesen sei, die Schwestern der Sägewerkerin, die zeit ihres Lebens im Sägewerk leben, wie Konrad zu Fro gesagt haben soll, bemühten sich, so rasch als möglich Blumen aufzutreiben, um den Toten schmücken zu können, man hatte dem toten Sägewerker ein leinernes Totengewand angezogen, das die Sägewerkerin wie ihr eigenes in einem ihrer Schlafzimmerkasten aufbewahrt gehabt hatte, augenblicklich wäre jene für ein Trauerhaus charakteristische Atmosphäre im Sägewerk gewesen, soll Konrad gesagt haben, dieser ganz bestimmte Geruch von Blumen und frischer Wäsche und leblosem Körper und frischem Holz und Weihwasser, und es habe sich mit unglaublicher Schnelligkeit überall in der ganzen Gegend die Kunde vom Tod des Sägewerkers verbreitet, Höller selbst habe schon eine halbe Stunde nach dem Tod des Sägewerkers davon erfahren, eine der Schwestern der Sägewerkerin habe ihn, Höller, im Zuhaus aufgesucht und ihm von dem Todesfall Mitteilung gemacht, gleichzeitig darum gebeten, er, Höller, möge mit ihr zum Sägewerk kommen und mithelfen, den Katafalk zusammenzuzimmern, naturgemäß sei Höller, der mit Holzhacken beschäftigt gewesen war, sofort mit der Sägewerkerinschwester zum Sägewerk, da hätte er aber gar nicht mehr am Zusammenzimmern des Katafalks mitzuhelfen brauchen, denn in der Zwischenzeit sei nicht nur schon ein solcher provisorischer Katafalk aus zwei sogenannten Schragen zusammengezimmert, sondern der Tote bereits aufgebahrt gewesen, Höller wäre schon eine Dreiviertelstunde nach dem Tod des Sägewerkers zu einem vollkommen von Blumen und Kerzen eingesäumten Aufgebahrten gekommen, merkwürdigerweise, soll Höller zu Konrad gesagt haben, sagt Fro, sei aus dem linken Mundwinkel des Toten Blut geronnen, die Sägewerkerin soll zwar immer wieder versucht haben, mit einem Leinenfetzchen das Blut aus dem Mund des toten Sägewerkers abzutupfen, es wäre ihr aber nicht gelungen, größere Blutflecken auf dem frischen Leinengewand des Toten zu verhindern. Die Kinder knieten, wie Kinder von Toten immer knien, soll Konrad zu Fro gesagt haben, wie Höller gesagt habe, bei der Leiche und nach und nach habe sich, wie immer bei einem Todesfall, der Aufbahrungsraum, im Falle des toten Sägewerkers also der ehemalige Saustall mit der großen Mostpresse, mit Kondolenzleuten angefüllt. Der Höller soll Konrad eine genaue Beschreibung der ersten Stunden nach dem Tod des Sägewerkers im Sägewerk gegeben haben, über jeden einzelnen der im Trauerhause Anwesenden hätte er Charakteristisches zu berichten gehabt, so über die Sägewerkerin, daß sie zum Höller gesagt haben soll, während der im Vorhaus des Sägewerks gestanden war, um mit der älteren Schwester der Sägewerkerin den Text auf dem in der Sickinger Druckerei zu bestellenden Partezettel zu besprechen, für sie, die Sägewerkerin, wäre der Tod ihres Mannes nicht überraschend gekommen, noch vor ein paar Tagen hätten die beiden über die Möglichkeit, daß ihn, den Sägewerker, der Schlag treffen könne, gesprochen, allerdings hätten sie nach Ende der jetzt so verwunderlich erscheinenden Unterredung gelacht, ja, soll die Sägewerkerin im Sägewerksvorhaus zum Höller gesagt haben, so Konrad zu Fro: wer weiß, was jetzt geschieht und was für ein Mensch jetzt ins Haus kommt, damit, so meinte Höller, soll Konrad zu Fro gesagt haben, habe die Sägewerkerin auf einen neuen Sägewerker angespielt, mit den noch so kleinen Kindern könne sie ja nicht allein bleiben, soll sie keine zwei Stunden nach dem Tod des Sägewerkers zum Höller gesagt haben und: mit den Kindern nicht, aber mit dem Sägewerk, das doch ein Millionenbesitz sei, fände sich sicher in absehbarer Zeit ein Mann, dazu muß gesagt werden, soll Konrad zu Fro gesagt haben, daß der Sägewerker in das Sägewerk ursprünglich eingeheiratet habe, das Sägewerk stamme aus dem Besitz der Witwe des Sägewerkers. Wenn überhaupt ein Mensch, dann sei er, Konrad, dieser Mensch, der sie, wenn überhaupt einer, aushalten, sei sie der, der ihn ertragen könne, soll Konrad zu Fro gesagt haben. Heute verlangte ich von ihr, daß sie zwei Stunden Kropotkinlektüre auf sich nehme, soll Konrad zu Fro gesagt haben, sie weigerte sich aber, schließlich einigten wir uns auf das Folgende: sie werde zwei Stunden Kropotkinlektüre über sich ergehen lassen, wenn er, ihr Mann, ihr erlaube, das schwarze Kleid mit der Goldstickerei, wie sie ihr Hochzeitskleid bezeichnete, anzuziehen. Gut, zuerst ziehst du das Kleid an, soll Konrad zu seiner Frau gesagt haben, dann hörst du mir zu, wenn ich Kropotkin vorlese, zwei Stunden. Kaum hatte sie und das heißt natürlich er ihr das goldbestickte Kleid angezogen, da sagte sie, sie wolle das goldbestickte Kleid wieder ausziehen, sie habe, wie sie jetzt, da sie es anhabe, sehe, und zwar in ihrem Spiegel ganz deutlich sehe, keinerlei Beziehung mehr zu dem goldbestickten Kleid, natürlich habe ich eine Beziehung zu dem Kleid, soll sie zu Konrad gesagt haben, aber eine fürchterliche. Ich ziehe ihr also das schwarze, goldbestickte Kleid wieder aus, soll Konrad gesagt haben. Kaum habe ich ihr das schwarze, goldbestickte Kleid ausgezogen, will sie das graue Kleid mit dem weißen Samtkragen anziehen, er, Konrad, hänge das schwarze, goldbestickte Kleid in den Kasten hinein und nehme das graue

Kleid mit dem weißen Samtkragen aus dem Kasten heraus, dabei habe er das Gefühl, daß ihn seine Frau beobachtet, ja, du beobachtest mich natürlich, soll er gesagt haben, während er sich einen Moment länger nicht umdrehte, um eine Antwort ihrerseits abzuwarten, aber die Konrad habe geschwiegen, soll Konrad zu Fro gesagt haben. Er zieht ihr also das graue Kleid mit dem weißen Samtkragen an, kaum hat er es ihr angezogen, richtet sie sich so gut es geht auf und schaut sich in den Spiegel und sagt: nein, auch das Kleid nicht. Ich will wieder mein altes Kleid anziehen, ich ziehe wieder das Kleid an, das ich immer anhabe, sofort zieht Konrad ihr das graue Kleid mit dem weißen Samtkragen wieder aus und er hilft ihr beim Anziehen ihres, wie sie selber immer gesagt haben soll, fürchterlichen Alltagskleides. Das ist der Geruch, der zu mir paßt, mein Alltagsgeruch, soll die Konrad zu ihrem Mann gesagt haben, kaum hatte sie ihr sogenanntes fürchterliches Alltagskleid an. Und wo habe ich dieses fürchterliche Alltagskleid zum erstenmal angehabt? fragt sie und er antwortet: in Deggendorf, du weißt doch, in Deggendorf, du hast es dir von der Schneiderin deiner Deggendorfer Nichte machen lassen. Ja, von der Schneiderin meiner Deggendorfer Nichte, soll die Konrad darauf gesagt haben. Damit bin ich in Landshut auf den Ball gegangen. Ja, wiederholt sie, sagt Fro, in Landshut auf den Ball. Dann las er ihr, wie verabredet, zwei Stunden aus dem Kropotkin vor. Zu Wieser: Hörhager, Konrads Vetter, hätte das Kalkwerk zweifellos verfallen lassen. Die Leute hätten die Konrad ausgelacht, wie sie gesagt haben, sie ziehen ins Kalkwerk. Ins Kalkwerk ziehen nur Verrückte, sollen die Sickinger gesagt haben, Konrad soll zu Wieser gesagt haben: diese Leute, lieber Wieser, haben recht gehabt. Noch vor zwei Jahren bin ich der Ansicht gewesen: das Kalkwerk ist meiner Studie nützlich, heute bin ich nicht mehr dieser Ansicht, heute weiß ich, das Kalkwerk hat mir restlos die Möglichkeit genommen, die Studie niederzuschreiben. Das heißt, soll er zu Wieser gesagt haben, einmal glaube ich, das Kalkwerk ist schuld, daß ich die Studie nicht niederschreiben kann, einmal glaube ich, gerade weil ich im Kalkwerk bin, habe ich die Möglichkeit, doch noch die Studie niederschreiben zu können. So wechseln die beiden Gedanken, der eine, die Studie niederschreiben zu können, weil ich im Kalkwerk bin, und der andere, die Studie nicht niederschreiben zu können, niemals mehr niederschreiben zu können, weil ich im Kalkwerk bin, ab. Aber vor nicht langer Zeit bin ich der Meinung gewesen, das Kalkwerk sei meine und also auch ihre (seiner Frau) einzige Rettung, heute wundere ich mich darüber, diese Meinung gehabt zu haben. Freilich muß ich zugeben, daß ich, kaum sage ich, das Kalkwerk läßt mich die Studie keinesfalls niederschreiben, ja wieder die Hoffnung habe, daß mir die Niederschrift der Studie im Kalkwerk glückt. Warum sind wir dann ins Kalkwerk gegangen?, soll seine Frau immer wieder sagen, wenn du die Studie nicht niederschreiben kannst, warum nehmen wir dann das Opfer auf uns, im Kalkwerk zu existieren, überall sonst existierten wir angenehmer, denn zweifellos, soll die Konrad zu ihrem Mann gesagt haben, sagt Wieser, bedeute, im Kalkwerk existieren, die äußerste Aufopferung, sie sollten sich nichts vormachen, im Kalkwerk existieren sei, habe es keinen sogenannten höheren Zweck, Wahnsinn. Zwar hätten sie sich an das Existieren im Kalkwerk gewöhnt, aber die Frage bleibe in jedem Falle immer bestehen: wozu, wenn nicht für die Studie, wenn nicht für *Das Gehör?* Sollte, so Konrads Frau einmal zu ihrem Mann, möglicherweise dieses größte aller möglichen Opfer umsonst gewesen sein? Einerseits glaube sie nicht an den Wert seiner Studie, andererseits könne sie ja auch nicht sagen, die Studie, an welche ihr Mann den Großteil seiner Geistesexistenz verwendet hat, sei nichts wert und so fort, möglicherweise, so Konrad einmal zum Baurat, liege der Wert dieser Studie ganz woanders und so fort, dem, was ihr Mann glaube, daß sie sei, vielleicht ganz und gar entgegengesetzt und so fort, aber, so Konrads Frau zum Baurat, in jedem Falle müsse die Studie auf das Papier gebracht werden, schon allein deshalb, damit sich die Vermutung, ihr Mann, Konrad, sei nichts weiter als ein Verrückter, einer der vielen Narren, die überall herumlaufen und behaupten, sie hätten etwas, gleich was, und sei es eine ominöse Studie, im Kopf, von welcher man nie etwas sehe, schon um ihr selbst vor allem eine große Blamage zu ersparen, die Studie müsse also aus dem Kopf ihres Mannes heraus und auf Papier, das erflehe sie und so fort. Ehrlich gesagt, könne sie nicht wissen, ob ihr Mann nicht doch auch ein Narr sei, aber andererseits könne er ja gleichzeitig Narr und Genie sein, wer weiß, soll sie zum Baurat gesagt haben, denn ihr Mann habe, so meine sie, alle Kennzeichen des Genies wie auch alle Kennzeichen eines Narren an sich und Wieser vermutet sogar, daß sie möglicherweise an dem Tag, an welchem Konrad sie durch einen oder durch mehrere Schüsse aus dem Mannlicher-Karabiner erschossen hat, daß sie möglicherweise an dem Unglückstag, an dem Tage der Bluttat (Fro), ihren Mann plötzlich wieder, wie schon öfters vorher, einen Narren genannt habe, worauf er die Beherrschung verloren und sie umgebracht habe, denn damit, daß sie ihn als Narren, als Verrückten, ja sogar als einen durch und durch hochintelligenten Geisteskranken bezeichnet habe, soll sie ihn schon oft bis zum Äußersten gereizt und Konrad sie dann, wie Wieser sagt, und wie das nicht nur Gerücht, sondern Tatsache sei, mit dem Umbringen bedroht haben. Wahrscheinlich, so meine Theorie, meine Vermutung nicht nur, meine Theorie, die sich möglicherweise bald vor dem Gericht in Wels als Tatsache herausstellen wird, so Wieser, hat Konrad seine Frau umgebracht, weil sie ihn wieder einmal als einen Narren oder einen Verrückten, oder, so ihre Lieblingsbezeichnung ihm gegenüber, als einen hochintelligenten Geisteskranken bezeichnet hat. In dem Mordzimmer deutete natürlich nichts auf eine derartige Auseinandersetzung, auf eine derartige Äußerung ihrerseits hin, sagt Wieser. Es spricht aber alles dafür, daß Konrad seine Frau aufgrund einer ihrer, wie er, Konrad, sie immer wieder bezeichnet haben soll, unqualifizierten Äußerungen hin umgebracht hat. Was liegt näher, so Wieser, als sie als Antwort sozusagen auf ihre in letzter Zeit wahrscheinlich schon ungeheuerlichen Anschuldigungen und Behauptungen ihm, Konrad, gegenüber, plötzlich niederzuschießen, natürlich, eine Wahnsinnstat, so Wieser, aber eine solche durchaus verständliche, begreifliche. Konrad hatte ein beinahe erreichtes Lebensziel vor Augen, so Wieser, sie, seine Frau, hinderte ihn, dieses Lebensziel, das Niederschreiben der Studie, zu erreichen. Er mußte

167

sie umbringen, schließlich mußte er sie umbringen, so Wieser. Daß er, indem er sie, seine Frau, umbrachte, im selben Augenblick auch die Studie umbrachte, stehe, so Wieser, auf einem anderen Blatt. Die Grenzüberschreitung im Zuge ununterbrochener Vorwürfe der Frauen gegen ihre Männer, so Wieser, sei in nicht wenigen Fällen plötzlich an einem Punkt angelangt, in welchem ein Mord geschehen müsse. Ein solcher Mord schließe dann alles ab, habe mit einem Schlage alles vernichtet, so auch, was die Konrad betreffe, ein Augenblick, und die Geistesanstrengung eines außerordentlichen Kopfes sei zunichte gemacht, zwei Menschen seien getötet, denn keine Frage, auch Konrad sei tot, zwar könne es sein, daß er noch jahrelang, und wieder meint Wieser, nicht sicher, ob in Stein oder in Niedernhardt, das Gericht entscheide darüber, daß er also noch jahrelang lebe, das ändere nichts an der Tatsache, daß auch er längst tot sei. Das erschüttere ihn, Wieser, immer wieder, daß die Menschen aus einer plötzlichen Unvorsichtigkeit, die einem plötzlichen Nachlassen der Verstandesanspannung gleichkomme, von einem Augenblick auf den andern, sich gerade aus dem Außergewöhnlichen heraus zu dem Erbärmlichsten machten, und nicht nur sich selbst, sondern auch ihren unmittelbarsten Vertrauten. Es zeige sich oft, daß der am weitesten vorwärts Gekommene plötzlich aufhöre. Im Grunde, so Wieser, habe aber Konrad, indem er seine Frau umbrachte, vor allem nicht seine Frau, sondern, plötzlich gedankenlos, sich selbst umgebracht. Beiden Konrad wäre in einem einzigen Augenblick alles zerstört gewesen. Das mag dem Mann, so Wieser, der wahrscheinlich jetzt in seiner Welser Zelle ununterbrochen hin und her gehe, oder ununterbrochen auf einer Pritsche liege, klar sein. Es sei nur eine Frage der Zeit, daß Konrad, gleich, ob er es längst oder nicht sei, endgültig verrückt sei. Wir waren ja nicht gezwungen, ins Kalkwerk zu gehn, soll Konrad zu Wieser gesagt haben, wie Sie wissen, hätten wir in eine Reihe von anderen Orten gehen können, beispielsweise ins Tirolische, oder in die Steiermark, an sogenannten schönen Orten fehlt es ja nicht in unserem Land, aber gerade in einen sogenannten schönen Ort wollte ich ja nicht gehn, genau ein sogenannter schöner Ort, und fast nur sogenannte schöne Orte gibt es in Österreich, soll Konrad zu Wieser gesagt haben, kein Land auf der Welt, in welchem eine solche in die Hunderte und Tausende gehende Anzahl von schönen Orten sich auf so kleinem Gebiet zusammendränge, sei am schädlichsten, aber, so Wieser, ihm, Konrad, sei nichts jemals klarer gewesen, als die Tatsache, daß für ein anzugehendes oder ein bereits weiter fortgeschrittenes Geistesprodukt nichts auf der Welt schädlicher sei als ein sogenannter schöner Ort, eine schöne Stadt mache den besten, den fundiertesten Plan einer Geistesarbeit zunichte, eine schöne Landschaft irritiere das Gehirn, eine sogenannte wunderbare Natur schwäche den Kopf absolut. So sei es nirgends schwieriger als in Österreich, so angeblich Konrad zu Wieser, eine Kopfarbeit vorwärts oder gar zum Ende zu bringen, nirgends könne man auf so viele Hunderte und Tausende liegengebliebene oder fallengelassene Ideen, aufgegebene Pläne, nicht realisiertes Ungewöhnliches, tatsächlich Ungeheueres auf dem Gebiete der Wissenschaften und der sogenannten schönen Künste hinweisen und also auf ebenso viele schöne Orte, hier, in Österreich, habe sich, wie er, Konrad sich gegenüber Wieser ausgedrückt haben soll, noch jedes Genie verplempert, das Außergewöhnliche immer selbst vernichtet, sich das sogenannte Schöpferische von Naturschönheit morden lassen. Ein Friedhof der Ideen und eine perverse Öde der abgeblasenen Höhenflüge sei unser Land, durch seine Schönheit Heimat uns, nichts als fortwährendes Scheitern, Erniedrigen, Unterschlagen der Größe. Einmal habe er, Konrad, einen der großen Reisekoffer aufgemacht, die auf dem Dachboden des Kalkwerks stehen, einen dieser schmutzigen, verstaubten Schiffskoffer, soll Konrad zu Wieser gesagt haben, die wir auf alle unsere Reisen mitgenommen haben, denn, wie Sie wissen, wie ich Ihnen schon öfter gesagt habe, sind wir viel herumgereist, in den ersten Jahrzehnten unseres Zusammenseins waren wir, meine Frau und ich, beinahe ununterbrochen auf Reisen gewesen, einerseits aus der Angst heraus, plötzlich, durch die Verschlimmerung ihrer Krankheitszustände, überhaupt nicht mehr reisen zu können, dadurch, weil wir glaubten, plötzlich nicht mehr die kleinste Reise machen zu können, machten wir die größten, soll Konrad zu Wieser gesagt haben, Schiffsreisen vor allem, aber wir sind sogar im Jahr achtunddreißig, kurz vor dem Ausbruch des Zweiten Weltkriegs, noch mit der Transsibirischen Eisenbahn bis nach Wladiwostok gefahren, waren in China, in Japan, auf den Philippinen gewesen, heute ist das nichts, soll Konrad gesagt haben, aber damals hatten Reisen dieser Art etwas Ungeheures an sich, freilich waren sie für uns beide, für meine Frau vor allem, das Anstrengendste, aber die Anstrengung, besser, die Erschöpfung, ist uns immer erst nach Beendigung einer Reise zu Bewußtsein gekommen und dadurch, daß sie uns zu Bewußtsein gekommen war, in uns ausgebrochen, einerseits, soll Konrad zu Wieser gesagt haben, machten wir immer größere Reisen, weil wir von jeder unserer Reisen annehmen mußten, es sei unsere letzte, andererseits auch aus dem einfachen Grunde, weil ich glaubte, plötzlich, durch völlige Inanspruchnahme durch meine Arbeit, durch die Studie, durch *Das Gehör* also, auf einmal nicht mehr reisen zu können, also, soll Konrad zu Wieser gesagt haben, ich öffne einen dieser schweren Schiffskoffer, auf und auf voller Hotelzettel, soll Konrad gesagt haben, ich mache den Kofferdeckel auf und lauter Prospekte und Schiffskarten und Eisenbahnfahrkarten quellen aus dem Koffer heraus, das plötzliche Öffnen des Koffers, der an die drei Jahrzehnte fest verschlossen gewesen war, bewirkte, daß der Kofferinhalt mit einem Male herausquoll, und wie gesagt, soll Konrad zu Wieser gesagt haben, Hunderte und Tausende Prospekte und Fahrkarten von und nach allen möglichen Orten auf der ganzen Welt. Und alle diese unsere Reisen haben letzten Endes hierher ins Kalkwerk geführt, soll Konrad zu Wieser gesagt haben. In Paris beispielsweise hatten sie eine Wohnung auf dem Boulevard Haussmann gehabt, sie seien aber ins Kalkwerk gegangen, an keinem anderen Ort fände er bessere Voraussetzungen für die Studie, habe er gedacht und sie, seine Frau, davon zu überzeugen versucht, was ihm aber nicht gelungen sei, bis heute habe ich ja meine Frau nicht davon überzeugen können, soll Konrad zu Wieser gesagt haben, wahrscheinlich, so Konrad bei seinem letzten Zusammentreffen mit Wieser, hatte sie recht, letzten Endes hätte ich auf sie hören und mit ihr nach Toblach gehen sollen, dieser schöne Ort in den Bergen hätte uns sicher beruhigt, und wenn nicht beruhigt, so wäre wenigstens sie, meine Frau, mein lieber Wieser, den Rest ihres Lebens ihrer Verfassung entsprechend glücklich gewesen, denn zweifellos hätte sie, was sie immer an meiner Seite gesucht hat, in Toblach gefunden, eine gewisse Zufriedenheit inmitten ihrer Schwestern und anderen Anverwandten, Sicherheit, Geborgenheit, insofern ich aber meinen Kopf durchgesetzt habe, wie ich jetzt selbst glaube, mir eingestehen zu müssen glaube, für eine vollkommen aussichtslose Sache, indem ich meine arme Frau gezwungen habe, mit mir in das Kalkwerk zu gehn, habe ich ihr Leben zerstört, gleichzeitig ihr Leben zerstört und meinen Charakter vernichtet. Er, Konrad, habe damals, in Mannheim, wo es sich entschieden hatte, daß sie ins Kalkwerk gehen werden, ja nur die Wahl gehabt, entweder nach Toblach zu gehn, seiner Frau nachzugeben und sich selbst dadurch aufzugeben, zu vernichten, oder ins Kalkwerk, in das klimatisch zum Unterschied von Toblach so ungünstige, ja tatsächlich, wie Konrad sich ausgedrückt haben soll, in allem nur menschenfeindliche Sicking, und ihr Leben zu vernichten; Sicking habe für die Konrad nichts als nur Hoffnungslosigkeit bedeutet von Anfang an. Und wir hätten ja auch in das Kloster Wilhering gehen können, soll Konrad zu Wieser gesagt haben, mitten hinein in einen blühenden Obstgarten, in der Gesellschaft der Zisterzienser wären wir zweifellos beide gut aufgehoben gewesen, oder wir hätten nach Lambach gehen können, nach Aschach, nach Lauffen, andererseits wäre auch einem Entschluß unsererseits, nach London oder nach Manchester zurückzugehen, nichts im Wege gestanden, aber die Tatsache, so Konrad zu Wieser, daß ich mir das Kalkwerk um jeden Preis eingebildet habe, und die Art und Weise, mit welcher mich mein Vetter Hörhager so lange Zeit hingehalten und dadurch an das Kalkwerk nach und nach mit Haut und Haaren hat ausliefern lassen, denn darüber bestehe kein Zweifel, im Falle eines nicht auf die Vorschläge Konrads, das Kalkwerk um jeden Preis kaufen zu wollen, eingehenden Hörhager, hätte sich die Frage Kalkwerk oder nicht auf das schmerzloseste lösen lassen. So aber hatten gerade die Winkelzüge, als Widerstände Hörhagers, Konrad mehr und mehr in dem Wahn aufgehen lassen, das Kalkwerk unbedingt besitzen zu müssen; und der Gedanke, das Kalkwerk besitzen zu müssen und in es einzuziehen, beruhte letzten Endes, wie Konrad zu Wieser gesagt haben soll, auf nicht mehr als zwei oder drei Besuchen des jungen Konrad, er mag damals vier oder fünf und dann acht oder neun Jahre alt gewesen sein, in Sicking im Kalkwerk, ein paar Wintertage und ein paar Sommertage als Verlegenheitsferienlösung seiner in Ferienfragen immer so unsicheren Eltern, hatte er, Konrad, vor Jahrzehnten einmal in Sicking, also im Kalkwerk verbracht und darauf, auf nichts sonst, seinen Wunsch, das Kalkwerk zu besitzen, gegründet. Später war er einmal mit seiner jungen Frau, wie er sich erinnere, an einem Oktoberabend, der schon recht winterlich gewesen war, ins Kalkwerk gekommen, einen Besuch zu machen bei seinem Onkel, dem Vater Hörhagers, damals habe er das Kalkwerk als kalt und unfreundlich, aber als ein ihn noch mehr als in früheren Jahren faszinierendes empfunden, so Wieser, seine Frau hätte nach ihrer Abreise aus Sicking, Konrad erinnerte sich, daß es nach Mitternacht gewesen war, sie reisten nach Scharnstein weiter, seine Frau hätte nach ihrer Abreise das Kalkwerk als ein unheimliches Gebäude in einer genauso unheimlichen Gegend bezeichnet. Es habe sie bedrückt und sie habe sich im Kalkwerk gefürchtet, auf die Frage Konrads, vor was, soll sie gesagt haben, *plötzlich vor allem.* Sie dazu zu zwingen, für und auf ganz ins Kalkwerk zu gehen, habe die Konrad ihrem Mann gegenüber nur als Unmenschlichkeit bezeichnet, in ihren Augen aber war, so Fro, Konrad immer ein Unmensch gewesen, Wieser meint, er, Konrad, habe seiner Frau nach allem, was Wieser über die beiden wisse, ja als nichts anderes als ein Unmensch erscheinen müssen, dem Konrad sei es aber geradezu eine zweite Natur gewesen, sich, und nicht nur seiner Frau gegenüber, zeitlebens als ein Unmensch darzustellen und in der Rolle des Unmenschen sei er, Konrad, schließlich vollkommen aufgegangen, als was man ihn und als was seine Frau ihn vor allem immer angeschaut, als was ihn die Umwelt zeitlebens immer behandelt habe, als Unmenschen, das sei er schließlich tatsächlich gewesen, insofern habe die Umwelt und habe vor allem seine Frau ihn zum Unmenschen, oder, so Wieser, sagen wir, zum sogenannten Unmenschen gemacht, nicht er selbst sich zu einem solchen, den man, habe man ihn eines Tages tatsächlich so weit gebracht, daß man ihn als einen Unmenschen oder als einen sogenannten Unmenschen bezeichnen könne, ohne sich Skrupel zu machen, schließlich zur Verantwortung ziehe, er sei ein Unmensch. Einerseits lenkten die Städte ab, andererseits lenke aber auch das Land ab, im Grunde lenkten Städte und Landorte, das Land, in gleicher Weise von dem ab, das man vorantreibe, die Geistesarbeit, soll Konrad zu Wieser gesagt haben, schließlich sei heute genau genommen alles Ablenkung, denn Stadt und Land, Stadt- und Landvorstellungen hätten sich in den letzten Jahrzehnten vollkommen verwischt und es sei im Grunde heute schon Unsinn zwischen Stadt und Land zu unterscheiden, wo alles schon so lange gleichmäßig eintönig sei, wie Konrad sich gegenüber Wieser ausgedrückt haben soll. Die Frage der aber auch kaum mehr verschiedenen Architektur spiele die untergeordnetste Rolle, dem Beschauer biete sich eine gleichmäßig von Fortschritts- und also Maschinenwahnsinn durchzogene Atmosphäre an, in welcher er, gleich wo, ob auf dem Land oder in der Stadt, immer dieselben Voraussetzungen vorfinde. Wir alle machten in allem einen von ihm so genannten Gesellschaftsvermischungsprozeß durch, an dessen Ende der qualifizierte Mensch als Unmensch und das heißt als Maschine herauskomme. Natürlich habe er, Konrad, gedacht, im Kalkwerk gibt es kaum Ablenkungsmöglichkeiten, Sicking hat keinerlei Ablenkungsmaterie, während auf der anderen Seite die ganze Welt nichts als Ablenkung (von der Studie) sei. Aber was er auch in bezug auf das Kalkwerk und in bezug auf die Studie gedacht haben mochte, es sei in jedem Falle falsch gewesen, soll Konrad zu Wieser gesagt haben. Schließlich folge man instinktiv, gebe man einer indirekten Erpressung der eigenen Person nach. Freilich habe er alles, das Kalkwerk Betreffende durchdacht gehabt, so auch seine Frau, die er aber letzten Endes wenn auch in Betracht, so doch keinesfalls wirklich als Entscheidungspotenz zu

173

Rate gezogen habe. Und das Faszinierende sei ja gewesen, in ein *aufgelassenes* Kalkwerk zu ziehen. Und vor allem hätten die Konrad nach Jahrzehnten sehr ausgiebiger, letzten Endes aber doch planloser Herumreiserei von der Herumreiserei endgültig genug gehabt. Wenigstens was ihn betrifft, verhielte es sich so. Das Herumreisen ermüdete schließlich, die Neuigkeiten, die bald überhaupt keine Neuigkeiten mehr waren, die vielen immer wieder gleichen Menschen in den immer wieder gleichen Verhältnissen, Zusammenhängen ermüdeten, das immer gleiche Gesicht der immer gleichen sich auf sie zu und von ihnen weg bewegenden Landschaft, die immer gleichen, sich immer gleich wiederholenden Voraussetzungen, klimatischen, freundschaftlichen, feindschaftlichen, politischen, natürlichen, medizinischen, et cetera. Mit der Zeit nützte sich ganz einfach die Welt ab, vor allem während des Herumreisens auf das deprimierendste, soll Konrad zu Wieser gesagt haben, und man sei schließlich nurmehr noch andauernd und sozusagen bis an das Ende mit ihrer immer deutlicheren Schäbigkeit konfrontiert. Daraus zu entkommen, indem man in ein weitabgelegenes Gebäude einziehe, sei natürlich auch ein Irrtum, heute sei ihm dieser Irrtum vollkommen bewußt, aber auch jede andere Lösung seines (und ihres) Problems wäre ein Irrtum gewesen. Das Kalkwerk hatte sich als eine Wendung angeboten, soll Konrad gesagt haben, wenn auch nicht als radikale Kehrtwendung, die gebe es nicht, so doch wenigstens als eine Wendung um ein Viertel aller Grade, so Konrad zu Wieser, und er, Konrad, habe die Möglichkeit, noch einmal, wenn auch nur um wenige Grade, wenden zu können, angenommen. Es sei ja vorauszusehen gewesen, so Konrad zu Wieser, daß sie in ihrer Pariser Wohnung schon in kurzer Zeit erstickt wären, und man solle sich nichts vormachen, das Ersticken im Zentrum der Menschenmassen, also, sagen wir, soll Konrad gesagt haben, das Ersticken auf dem Boulevard Haussmann ist fraglos das Furchtbarste. Aber sehen Sie, soll Konrad Wieser gegenüber ausgerufen haben, es gibt ja so viele Möglichkeiten, zugrunde zu gehen, zu scheitern!, und er verweise mich in diesem Zusammenhang ausdrücklich auf ein paar Bücher eines schreibenden Landsmannes,

174

den Namen des Schriftstellers habe er, Konrad, vergessen, aber der Name bedeute nichts, die Person des Schriftstellers bedeute nichts, wie ja überhaupt niemals und in keinem Falle also die Person oder das Persönliche eines Schriftstellers etwas bedeute, seine Arbeit sei alles, der Schriftsteller selbst sei nichts, nur glaubten die Leute in ihrer Geistesniedertracht immer, Person und Arbeit eines Schriftstellers vermischen zu können, die Leute getrauten sich aus lauter mit den Vorgängen der ersten Hälfte des Jahrhunderts zusammenhängender impertinenter Schamlosigkeit, überall, Geschriebenes mit der Person des Schreibers vermischen zu müssen und so in jedem Falle immer eine grauenhafte Verstümmelung der Arbeit des Schreibers mit der Person des Schreibers herstellen zu müssen, die Person des Schriftstellers müsse mit dem Geschriebenen des Schriftstellers andauernd in Zusammenhang gebracht sein, glauben sie und so fort, mehr und mehr gingen die Leute daran, Produkt und Erzeuger zu vermischen, wodurch insgesamt fortwährend eine ungeheuerliche Mißbildung unserer ganzen Kultur entstehe und so fort, also auf diesen schriftstellernden Landsmann, einen, wie man bei der Lektüre seiner Erzeugnisse annehmen müsse, schreibenden Verrückten, der aber genau das Gegenteil eines Verrückten sei, verweise er mich, auf ein paar Titel, Fragmente, in welchen Vorgänge beschrieben seien, die ganz eng mit seinem eigenen Vorgang zusammenhingen, während aber die in den genannten Büchern beschriebenen Vorgänge doch eher solche aus dem Metaphysischen seien, wäre das, was er, Konrad, als seinen sozusagen ureigenen Vorgang bezeichne, alles eher als aus dem Metaphysischen, er, Konrad, getraue sich ohne weiteres, seine ganze Entwicklung als eine durch und durch *organische* zu bezeichnen, die immer wieder nur *mit dem Metaphysischen in Spekulation,* aber *niemals aus der Metaphysik selbst* existiere, sagt Wieser. Im Grunde sei seine Entwicklung niemals, auch nicht an einem einzigen Punkt, als eine sogenannte phantastische zu bezeichnen, ein durchaus physischer Prozeß, soll Konrad zu Wieser gesagt haben, im Grunde nichts anders als eine ganz und gar traurige und wenn man will, den Staunenden erschütternde, möglicherweise aber doch bis zum Lächerlichen hinunter gewöhnliche Ehegeschichte, was dem oberflächlichen Beschauer als etwas Merkwürdiges, Außergewöhnliches, Verrücktes erscheine und so fort. Darüber zu reden, sei aber unsinnig. Der Fäustling: Während sie den Fäustling strickt und er sich frage, warum strickt sie den Fäustling, immer den gleichen Fäustling?, frage er sich auch, warum sie sich, da sie doch ununterbrochen ihre Zeit mit dem Fäustlingsstricken verbringe, niemals Zeit nehme, seine Socken zu stopfen, die Hemden zu flicken, seine zerrissene Weste wieder zusammenzunähen, überall in meinen Kleidungsstücken große Löcher, sage er sich, und sie strickt an dem Fäustling. Ihre eigene Haube wäre zu stopfen, ihre eigene Bluse, aber nein, sie strickt an dem Fäustling. Das Kalkwerk habe sie endgültig umgebracht, denke er, während er sie beobachtet, wie sie am Fäustling strickt. Man könne einen Menschen wie seine Frau in diesem Zustand, Folge des beinahe fünfjährigen Aufenthaltes im Kalkwerk, auch mit der größten Gefühls- und Verstandesnachsicht nicht mehr als einen lebendigen bezeichnen, denke er, während er sie beim Fäustlingsstricken beobachtet. Zwischen ihnen sei schon lange nichts mehr als ein Zustand, den er sich nurmehr noch als Ignoration zu bezeichnen getraue. Andererseits hätte alles Vorherige, alles Herumreisen wie gesagt, nur auf das Kalkwerk gezielt. Unser Ziel ist das Kalkwerk gewesen, unser Ziel ist der Tod gewesen durch das Kalkwerk. Bevor wir ins Kalkwerk gegangen sind, so Konrad zu Wieser, ununterbrochene und die größte Menschengesellschaft, nachdem wir ins Kalkwerk gegangen waren, überhaupt keine Menschengesellschaft mehr, das müsse zuerst zur Verzweiflung, dann zur Geistes- und Gefühlsöde, dann zu Krankheit und Tod führen. Hier sind ja überhaupt keinerlei Vorkommnisse mehr!, soll Konrad Wieser gegenüber ausgerufen haben. Aber allein eine solche Unsinnigkeit wie in das Kalkwerk zu gehen, als Kühnheit zu bezeichnen, bedeute Selbstmord. Sie, die Konrad, habe sich allerdings in den ersten beiden Jahren im Kalkwerk auch eingeredet, ihrer beider völliges Zurückziehen ins Kalkwerk bedeute für ihn, Konrad, Rettung, zuerst habe sie sich selbst gesagt, natürlich ist es seine (meine) Rettung, soll Konrad zu Wieser

gesagt haben, dann, schon nach einem halben Jahr, möglicherweise ist es seine (meine) Rettung, dann, nach einem Jahr, wahrscheinlich ist es seine (meine) Rettung, und nach zwei Jahren, natürlich kann es seine (meine) Rettung nicht sein, nach drei Jahren
sei ihr klar gewesen, daß das Kalkwerk, ganz im Gegenteil, die
völlige Vernichtung Konrads bedeute, während er selbst sich dieser Tatsache noch nicht bewußt gewesen war, sich diese Tatsache
noch längere Zeit mit der Hoffnung auf die vielleicht doch noch
mögliche Niederschrift der Studie zuzudecken getraute. Schließlich hatten sie sich beide nurmehr noch folgendes gesagt, sagt
Wieser: im Kalkwerk kostet uns das Leben wenigstens beinahe
nichts. Tatsächlich lebt man ja, wie man weiß, auf dem Land und
noch dazu in einer solchen abgeschiedenen und abgeschnittenen
Gegend wie in der Gegend von Sicking um einen lächerlichen
Bruchteil von dem, das man überall sonst, ganz zu schweigen von
dem Leben in den Großstädten, haben muß, aber diese Tatsache
als Grund dafür, sich ins Kalkwerk zurückzuziehen, auch nur in
ihrer beider Köpfe auftauchen zu lassen, war ihnen als ungemeine
Demütigung erschienen. Aber zeitweise sollen sie sich tatsächlich
mit diesem Grund zufrieden gegeben haben, das heißt, dieser
Gedanke, daß das Kalkwerk eine Verbilligung ihrer Existenz
nach sich gezogen habe, zwangsläufig, so Konrad zu Wieser, ret-
tete sie oft über ein paar Stunden oder auf ein paar Tage. Schließlich hatten sie ja in Wirklichkeit fast kein Geld mehr, Konrad zu
Wieser im Vertrauen: fast nichts mehr. Dazu fällt mir Wiesers
Beschreibung von Konrads Beschreibung von Konrads letztem
Bankbesuch ein: heute früh bin ich auf der Bank gewesen, sagt
Konrad zu Wieser, man hat mir noch einmal zehntausend gegeben, das wären allerdings die letzten Zehntausend, hat man gesagt. Der junge Beamte heraußen, im Schalterraum, verstehen
Sie, hat mir ja überhaupt kein Geld (mehr) geben wollen, aber
ich bin sofort zum Direktor gegangen. Der Direktor hat mich
gleich, sehr höflich naturgemäß, empfangen. Sie wissen ja, dieses
kleine Direktorkabinett, in welchem ständig so schlechte Luft ist,
weil niemals gelüftet wird, wobei man zu bedenken hat, soll Konrad zu Wieser gesagt haben, daß, macht man das Direktorkabi-

nettfenster auf, von draußen eine noch viel schlechtere Luft herein kommt, vom Parkplatz, wissen Sie. Ich gehe also zum Direktor hinein, diese grüngestrichenen eisernen Aktenschränke, wissen Sie, sagt Konrad. Man kann nicht anders, als sofort beim Eintreten in das Direktorkabinett das an der Wand hängende Bild des Gründers der Bank, des Herrn Derflinger, anschaun. Hinaufgedrehter Schnurrbart, Bauerngesicht und so weiter. Wir schütteln unsere Hände, sagt Konrad, ich solle Platz nehmen und ich nehme Platz. Vor sich auf dem Schreibtisch hat der Direktor, sehe ich sofort, alle mich betreffenden Unterlagen. Daß es jetzt zu einer entscheidenden, zu der entscheidenden Aussprache zwischen mir und dem Direktor kommen werde, denke ich und ich habe mich nicht getäuscht, der Direktor blättert in den mich betreffenden Papieren, dann telefoniert er, die mich betreffenden Papiere betreffend, dann läßt er einen, dann einen zweiten, dann einen dritten, einen vierten, fünften Beamten kommen, alles in Zusammenhang mit den mich betreffenden Papieren, Kontoauszügen et cetera, dann telefoniert er, dann studiert er, dann telefoniert er wieder, studiert wieder et cetera. Tatsächlich hat der Direktor alle mich betreffenden Papiere bei der Hand und das heißt, alle Papiere aus allen Jahren, in welchen ich mit der Bank in Verbindung bin. Der Direktor blättert alle diese Papiere durch, dabei denke ich fortwährend, ob er mir vielleicht gar kein Geld mehr gibt, in der Gesichtsmiene des Direktors ist nicht klar auszumachen: gibt er mir Geld, oder gibt er mir kein Geld, einmal denke ich: er gibt, einmal: er gibt nicht, dann denke ich wieder: er gibt, dann wieder: er gibt nicht. Immer wieder werden mich betreffende neue Papiere in das Direktorkabinett hereingeholt, die Beamten und Beamtinnen schleppen sich tatsächlich mit lauter mich betreffenden Papieren ab. Schließlich heißt es für einen der Beamten sogar, die Leiter holen und auf die Leiter hinaufsteigen und aus einem Fach unter der Kabinettdecke mich betreffende Papiere heraus- und herunterholen. Der Direktor drängt den Beamten zur Eile, aber der Beamte sagt zuerst, er könne nicht schneller auf die Leiter hinauf-, dann wieder, er könne nicht schneller von der Leiter heruntersteigen, um sich

nicht zu verletzen, er meinte, er wolle sich nicht das Genick brechen, worauf aber der Direktor nichts sagte, wahrscheinlich, weil
es sich um einen guten Beamten handelt, hielt sich der Direktor
zurück, soll Konrad zu Wieser gesagt haben. Schließlich hat der
Direktor gesehen, daß ich noch meinen Mantel anhabe und er
sprang auf und wollte mir aus meinem Mantel heraushelfen, um
meinen Mantel an dem Türhaken aufzuhängen, ich sprang aber
selbst auf, so Konrad, und zog meinen Mantel aus und hängte ihn
an den Türhaken. Es wäre heute besonders heiß hier, soll der Direktor zu Konrad gesagt haben, Konrad wiederholt: ja, besonders
heiß. Deshalb habe er, der Direktor, ja auch heute nur einen
leichten Rock an, das komme Konrad sicher merkwürdig vor, daß
der Direktor im Winter einen leichten Sommerrock anhabe, aber,
so der Direktor zu Konrad, sagt Wieser, hier, in diesem Zimmer
(er sagte nicht Kabinett) kann man es ja in Winterkleidung nicht
aushalten, man zieht sich viel zu warm an und verkühlt sich,
Schuld seien die Zentralheizungen, andauernd sitze man in einem
viel zu heißen Zimmer (nicht Kabinett) und habe Angst, sich zu
verkühlen, weil es einem zu heiß ist. Man könne in der ganzen
Bank außerdem die Lüftung nicht regulieren. Die Unterlagen
häuften sich auf dem Direktorschreibtisch, soll Konrad zu Wieser
gesagt haben, schließlich hatte ich Mühe, mein Gegenüber, den
Direktor also, nicht aus den Augen zu verlieren, ein Berg Akten
lag auf einmal zwischen mir und dem Direktor. Während ich den
Direktor schließlich überhaupt nicht mehr sehen konnte, hörte
ich wenigstens noch, was er sagte. Sein Gesicht sah ich nicht mehr,
soll Konrad zu Wieser gesagt haben, aber seine Stimme hörte ich
noch. Es sei ihm, Konrad, aufgefallen, daß einige der Beamten
bei ihrem Hereinkommen in das Direktorkabinett Konrad nicht
grüßten, auch drei der vier hergekommenen Mädchen sollen ihn,
Konrad, nicht gegrüßt haben, das habe Konrad sofort mit seiner
Verschuldung in Beziehung gebracht und außerdem gedacht, daß
das unerhört sei, einen Mann wie ihn, einen Bankkunden wie ihn,
der jahrelang in so ausgezeichneter Geschäftsverbindung mit der
Bank gestanden war, durch Grußlosigkeit vor den Kopf zu stoßen. Dann wieder habe Konrad sich gedacht, ob die Grußlosig-

keit dieser Angestellten nicht nur auf Nachlässigkeit zurückzuführen sei, also ohne Absicht hätten sie ihn bei ihrem Eintreten
in das Direktorkabinett nicht gegrüßt und so fort. Immer wieder
soll der Direktor mit den Beamten im Schalterraum, aber auch
mit Beamten im ersten Stock in der sogenannten Kreditabteilung,
telefoniert haben. Schließlich seien auch mehrere von Konrad im
Laufe des letzten Jahres unterschriebene, längst fällige Wechsel
in das Direktorkabinett hereingebracht worden. Konrad sei
schließlich klar gewesen, daß er kein Geld mehr bekommen, daß
man ihn im Gegenteil auffordern werde, seine Schulden, vor allem seine Wechselschulden zu bezahlen. Fortwährend hatte er
dabei aber den Gedanken, so Wieser, daß seine, Konrads, Frau
von dem allen nichts wisse, denn alles Finanzielle hatte er bisher
immer vor seiner Frau verheimlicht und verheimlichen können,
und in der von ihm sogenannten ihrer beider Finanzielles betreffenden Verheimlichungstaktik der Konrad gegenüber schon den
äußersten Höhepunkt erreicht. Jetzt werde alles und das heißt,
ihrer beider endgültige Katastrophe aufkommen und alles mit ihnen zum Ende in einem fürchterlichen Krach auseinanderbre-
chen, habe Konrad gedacht, sagt Wieser, während der Direktor
der Bank andauernd mit den Konrad betreffenden Finanzpapie-
ren beschäftigt gewesen war. Die Beamten und Beamtinnen sind
so in Eile gewesen, soll Konrad gedacht haben, daß sie aus diesem
Grund Konrad nicht grüßen hatten können. Aus der ganzen Art
und Weise der Vorgänge in der ganzen Bank habe Konrad den
Eindruck haben müssen, daß sich alles in der Bank nur auf ihn
konzentriere. Immer telefonierte der Direktor um ein weiteres
mich betreffendes Papier, soll Konrad zu Wieser gesagt haben,
immer noch gab es mich betreffende Papiere im Bankhaus. Die
Physiognomie der Bankangestellten ist immer die gleiche Physiognomie, ihm, Konrad, komme immer vor, die Köpfe der
Bankleute seien mit nichts anderem als mit Papiergeld angefüllt
und ihre Gesichter aus nichts anderem als aus Papiergeld. Durch
den Anblick des Bankbegründers Derflinger, soll Konrad zu
Wieser gesagt haben, indem ich den Bankgründer immer wieder
längere Zeit anschaute, sein Bauerngesicht, dämpfte ich doch die

naturgemäß schließlich immer größere Erregung meinerseits. Wieder glaube ich, Geld zu bekommen, aber gleich darauf stellt sich der Gedanke als auf nichts gegründet heraus und ich denke, der Direktor gibt mir kein Geld mehr, indem das der Direktor sagt, höre ich, daß er mir kein Geld mehr geben wird, obwohl er überhaupt nichts mit dem Geld Zusammenhängendes sagt, er sagt: wie heiß es hier ist!, und ich höre daraus, daß er mir kein Geld mehr geben wird, was das bedeutet hätte, soll Konrad zu Wieser gesagt haben, kann ich Ihnen nicht sagen, weil es tatsächlich etwas Unvorstellbares bedeutet hätte. Die Tatsache, höre ich auf einmal den Direktor, ist ja doch wohl, daß Sie (also ich) mit über zwei Millionen verschuldet sind, und zwar in erster Linie unserer Bank gegenüber, rechnet man Ihren Besitz ab, verbleiben mindestens eineinhalb Millionen, sagt der Direktor. Ihr Besitz deckt ja Ihre Schulden bei weitem nicht!, sagt der Direktor mehrere Male, Konrad soll den Satz des Direktors: Ihr Besitz deckt Ihre Schulden bei weitem nicht! drei-, vier-, fünf-, sechsmal gehört haben, während der Direktor diesen Satz in Wirklichkeit nur ein einziges Mal ausgesprochen haben soll, ununterbrochen hörte ich diesen Satz!, so Konrad zu Wieser. Und dann sagt der Direktor folgenden Satz, den ich immer wieder höre, den ich einfach nicht mehr aus meinem Kopf herausbringe, soll Konrad zu Wieser gesagt haben, der Direktor sagt: und wie Sie wissen, haben wir die sogenannte Zwangsversteigerung des Kalkwerks in die Wege geleitet. Natürlich habe man eine solche immerhin schmerzvolle Maßnahme längere Zeit hinausschieben können, jetzt aber könne man diese Maßnahme nicht mehr hinausschieben, sie sei unaufschiebbar geworden, auch das Wort *unaufschiebbar* soll Konrad nicht mehr aus seinem Kopf gebracht haben, tagelang nicht, wochenlang nicht, bis zur sogenannten Bluttat nicht. Jahrelang sei er, Konrad, ganz einfach auf die Bank gegangen und habe Geld verlangt und die Bank habe ihm Geld gegeben, es sei jahrelang eine zweiwöchentlich sich wiederholende Gewohnheit gewesen, daß Konrad am Vormittag vom Kalkwerk nach Sicking hineingeht, die Bank betritt und eine mehr oder weniger größere Summe, so der Direktor, abhebt und tatsächlich hätte ihn die Bank immer jede gewünschte Summe ohne den geringsten Widerstand abheben lassen, einmal fünftausend, einmal zehntausend, einmal zweitausend, einmal eintausend, einmal fünfhundert, einmal zwanzigtausend und so fort. Der Bank sei es niemals eingefallen, Konrad das Abheben, gleich welcher Summe, zu verweigern, die Bank habe sich immer und in allen möglichen Ansprüchen Konrads als gefällig, ja, das müsse jetzt selbst der Direktor sagen, als großzügig erwiesen. Jetzt aber sei alles zu Ende. Da habe ich, soll Konrad zu Wieser gesagt haben, naturgemäß augenblicklich aufstehen und weggehen wollen, weggehen, nichts als weggehen, habe ich gedacht, und ich bin auch tatsächlich aufgestanden und ich habe den Mantel vom Haken genommen, so Konrad zu Wieser, und ich habe dem Direktor die Hand hingehalten und der Direktor, der selbstverständlich aufgesprungen war, nachdem ich aufgesprungen war, hat mir die Hand gegeben und gesagt: gut, Zehntausend können Sie abheben, wir geben Ihnen selbstverständlich noch einmal Zehntausend. Der Direktor hat tatsächlich selbstverständlich gesagt, soll Konrad zu Wieser gesagt haben. Selbstverständlich, selbstverständlich, selbstverständlich, immer wieder höre ich heute noch das Wort selbstverständlich, soll Konrad zu Wieser gesagt haben, sehr grotesk aus Gewohnheit, so Konrad, selbstverständlich, wo es doch das Selbstverständlichste gewesen wäre, so Konrad, daß man mir nichts mehr gegeben hätte. Auch noch das Wort Zuvorkommenheit soll der Bankdirektor gesagt haben, genauso das Wort natürlich. Und wie ich gewohnheitsmäßig zu Monatsanfang immer die runde Summe von Zehntausend abgehoben habe, so Konrad zu Wieser, habe ich auch, nachdem ich mich von dem Direktor verabschiedet und ihm, wie gesagt, die Hand geschüttelt gehabt habe, die runde Summe von Zehntausend abgehoben. Ich steckte das Geld in die Rocktasche und verließ die Bank, ein- für allemal das letzte Mal verließ ich die Bank, soll Konrad zu Wieser gesagt haben. Ich ging in ein paar Geschäfte, kaufte Schuhriemen, Talg, Schreibpapier, Hemdknöpfe, neue Fäustlingswolle für meine Frau und ging zum Kalkwerk zurück. Zweifellos hat sich die Bank noch einmal als großzügig erwiesen, soll Konrad zu

Wieser gesagt haben. Auf dem Heimweg ist mir naturgemäß die ganze Ausweglosigkeit unserer Situation zu Bewußtsein gekommen. Tatsächlich, wenn wir sparen, habe ich mir gedacht, während ich bis zum Felsenvorsprung und wieder zum Gasthaus zurück und vom Gasthaus zum Sägewerk und vom Sägewerk zum Felsvorsprung und hinter dem Zuhaus am Zuhaus vorbei in das Kalkwerk gegangen bin, haben wir noch ein paar Wochen, wenn wir noch mehr sparen, vielleicht sogar noch ein paar Monate mit diesen Zehntausend Zeit. Wenn wir unsere Ansprüche von den niedrigsten auf noch niedrigere Ansprüche herunterdrücken können, was uns, weil wir ja, wie Konrad zu Wieser gesagt haben soll, die Anspruchslosesten sind, leicht gelingt. Natürlich muß es mir in dieser Zeit aber auch gelingen, die Studie niederzuschreiben, soll Konrad zu Wieser gesagt haben, ist die Studie niedergeschrieben, ist alles andere ohne Bedeutung und wahrscheinlich ist gerade die auswegloseste Situation die beste für die Niederschrift der Studie. Insofern, als ich diesen Gedanken immer weiter entwickeln und schließlich zu meinem Hauptgedanken habe machen können, soll Konrad zu Wieser gesagt haben, fühlte ich nicht einmal Beklommenheit, im Gegenteil, ich bin pfeifend in mein Zimmer gekommen. Am Abend, erinnere ich mich, soll Konrad zu Wieser gesagt haben, sagt sie, während ich ihr aus dem Kropotkin vorlese, plötzlich das Wort Ball, kurz darauf das Wort Faschingsball. Obwohl sie das Wort Faschingsball mehrere Male ausspricht, so Konrad zu Wieser, höre ich mehrere Male das Wort Faschingsball. Dann sagt sie: weißt du noch?, und dann sagt sie die Wörter Venedig, Parma, Florenz, Nizza, Paris, Deggendorf, Landshut, Schönbrunn, Mannheim, Sighartsein sagt sie, Henndorf. Aber das alles ist ja mindestens dreißig Jahre zurück, sagt sie. Bälle! Bälle!, ruft sie aus. Immer wieder: Bälle! Bälle! Du hast dich dagegen gewehrt, aber ich habe nicht locker gelassen, sagt sie, einfach nicht locker gelassen. In Paris, in Rom, erinnerst du dich? Auf den Ball! Auf den Ball! habe ich kommandiert und wir sind auf den Ball gegangen, auf alle diese Bälle sind wir gegangen. Meine Rücksichtslosigkeit ist die stärkere Rücksichtslosigkeit gewesen. Du hast mir das Kleid ausgezogen, in Rom das rote Kleid,

in Florenz das blaue, in Venedig das blaue, in Parma das weiße
Kleid, das Schleppenkleid, ja, das Schleppenkleid, ich will das
Schleppenkleid anziehn, zieh mir das Schleppenkleid an, ja, zieh
es mir an, zieh es mir an! und ich ziehe ihr das Schleppenkleid an.
Los, den Spiegel, kommandiert sie und dann: los, die Puderdose!
und dann pudert sie ihr Gesicht ein und schaut sich in den Spiegel,
abwechselnd pudert sie ihr Gesicht ein und schaut sie sich in den
Spiegel. Plötzlich sagt sie: ich sehe ja nichts, ich sehe ja überhaupt
nichts. Tatsächlich, so Konrad zu Wieser, sieht sie in der Puder-
wolke in ihrem Spiegel nichts. Wahrscheinlich ist es gut, daß ich
nichts sehe, sagt sie, darauf pudert sie sich immer noch mehr ein.
Ihr ganzes Kleid ist voller Puder, soll Konrad zu Wieser gesagt
haben, und immer wieder sagt sie: ich muß mich einpudern, einpudern muß ich mich, zur Gänze einpudern, und wie kein Puder
mehr in der Puderdose ist, sagt sie: haben wir nicht noch irgendwo
Puder? Es muß doch noch Puder da sein! Puder! Puder! Puder!,
sagt sie und tatsächlich finde ich eine zweite Puderdose und sie
pudert ihr Gesicht vollkommen ein, sagt Konrad zu Wieser,
plötzlich sehe ich nicht einmal mehr ihr Gesicht, sie hat sich ihr
Gesicht vollkommen zugepudert. Zugepudert! Zugepudert!, sagt
sie: zugepudert! Zugepudert!, ruft sie aus, sagt Konrad, plötzlich
lacht sie und ruft: eingepudert, zugepudert, vollkommen zugepudert habe ich mich und sie lacht und ruft und lacht und ruft: eingepudert, zugepudert, zugepudert, eingepudert, zugepudert!
Dann schweigt sie und richtet sich auf und sagt: gut so. Und noch
einmal: gut so. Und dann: die Vorstellung ist aus: Abgebrochen.
Die Vorstellung ist abgebrochen, aus. Wir haben einen Skandal!
Stell dir vor, ruft sie, sagt Konrad zu Wieser, wir haben einen
Skandal, wir haben einen Skandal im Haus, einen Skandal! Einen
Skandal! Einen Skandal! Nach kurzem Schweigen sagt sie, sagt
Konrad: gut so, gut so. Sie ist völlig erschöpft, wie ich ihr das
Schleppenkleid wieder ausziehe. Du mußt das Kleid gut aus-
schütteln, sagt sie, sagt Konrad zu Wieser, das ganze Kleid ist vol-
ler Puder, geh hinaus auf den Gang und schüttle das Kleid gut aus!
und ich gehe hinaus und schüttle das Kleid aus. Um elf sage ich
Gute Nacht und gehe in mein Zimmer, sagt Konrad, in meinem

Zimmer aber stelle ich fest, daß ich den Kropotkin in ihrem Zimmer vergessen habe, ich gehe also wieder in ihr Zimmer hinauf und hole mir den Kropotkin. Überraschenderweise, wahrscheinlich aus Erschöpfung, so Konrad zu Wieser, schlief sie schon. Ich tastete mich zum Tisch und nahm den Kropotkin an mich und ging in mein Zimmer zurück. Im Kropotkin zu lesen, beruhigte mich. Gegen zwei Uhr, meine übliche Einschlafzeit, so Konrad zu Wieser, schlief ich ein. Zu Fro: nicht das erste Mal sitzen wir in völliger Finsternis. Wir haben nichts zum Nachtmahl gegessen. Nicht das Unsinnigste kann ich tun, nicht Fingernägel schneiden, nicht Zehennägel schneiden, sagt Konrad. Absolute Untätigkeit. Ich sage, ich lese aus dem Kropotkin vor und kann nicht, ich sage, ich lese aus dem Ofterdingen vor und kann nicht. Und dieser deprimierende Eindruck, ununterbrochen meiner erschöpften Frau gegenüber zu sitzen. Versuch' es doch noch einmal mit dem Kropotkin, noch einmal mit dem Ofterdingen, denke ich abwechselnd, umsonst. Ich habe aber auch nicht die Kraft, aufzustehn und in mein Zimmer zu gehn. Während ich ihr gegenübersitze, kommt mir die ganze Verwahrlosung und Armseligkeit meiner Frau deutlicher denn je zu Bewußtsein, auch meine eigene Verwahrlosung und Armseligkeit. Schaue ich durchs Fenster, weiß ich auch in der Finsternis, das Wetter ist die Ursache dieser Zustände. Das Wetter kann einen Menschen wie mich und einen Menschen wie sie verrückt machen, dazu die grundlegenden Ursachen für Verzweiflung, denke ich. Wir sind beide unbeweglich in unseren Sesseln. Bis in die Frühe sitzen wir wortlos, völlig erschöpft, völlig ermüdet und total erschöpft in unseren Sesseln, halbwach, und ab und zu klammern wir uns gegenseitig stillschweigend an unseren Körpern an, damit wir nicht von einem Augenblick auf den andern den Verstand verlieren. Begräbnis des Sägewerkers: Höller holt mich ab, sagt Konrad zu Fro, wir gehen unter dem Felsvorsprung zum Sägewerk. Ich habe mir schwarze Kleidungsstücke zusammengesucht und angezogen, sagt Konrad zu Fro. Ein Paar warme Wollstrümpfe, die ich mir einmal in Mannheim zum Begräbnis meines Vetters Albert gekauft habe, meines jüngsten Vetters. Auch die warme schwarze

Weste, die ich in Hamburg gekauft habe, habe ich angezogen. Ich habe den schwarzen Borsalino auf. Natürlich den schwarzen Wollschal um den Hals. Und schwarze Schuhe, die ich in Venedig gekauft habe. Man müsse vorsichtig sein, soll Höller zu Konrad gesagt haben, sagt Konrad zu Fro, man gehe auf ein Begräbnis und hole sich den Tod. Ich habe das oft beobachtet, soll Konrad zu Fro gesagt haben: ein Mensch geht auf ein Begräbnis und verkühlt sich und kurz darauf ist sein eigenes Begräbnis. Während wir zum Felsvorsprung gehen, soll Konrad zu Fro gesagt haben, denke ich über das Verhältnis zwischen mir und dem Sägewerker nach und denke, daß zwischen mir und dem Sägewerker immer ein gutes Verhältnis gewesen ist. Wer schwarze Kleidung hat, geht in schwarzer Kleidung auf ein Begräbnis, denke ich, während wir auf das Sägewerk zugehen. Sofort geht man, ist man am Trauerhaus, in das Aufbahrungszimmer hinein. Man drückt der Witwe oder dem Witwer die Hand. Man sagt etwas von einem guten Menschen, teuren Toten. Hinter der Leiche gehen alle langsam, sie sprechen nicht, sondern murmeln. Man versteht kein Wort. Besonderen Begräbnissen schließen sich Hunderte an. Das Begräbnis des Sägewerkers ist ein besonderes Begräbnis, denke ich. Nach besonderen Begräbnissen, auf welches besondere Menschen gehen und auf welchem eine besondere Geistlichkeit die Einsegnung vornimmt, geht man in ein besonderes Gasthaus und ißt ein besonderes Essen, denke ich. Ein besonderer Wagen fährt besonders geschmückt von besonders glänzenden und besonders geschmückten Pferden gezogen vor besonders in Mitleidenschaft gezogenen Leuten. Der Leichenzug hat eine besondere Zusammensetzung, die Liturgie am Grabe ist eine besondere, naturgemäß sind die Kosten besondere. Und der Tag, an welchem ein solches Begräbnis stattfindet, ist ein besonderer Tag, denke ich, sagt Konrad zu Fro, ich gehe auf das Sägewerk zu, auf das Hunderte Leute zugehen, alle schwarz gekleidet, sagt Konrad zu Fro, und manchmal geht Höller vor mir, manchmal, weil ich keinen regelmäßigen Gang habe, hinter mir, schließlich aber geht Höller wieder neben mir und ich denke: der Feuerwehrhauptmann wird eine besondere Rede halten. Tatsächlich sehe ich, wie wir beim Sägewerk angekommen sind, daß alle Leute besonders angezogen sind. Besonders schöne Kränze, besonders weiße, saubere Kinderkleidchen sehe ich. Besonders kostbar ist der Sarg. Schließlich, am offenen Grab, soll Konrad zu Fro gesagt haben, denke ich, soll ich den Hut aufbehalten oder nicht, nimmst du den Hut ab, verkühlst du dich tödlich, läßt du ihn auf, reden die Leute darüber, also, soll Konrad zu Fro gesagt haben, ich behalte den Hut auf. Der Feuerwehrhauptmann hält eine besonders kurze Rede, das verblüfft mich zuerst, sagt Konrad zu Fro, dann aber fällt mir ein, daß der Feuerwehrhauptmann und der Sägewerker Feinde gewesen sind, und natürlich ist die Rede des Feuerwehrhauptmanns kurz. Um so länger is die Rede des Geistlichen. Die Tiefe der offenen Gräber erschüttert mich immer, soll Konrad zu Fro gesagt haben, man sei mutig und führe ein großes Wort, aber vor der Tiefe der offenen Gräber erschrecke man. Hatte ich mit dem Sägewerker keinerlei Differenzen?, denke ich, soll Konrad zu Fro gesagt haben. Nein, mit dem Sägewerker habe ich keinerlei Differenzen gehabt, soll Konrad auf dem Heimweg vom Begräbnis gedacht haben. Tatsächlich ist der Sägewerker ein ordentlicher Mensch gewesen, soll Konrad, während sie sich dem Kalkwerk näherten, zum Höller gesagt haben, darauf habe er längere Zeit darüber nachgedacht, warum er und vor allem zum Höller auf dem Nachhauseweg gesagt habe, der Sägewerker wäre ein ordentlicher Mensch gewesen, er hätte ja auch sagen können, ein guter oder wenigstens ein einwandfreier Mensch. Den Rest des Tages seien die abwechselnde Lektüre des Ofterdingen und des Kropotkin auf dem Programm gestanden, während des Vorlesens mußte ich immer noch an das Begräbnis denken, soll Konrad zu Fro gesagt haben, und meine Stimme war dadurch eine völlig andere, als sie es sonst ist. Fro: ein Traum Konrads: in einem Anfall von plötzlicher, nicht näher klassifizierbarer Verrücktheit (Katatonie?) hat er, Konrad, angefangen, das Kalkwerksinnere, und zwar von ganz oben unter dem Dach, nach und nach bis ganz hinunter, mit schwarzem Mattlack auszumalen, den er in mehreren großen Kübeln auf dem Dachboden gefunden hat. Nicht früher, als bis er nicht das ganze Kalkwerksinnere mit schwarzem Mattlack ausgemalt habe, verlasse er das Kalkwerk, habe er sich gesagt und den größten Wert darauf gelegt, tatsächlich alles im Kalkwerk schwarz und das heißt, mit dem von ihm auf dem Dachboden vorgefundenen schwarzen Mattlack, auszumalen. Decken, Wände, noch vorhandene Einrichtungsgegenstände, wie gesagt, einfach alles malte er schwarz an und aus, und er malte sogar das Zimmer seiner Frau, schließlich alles im Zimmer seiner Frau und schließlich seine Frau selbst schwarz an und aus, man muß sich vorstellen, alles in ihrem Zimmer, also auch ihren französischen Krankensessel, wie gesagt alles und schließlich auch alles in seinem Zimmer und er brauchte genau sieben Tage dazu, so Fro, um das ganze Kalkwerk und das ganze Kalkwerksinnere und schließlich auch das Innere des Kalkwerksinneren schwarz an- und auszumalen. Kaum war er damit fertig gewesen, so Fro, habe er das Kalkwerk von außen abgesperrt und sei am Zuhaus vorbei zum Felsvorsprung gelaufen und habe sich vom Felsvorsprung in die Tiefe gestürzt. Fro heute: fortwährend habe er Angst, ein Mann aus der Bank könne anklopfen, daher mache er nicht mehr auf. Ein Mann von der Bank oder einer von der Polizei stehe vor der Tür, dadurch gehe er nicht mehr aus seinem Zimmer hinaus, auch auf das Läuten und Klopfen seiner Frau nicht. Ihn, Fro, habe er nur aus tiefster Verzweiflung ins Kalkwerk hereingelassen. Oft klopfe jemand mit unerschrockener Hartnäckigkeit an die Tür, er glaube aber nicht, daß das der Höller sei, denn der Höller tue das nicht. Als ob jemand das Kalkwerk zertrümmern wolle, klopfe es. Konrad soll gesagt haben: ich sitze in meinem Sessel und höre das Klopfen und warte von einem Klopfen auf das andere, an den unregelmäßigen Abständen, mit welchen an die Tür geklopft werde, könne er nicht mehr erraten, wer klopfe. Ist es einer aus der Bank? ist es einer von der Polizei? denke er. Er bleibe ununterbrochen in seinem Sessel sitzen. Mache nicht auf. Er beherrsche sich. Stundenlang höre er das Läuten seiner Frau, denke aber: es hat keinen Zweck, daß ich hinaufgehe. Es ist alles zwecklos, denke er. Zu Wieser, mit dem ich heute die Lebensversicherung habe abschließen können, soll Konrad gesagt haben, daß einem das ungeheure Material, das man für eine solche Studie angesammelt, und zwar in seinem Kopfe angesammelt habe, eine solche Studie zunichte machen könne, die Wahrscheinlichkeit, daß einem eine solche Studie zunichte gemacht werde durch ungeheuere, immer noch ungeheuerere Materialansammlung als Studie schließlich, sei in dem Maße der Ansammlung des Materials für eine solche Studie eine immer noch größere. Schließlich werde man von dem Begriffsmaterial ganz einfach erdrückt. Zuerst habe er geglaubt, die Studie sei ihm durchaus möglich, dann, die Studie sei ihm endgültig unmöglich, abwechselnd erschien ihm die Studie möglich und wieder unmöglich, aber die Abschnitte, in welchen ihm die Niederschrift der Studie möglich erscheine, seien immer kürzere Abschnitte, die Abschnitte, in welchen die Studie verloren, immer längere. Aber er habe immer wieder eine Möglichkeit gesehen, mit der Niederschrift anfangen zu können, tatsächlich glaube er auch heute (also noch vor einem halben Jahr!), die Studie plötzlich und in einem Zuge, wie er sich Wieser gegenüber ausgedrückt haben soll, niederschreiben zu können. Schließlich ginge es ja doch nur darum sich einfach niederzusetzen und die Studie aufzuschreiben, er könne nicht glauben, daß diese günstige Konstellation, nämlich, sich hinsetzen und die Studie ohne weiteres aus dem Kopf heraus auf das Papier niederschreiben zu können, nicht auf einmal doch da wäre. Jede Konstellation komme einmal im richtigen Augenblick, soll Konrad gesagt haben, jede günstige wie auch jede ungünstige, das sei das Wesen einer jeden Konstellation, und es gehe nur darum, den einzig richtigen Augenblick einer solchen günstigen oder ungünstigen Konstellation im richtigen Augenblick zu erkennen. Im Grunde sei es nichts anderes als: man setze sich hin und schreibe auf, was man aufzuschreiben habe. Ist der Zeitpunkt da, gehört er ausgenützt, und es habe ihm einfach bis jetzt die Möglichkeit gefehlt, den Zeitpunkt auszunützen, zweifellos sei der Augenblick schon sehr oft dagewesen, er denke nur an die günstige Brüsseler oder die günstige Mannheimer oder an die noch günstigere Meraner oder Deggendorfer oder Landshuter Zeit, er habe diese nur nicht ausnützen können, alles sei zu gewissen richtigen Augenblicken immer wieder, soll

Konrad gesagt haben, man nütze es nur nicht aus, die meisten, das sei ihm allerdings kein Trost, nützten die günstigen einzigen Augenblicke niemals in ihrem Leben aus, zu diesen möchte er, Konrad, vor allem im Hinblick auf eine so wichtige Arbeit wie die Studie, nicht gehören, aber in jedem Menschen wie in jedem Gehirn oder Kopf sei, wie er sagt, einmal alles möglich und dieses *einmal alles* möchte er, sei es in naher, sei es in weiterer, sei es in nächster Zukunft, was er wünsche, erkennen und ausnützen, unausgenützte günstige Konstellationen, Zeiten et cetera, habe er genug in seinem Leben aufzuweisen, die meisten Menschen existierten nur aus solchen und seien nur aus solchen sogenannten unausgenützten günstigen (oder ungünstigen) Konstellationen zusammengesetzt, wo man hinschaue, nichts als unausgenützte Konstellationen, günstiger wie auch ungünstiger Natur und freilich: niemand könne entscheiden, sei eine Konstellation günstig oder ungünstig, die eine sei günstig, weil die andere ungünstig sei, die ungünstige günstig für den einen (Kopf), die andere günstig für den ungünstigen et cetera, es hänge vom einzelnen (Kopfe) ab, für sich eine günstige Konstellation aus einer ungünstigen, ungünstige aus einer günstigen et cetera, aus einer günstigen Konstellation eine günstige Konstellation zu machen et cetera. Dazu komme, daß er nicht mehr viel Zeit habe, soll Konrad schon vor zwei Jahren gesagt haben, einerseits lebe ich ja nicht mehr lange, soll er gesagt haben, andererseits lebe ich in ständiger Bedrängnis, im Grunde habe er in der ganzen Zeit keine Zeit und so fort. Und außerdem sei ihm klar, daß er ein alter Mann sei und ein alter Mann habe einen alten Kopf. Andererseits: man schreibe eine Studie zu früh nieder und sie sei, obwohl man sie niedergeschrieben habe, verloren, nichts wert, nichts, oder zu spät und dadurch nichts wert, nichts. Man könne aber auch nicht einen genauen Zeitpunkt für die Niederschrift einer solchen Studie fixieren, das sei ja das Fürchterliche, dieser genaue einzige richtige Zeitpunkt fixiere sich selbst. Daß er sich ohne weiteres eine jahrzehntelange Arbeit durch einen falschen, oder auch nur durch einen falsch verstandenen Zeitpunkt zunichte machen könne. Oder: aus Angst, die angefangene Studie könne er nicht zum Ende bringen, müsse er die angefangene Studie abbrechen, aus nichts sonst. Oder: die Studie ist niedergeschrieben und dadurch wertlos, wie sie, weil sie nicht niedergeschrieben ist, wertlos ist. Daß, weil er voreilig gewesen war, alles zunichte gemacht ist, weil er zu vorsichtig und dadurch zu spät mit der Niederschrift angefangen habe. Und so habe er immer einen neuen Zeitpunkt kommen und vorbeigehen lassen und sich dadurch mehr und mehr geschwächt, schließlich werde er aber einmal so geschwächt sein, daß die Niederschrift der Studie dadurch nicht mehr möglich sei. Er wolle nicht wissen, wieviele hervorragende Geistesprodukte durch Voreiligkeit, wieviele durch Verspätung verloren sind, wieviele außerordentliche Existenzen durch eine solche Voreiligkeit oder Verspätung im Geiste vernichtet. Natürlich, man wisse, wieviele durch Unvorsichtigkeit oder durch Unaufmerksamkeit oder durch Übervorsichtigkeit oder durch Überaufmerksamkeit gescheitert seien. Alles, was er sei, was er also besitze, habe er in die (unaufgeschriebene) Studie investiert. Aber öffentlich zu sagen, auszusprechen, er habe also alles in die Studie investiert, getraue er sich nicht, gestatte er sich nicht. Einerseits sei er größenwahnsinnig in dem fatalsten Sinne des Wortes, und seine Frau verschone ihn nicht mit dieser Tatsache, tagtäglich stoße sie ihn durch gezielte Äußerungen auf diese Tatsache, so furchtbar, wie einen eben ein solcher vollkommener Krüppel als Frau darauf stoßen kann, soll Konrad zu Wieser gesagt haben, andererseits taste er sich ja nurmehr noch schon Jahrzehnte durch nichts als Ängstlichkeit und Furchtsamkeit, durch die und vor der Studie, von einer Verletzungsmöglichkeit zur anderen. Und sage er tatsächlich einmal, er habe alles in die Studie, die er im Kopf habe, was ihm niemand, kein Mensch, glaube, er habe also alles in die Studie investiert, würde er doch nicht ernstgenommen, doch immer wieder nur für einen Narren gehalten. Wie er ja auch seiner Frau täglich sage, er habe alles in die Studie, die er im Kopf habe, wie er immer wieder betone, investiert, und sie ihn genauso tagtäglich als einen Narren, dem sie zum Opfer gefallen sei, bezeichne. Also: sie sei der Krüppel, der dem Narren zum Opfer gefallen sei, insofern sei ein Krüppel dem andern,

ebenso ein Narr dem andern zum Opfer gefallen, ihre Verkrüppelung sei eine närrische, wie sein Narrentum verkrüppelt und so
fort. Das Gegenüber, die Feinde, soll er gesagt haben, seien doch
immer und in jedem Fall in der Übermacht. Nur Feinde, soll er
gesagt haben, denn selbst Freunde seien nichts als Feinde, man
mache sich einen Freund vor, indem man den Feind hinter diesem
Freund verberge, vor sich vertusche, der Freund komme in das
Theater, das man sich vormache, herein und setze sich zeitweilig
in die Bühnenmitte, weil uns das notwendig erscheine, so lange,
bis wir ihn fortjagen, weil wir ihn plötzlich wieder als Feind zu erkennen imstande seien, als Feind unter allen anderen Feinden,
die unsere Bühne bevölkerten. Immer neue Feinde als Freunde
kommen aus dem Bühnenhintergrund, soll Konrad gesagt haben,
von überall her, aus der größten Finsternis heraus Feinde als
Freunde und Freunde als Feinde, also Feinde, und wir lassen sie
uns in großen Massen selbst vom Schnürboden herunter. Der
Wortreichtum der die Bühne bevölkernden Feinde als Freunde
(und umgekehrt!) sei der unendlich gewiegte und gefinkelte
Stichwörtergeber überall auf der Bühne, die wir uns selber mit
großer Verheuchelungstaktik entworfen hätten. Der Vorhang
gehe auf, die Feinde (als Freunde und umgekehrt) kämen auf die
Bühne, so Konrad: bis der Tod den Eisernen Vorhang herunter
lasse, einen Großteil der Agierenden augenblicklich zertrüm-
mernd. Ein Fehler sei es zweifellos gewesen, dem Befehl seiner
Eltern, nicht zu studieren und das heißt kein sogenanntes ordentliches Studium aufzunehmen und durchzuführen und abzuschlie-
ßen, zu gehorchen, dadurch sei er zeitlebens als Wissenschaftler
Außenseiter geblieben, einerseits in dem Vorteil der vollkommenen Unabhängigkeit, andererseits aber in dem Nachteil, gänzlich
auf sich selbst angewiesen zu sein, gewesen, schließlich nur auf
das Mühevollste vorwärtsgekommen, das Fundament eines sogenannten ordentlichen Studiums durch das Fundament äußerster
Selbstanstrengung seiner zweifellos für die Naturwissenschaft allergrößten Begabung zu ersetzen, wäre ihm, Konrad, nicht
leichtgefallen, aber zu seinem Glück habe er niemals Mutlosigkeit und Risikolosigkeit, seine und das heißt, die Naturwissen-

schaft und also seine Studie betreffend, gekannt, im Gegenteil, je mehr das scheinbar Unüberwindliche vor ihm sich mit jedem Tage und mit jedem sogenannten wissenschaftlichen Augenblicke vergrößerte, reizte es ihn, es zu überwinden, und er hatte auch nach und nach gerade aus den allergrößten Schwierigkeiten die allergrößten Hindernisse überwinden und sich schließlich mit guten Materialien und gutem Gewissen, seiner Arbeit an der Studie, die er von vornherein mit *Das Gehör* betitelt hatte, widmen, er selber sagte, ausliefern können. Wie sie selbst es gewohnt waren, sollte Konrad sich unter dem Zwang seiner Eltern nicht auf ein Studium, von welchem man, und das heißt in seiner unmittelbaren Elternumgebung, nicht das Geringste hielt, sondern ausschließlich auf den weitverzweigten schönen, rückblickend müsse man sagen, soll Konrad bemerkt haben, die ganzen Jahrhunderte der Familien, zu welchen er gehörte, mit wunderbarer ökonomischer Natur belebenden Besitz konzentrieren, worin die zweifellos in seiner Familie geradezu als ein tödliches Erbe hier besonders augenfällig in Erscheinung tretende Stumpfsinnigkeit der durch Glück und Unglück Besitzenden zum Ausdruck komme. Anstatt ihn gehen zu lassen, wohin er habe gehen wollen, auf eine Universität, hatten sie ihn aus dem Internat heraus nach Hause zurückgeholt und ihm einzureden versucht, es sei das natürlichste Glück auf der Welt, nicht zu studieren und sich also nicht für den sogenannten größenwahnsinnigen Kopf entscheiden zu müssen, sie hatten ihn dazu, wie sie es gewohnt gewesen waren und worin sie immer ihre und also auch seine Erfüllung zu sehen sich getrauten, gezwungen, seine ganze Aufmerksamkeit ausschließlich auf Grundstücke und auf Häuser, auf Sägewerke, Kellereien, Kalkwerke, Zinsblöcke, Fischwässer, auf Holz und auf Stein und auf das niedrige und auf das höhere Vieh zu wenden. Tatsächlich hatte aber schon den jungen Konrad der Familienbesitz überhaupt nicht interessiert, überhaupt interessierte ihn der Besitz als Selbstzweck nicht, und das habe jeder sehen und an ihm sich unaufhörlich verstärkend sehen können, so blind habe keiner in seiner Umgebung sein können, und die Folge davon wäre ja die, daß die Konrad heute (so Konrad vor einem Jahr) so viel wie fast alles verloren haben. Seine Eltern hätten gewußt, daß er sich nur für ein Studium, nicht aber für ihren Besitz interessierte, und wie habe er sich für ein naturwissenschaftliches Studium begeistert, das sie ihm nicht gestattet hatten, wie hätte er sich begeistern können, wäre ihm von ihnen ein solches reines naturwissenschaftliches Studium, wie er es sich gewünscht hatte, erlaubt worden, aber Studieren verachteten sie aus tiefster Seele und sie haßten es mit der ganzen Allmächtigkeit ihres Herkommens und sie hätten ihn schließlich mit dem Gewicht ihrer Jahrhunderte auf dem Besitz, auf welchem er zu sein hatte, erdrückt, wären sie nicht plötzlich, in verhältnismäßig jungen Jahren, so Konrad, beide ganz kurz nacheinander, gestorben. Nach ihrem Tode aber wäre es für ein Studium zu spät gewesen, aber er hatte sich frei fühlen und frei entwickeln und das Versäumte in erstaunlich kurzer Zeit einholen können. Gegen alle diese Widerstände habe er aber im Laufe von nur wenigen Jahren, soll er zu Wieser gesagt haben, die Studie im Kopf gehabt, gegen alle Widerstände und zwar gegen die widrigsten Widerstände die Studie im Hintergrund seines Kopfes erzeugen können. Es sei immer das gleiche, so Konrad zu Wieser, zuerst höre er, dann sehe er, dann denke er, in allen Möglichkeiten sei es immer das gleiche. Zuerst müsse er hören, dann könne er sehen, dadurch wäre ihm Denken ermöglicht. Seiner Frau versuche er diesen Umstand Tag für Tag klarer zu machen, erfolglos. Er denke aber jeden Tag, daß es gut sei, schon sehr früh mit der urbantschitschen Methode angefangen zu haben, noch in der Dämmerung, ja oft auch schon, bevor die Dämmerung eintritt, da hätten sie beide die größte Aufnahme- und Urteilsfähigkeit, die gegen Mittag nachlasse, sich nach dem Mittagessen wieder steigere, ihren Höhepunkt gegen fünf Uhr nachmittag erreiche und dann langsam, ein kurzes Aufflackern registriere er immer wieder zwischen acht und zehn Uhr abend, abnehme, schließlich gegen Mitternacht erschöpft sei. Immer wieder sage er zu seiner Frau, daß der wissenschaftliche Mensch an eine Sache wie die Studie, die seine Sache sei, tagtäglich mit größter Geheimhaltung, gleichzeitig größter Rücksichtslosigkeit heranzugehen habe, sie höre ihm zwar zu, handle aber gerade dieser Feststellung vollkommen entgegengesetzt. Im übrigen enthalte er sich aller fundamentalen Äußerungen die Studie betreffend schon durch Jahrzehnte, solange ihm die Studie noch in der Luft hänge, wie er sich ausgedrückt haben soll, solange er die Studie nicht gerettet und also niedergeschrieben habe. Auch zu Wieser soll er gesagt haben, daß er es versuche, indem er in seinem Zimmer auf- und abgehe. Anstatt daß ich aber während des Aufundabgehens an die Studie denke, soll er zu Wieser gesagt haben, zähle ich die Schritte und werde dadurch halb verrückt. Anstatt an die Studie, das Wichtigste, denke er an Nebensächliches. Mehrere Male habe er, Konrad, während dieses Aufundabgehens plötzlich den Gedanken gehabt, zum Höller hinunterzugehen und mit dem Höller Holz zu hacken, ich gehe auf und ab, soll er zu Wieser gesagt haben, und denke, ich gehe zum Höller hinunter und hacke mit dem Höller Holz, eine ganze Stunde lang denke ich, hinuntergehen und Holz hacken, und ich folge diesem Gedanken so lange, bis ich einsehe, daß das Unsinn ist, hinunterzugehen und mit dem Höller Holz zu hacken, aber ich suche immer, während ich in meinem Zimmer auf- und abgehe, eine Ablenkung von der Studie, wo ich doch alles daransetzen sollte, mich auf nichts anderes als auf die Studie zu konzentrieren. Man könne nicht an die Hauptsache, gleichzeitig an Nebensachen denken, ohne der Hauptsache, in seinem Falle seiner Studie, großen Schaden zuzufügen, den größten Schaden!, soll Konrad Wieser gegenüber ausgerufen haben. Während ihm aber diese Tatsache vollkommen bewußt sei, denke er doch immer wieder gleichzeitig an die Studie und an etwas Nebensächliches, daran, was er und seine Frau am Abend essen werden zu Mittag, was sie frühstücken werden am Abend, was sie zu Mittag essen werden während des Frühstücks, was dem Höller anzuschaffen sei et cetera. Wieser sagt, Konrad habe ihm gesagt, daß er plötzlich, während er doch mit der Studie beschäftigt sei, an seine Pariser Wohnung denke, an die Mannheimer Wohnung, an die Wohnung in Bozen, er denke an die Studie, denke aber gleichzeitig an etwas gänzlich anderes, er schaute in die Pariser Wohnung hinein, während er hundertprozentig auf die Studie konzentriert sein sollte, Konrad soll zu Wieser gesagt haben: alle möglichen Fremdbilder mischen sich in das Bild, das ich von der Studie habe, in das klare Bild und zerstören es mir, die Studie fällt unter Tausenden und Abertausenden von Fremdbildern, vorgestellten Menschengesichtern et cetera, auseinander. Immer habe ihn etwas anderes an der Niederschrift der Studie gehindert, in Paris, in London die Größe, in Berlin die Oberflächlichkeit, in Wien die Schwachsinnigkeit der Leute, in München der Föhn, einmal hätten ihn die Berge, einmal hätte ihn das Meer, einmal hätte ihn der Frühling, einmal der Sommer, einmal der kälteste Winter, einmal der verregnetste Sommer, dann wieder hätten ihn Familienzwistigkeiten, die Verheerungen der Politik, schließlich und endlich hätte ihm aber immer wieder seine eigene Frau die Niederschrift der Studie unmöglich gemacht. In so viele Orte seien sie, er und seine Frau, nur im Hinblick auf die noch nicht vollzogene Niederschrift der Studie gezogen und aus so vielen Orten seien sie oft von einem Augenblick auf den andern wieder weggegangen im Hinblick auf die niederzuschreibende Studie, Paris hätten sie über Nacht verlassen, London über Nacht, Mannheim über Nacht, Wien über Nacht, in der Frühe hätten sie noch nicht gewußt, daß sie am Abend schon alle Koffer eingepackt und alle Beziehungen zu der Stadt, in welcher sie wochenlang, monatelang und meistens für immer, gelebt hatten, abgebrochen und schon eine ganz andere ferne Stadt sich für die Zukunft ausfindig gemacht haben, in welcher sich dann immer wieder dasselbe des Niederlassens für immer und des plötzlichen Aufbrechens und Abreisens, er sagte tatsächlich Hals über Kopf, sagt Wieser, wiederholte. Zum Beispiel, sagt Wieser, habe Konrad von dem Augenblick an, in welchem der Neffe Höllers, diese zwielichtige durch und durch kriminelle Figur, im Zuhaus wohnte, wochenlang nur an diesen Neffen gedacht, während er sich doch hundertprozentig auf die Studie hätte konzentrieren müssen, fortwährend sei er in seinem, dann im Zimmer seiner Frau auf- und ab- und hin- und hergegangen und habe sich einerseits mit der niederzuschreibenden Studie, andererseits aber mit dem so urplötzlich aus der Finsternis des ihm, Konrad, immer unheimlichen Kriminellen aufgetauchten Neffen des Höller beschäftigt, geradezu hineinverbohrt in den Gedanken, was wohl dieser Neffe Höllers im Zuhaus wolle, habe er, Konrad, sich, und die Studie habe darunter aufs Empfindlichste gelitten. Immer wieder soll Konrad sich gefragt haben: wie alt ist dieser Neffe?, und dadurch die Studie vernachlässigt haben, und was für eine Kleidung hat denn der Neffe an? und was für eine Haarfarbe hat dieser Neffe? und: ist dieser Mensch nicht unheimlich? und: er hat lange Beine und einen mächtigen Oberkörper und riesige Hände, er hat so große Hände, wie er, Konrad, noch keine gesehen hat, soll er sich immer wieder gesagt und dadurch die Studie vernachlässigt haben. Einmal soll Konrad Wieser folgendes anvertraut haben: ich gehe hin und her und denke, der Neffe des Höller hat es darauf abgesehen, mich umzubringen, weil er vermutet, daß ich Geld habe, weil er nicht weiß, daß ich gar kein Geld habe, dieser Neffe glaubt, ich sei wohlhabend, es gibt doch eine Art von Gewohnheitsverbrechern, soll Konrad in seinem Zimmer hin- und hergehend gedacht haben, die nicht krank, sondern tatsächlich bösartig sind und vor welchen man sich in Acht nehmen müsse. Er, Konrad, habe aus dem Zuhaus herauf das Gelächter der beiden, des Höller und seines Neffen, gehört und gedacht: was bedeutet dieses Lachen? Ist es nicht ein unheimliches Lachen? Die beiden könnten ja eine Verschwörung gegen ihn, Konrad, sein, habe Konrad gedacht, aber dann diesen Gedanken als unsinnig abtun und unterdrücken können, der Gedanke, daß er sich mit den Gedanken an den Neffen Höllers und an Höller selbst, an deren beider Verhältnis, die Studie ruiniere, oder sich wenigstens die Niederschrift der Studie wieder unmöglich mache dadurch, habe ihn tagelang beschäftigt. Es sei krankhaft, daran zu denken, die Studie nicht niederschreiben zu können, die Studie niemals niederschreiben zu können, diese Krankhaftigkeit entwickle sich langsam zur Krankheit, soll Konrad zu Wieser gesagt haben. Er habe doch richtig gehört, denke er, denn wie er vor dem Zuhaus gestanden sei um ein Uhr nachts (!), hätten die beiden, Höller und sein Neffe, wieder gelacht im Zuhaus, während es aber im Zuhaus vollkommen finster gewesen ist, soll Konrad gesagt haben, das Zuhaus ist vollkommen finster und ich höre die beiden lachen, merkwürdig. Kein lautes Gelächter, nein, auch kein leises Gelächter, nein, ein unheimliches Gelächter. Ihn, Konrad, hatte der Gedanke, daß die beiden, Höller und sein Neffe, mitten in der Nacht im finsteren Zuhaus gelacht haben, die ganze restliche Nacht irritiert, ich habe einfach nicht mehr einschlafen können, soll Konrad gesagt haben, er hätte aufstehen und in seinem Zimmer hin- und hergehen müssen, ununterbrochen an die beiden im Zuhaus denkend, manchmal habe er durchs Fenster zum Zuhaus hinüber geschaut, ob da vielleicht Licht sei, aber er habe kein Licht gesehen, die beiden hatten aber doch gelacht, habe er sich gesagt, oder habe ich mich vielleicht getäuscht? fragte er sich und mit dieser Frage soll es draußen hell geworden sein. In letzter Zeit zermürben mich die unsinnigsten Gedanken, alles Ausflüchte aus der Tatsache, daß ich die Studie nicht aufschreiben kann, soll Konrad zu Wieser gesagt haben, könnte ich die Studie aufschreiben, hätte ich die Studie aufgeschrieben, alles wäre anders, alles wäre erleichtert in mir und das heißt, ich wäre die Gleichgültigkeit selbst, alt und gleichgültig, was für einen Zustand kann man als einen besseren bezeichnen?, so Konrad zu Wieser. Schließlich soll Konrad sich Wieser folgendermaßen anvertraut haben: gegen halb zwei Uhr sei er wieder einmal zum Zuhaus hinunter, aus Unachtsamkeit nur mit einem wie man weiß für diese Jahreszeit doch ungeeigneten Struxrock bekleidet, keine Kopfbedeckung, in Halbschuhen, man denke, und habe unter den Zuhausfenstern gehorcht, zuerst habe er nichts gehört, er habe gefroren, andererseits habe er sich aber zufolge der Aufregung, die ihm sein Horchen an der Zuhauswand verursacht habe, nicht verkühlt, denn ein in voller Aufmerksamkeit angespannter Körper verkühle sich nicht, Kopf und Körper seien, während Konrad, sich an die Zuhausmauer drückend, horchte, aufs Äußerste angespannt gewesen, nicht Neugierde, soll Konrad zu Wieser gesagt haben, hätte ihn zum Zuhaus hinuntergehen und an der Zuhauswand horchen lassen, Furcht, tatsächlich Furcht und ein großes, ihn beunruhigendes Mißtrauen diesem plötzlich eine solche beherrschende Rolle auf dem Kalkwerksareal spielenden Neffen Höllers gegenüber, diesem Menschen gegenüber, der hinter seinem, Konrads, Rücken im Zuhaus Unterschlupf, wahrscheinlich Unterschlupf vor dem Zugriff der Justiz gesucht habe, jeden von der Justiz Gesuchten, soll Konrad zu Wieser gesagt haben, hätte er mit größter Selbstverständlichkeit geschützt, versteckt, der Justiz entzogen, überhaupt gehöre niemandem mehr Sympathie seinerseits als den von der Justiz Verfolgten, die Justiz verfolge größtenteils Unschuldige, die Unschuldigsten, soll Konrad gesagt haben, die Ärmsten der Armen, jeden von der Justiz Gejagten habe man zu schützen, mit allen Mitteln, und wenn er, Konrad, sage, mit allen Mitteln, so bedeute das auch mit allen Mitteln, er kenne die Justiz, er sei selbst von der Justiz, wie er gesagt haben soll, mehrmals *geschändet* worden, die Justiz schände den einzelnen und also müsse man den einzelnen vor der Justiz schützen, aber vor dem Neffen Höllers habe er, Konrad, Angst, auch habe er das Gefühl, Höllers Neffe sei ja tatsächlich nicht hilflos und also zu schützen, sondern durch Niedertracht, nicht von Natur aus, gemeingefährlich, aber davon abgesehen, hörte Konrad auf einmal wieder, wie die beiden, Höller und sein Neffe, lachten, durch die Winterfenster sogar konnte Konrad das Lachen der beiden hören, sie mußten auf der Eckbank in der Küche sitzen, soll Konrad zu Wieser gesagt haben, in völliger Finsternis und es habe den Anschein gehabt, als redeten sie eine Zeitlang über etwas ihn, Konrad, Betreffendes, immer über das gleiche und lachten von Zeit zu Zeit darüber, Konrad war, infolge der Art und Weise der Unterhaltung der beiden, von welcher er allerdings kein einziges Wort habe verstehen, wenn auch alles hören können, war er darauf gekommen, bald der Überzeugung gewesen, daß die beiden sich tatsächlich über ihn unterhielten und es war ihm vorgekommen, als hätte er mehrere Male den Namen Konrad, abwechselnd *der Konrad* und *die Konrad,* gehört, also daß von ihm und von seiner Frau die Rede gewesen war, war ihm bald vollkommen klar gewesen, auch das Wort Kalkwerk und das Wort Vorhaus und schließlich das Wort Kassette glaubte Konrad gehört zu haben, schließlich sollen die beiden wieder gelacht haben, mittlerweile war es drei Uhr geworden, und dann plötzlich aufgestanden sein und wie Konrad hörte, daß sie aus der Küche ins Zuhausvorhaus hinaus gingen und, so Konrads Ansicht, im Begriffe gewesen waren, aus dem Zuhaus herauszugehen, habe sich Konrad schleunigst vom Zuhaus zurückgezogen, sei er von der Zuhauswand weg zum Kalkwerk gelaufen und rasch in sein Zimmer hinauf, nicht, ohne vorher alle, und das heißt wirklich alle, Riegel zuzuschieben, alle Schlösser zuzusperren. In seinem Zimmer soll er ziemlich atemlos gehorcht haben, ob er etwas von den beiden, von Höller und von dem Neffen des Höller, höre, aber er habe nichts mehr gehört, auch der Blick aus dem Fenster habe ihm nichts mehr als Finsternis gezeigt und schließlich soll sich Konrad, schon im Bett liegend, gefragt haben, ob das, was er sozusagen als ein unheimliches Erlebnis gerade überstanden gehabt hatte, auch tatsächlich wirklich gewesen wäre, denn es könnte ja sein, daß ich mir in Wirklichkeit alles das, was ich glaubte, gehört und gesehen zu haben, während ich an die Zuhauswand gedrückt gehorcht habe, nur vorgestellt habe; in dem Gedanken, daß er sich das alles nur vorgestellt habe, sei er schließlich eingeschlafen und in der Frühe aufgewacht. Möglicherweise haben der Höller und sein Neffe aber die ganze Nacht fest und tief geschlafen, habe er, Konrad, sich in der Frühe gedacht, sind vielleicht gar schon um sechs oder sieben am Abend zu Bett gegangen und ich habe mir alles das, was ich in so unheimlicher Erinnerung habe, nur vorgestellt. Seiner Frau erzählte er angeblich sein nächtliches Erlebnis bis in die kleinsten Details und sie meinte, daß ihr Mann infolge Überarbeitung, durch das fortgesetzte Experimentieren mit der urbantschitschen Methode so geschwächt sei, daß er ohne weiteres Erlebnisse wie das in der vorangegangenen Nacht haben könne, es handle sich aber um *Vorgestelltes,* um keine Wirklichkeit, soll die Konrad zu ihrem Mann gesagt haben, du hast nichts als Wahnvorstellungen, nichts als nur Wahnvorstellungen. Anstatt sich mit der Studie und also mit der Niederschrift der Studie zu beschäftigen, denke er meistens an alle nur möglichen, größtenteils ja schon das Absurde streifenden Ablenkungsarten, wie zum Beispiel aus dem Kalkwerk hinausgehen und mit dem Höller Holz hacken, mit dem Höller in den Wald gehen, Blochziehen, an im Zuhaus zu verrichtende Tischlerei, Besenbinderei, tatsächlich komme es mindestens jeden zweiten Tag, so Konrad zu Wieser, dazu, daß er sich warm anziehe, Arbeitskleidung anlege, wie sich Höller erinnere, und aus dem Kalkwerk hinausgehe, mit Gamaschen um die Knöchel, einer Wollhaube auf dem Kopf, in der langen Lederhose natürlich, in der Absicht, zu den Holzziehern zu gehen, verlasse er sogar das Kalkwerksareal, kehre aber dann doch gleich hinter dem Gestrüpp wieder um, weil ihm, was er vorhabe, unsinnig vorkomme, zurück zur Studie, denke er dann, zur Studie zurück, an den Schreibtisch, zurück zur Vernunft. Kaum sei er aber auf dem Wege zur Vernunft und also auf dem Weg zur Studie, zum Schreibtisch, zu dem Stoß Papier, den er sich für das Niederschreiben der Studie auf dem Schreibtisch bereitgelegt habe, zweifle er, ob es richtig sei, nicht zu den Holzfällern zu gehn und also etwas Unvernünftiges zu tun, sondern sich zum Hundertsten und Tausendsten Male am Schreibtisch zu versuchen und dieser Zweifel verstärke sich mit seinem Wiedereintreten ins Kalkwerk und werde größer und größer mit seiner Annäherung an die Studie, sei er in seinem Zimmer, habe er überhaupt keine Voraussetzung mehr zum Niederschreiben der Studie; jetzt ziehe er sich aber doch endgültig für den Tag aus und lege sich aufs Bett und sinniere, das heißt, versuche nicht zu verzweifeln, was ihm aber nicht gelinge, und er stehe wieder auf, gehe in seinem Zimmer hin und her und warte darauf, daß ihm seine Frau läutet. Läutet sie, gehe ich in ihr Zimmer und sie fragt, ob ich mit der Studie weitergekommen sei, wie immer verneine ich, indem ich auf ihre Frage ganz einfach keine Antwort gebe, soll Konrad zu Wieser gesagt haben, der Satz, *keine Antwort sei auch eine Antwort,* bewahrheite sich in dieser Beziehung zwischen ihnen täglich auf das unerhörteste. Überhaupt, soll er zu Wieser gesagt haben, seien ihm und seiner Frau die sogenannten Sprichwörter im Kalkwerk in der erschütterndsten Weise klar und zur tagtäglichen Wahrheit und Wirklichkeit und Härte geworden. Zu seiner Frau soll er immer wieder in letzter Zeit gesagt haben: in den Wald gehen, zu den Holzarbeitern, mit dem Höller in den Wald gehen oder: mit ihnen Blochziehen. Früher sei er täglich zu den

Holzarbeitern in den Wald gegangen, jetzt schon jahrelang nicht
mehr. Er habe, ohne daß ihm das bis in die jüngste Zeit zu Bewußtsein gekommen wäre, die sogenannten Kontrollgänge in den
Wald eingestellt. Ich gehe nicht mehr ins Sägewerk, ich gehe nicht
mehr ins Gasthaus, ich suche den Wieser nicht mehr auf, den Fro
nicht mehr, den Baurat suche ich nicht mehr auf, den Forstrat,
soll er zu seiner Frau immer wieder gesagt haben und: allein in
der bloßen Aufzählung derer, die er nicht mehr aufsuche, soll
Konrad zu Wieser gesagt haben, sei so viel Vorwurf gegen seine
Frau gewesen, daß sich alle übrigen Vorwürfe daneben erübrig-
ten. Die Studie und du, ihr bringt mich um, soll er in letzter Zeit
immer wieder zur Konrad gesagt haben. Oft denke er und das sei
ja auch kein Ausweg aus der mehr und mehr furchtbaren Situation, ob er nicht seine Korrespondenz erledigen solle, jahrelang
habe er keinen Brief, keine Karte mehr geschrieben, ein riesiger
Haufen unbeantworteter Briefe und Karten aus aller Herren
Ländern liege auf dem Kommodenkasten in seinem Zimmer,
auch die Kommodenladen seien vollgestopft mit unbeantworteten Briefen, so viele Leute hätten ihm von Zeit zu Zeit geschrieben, und zwar mit einer Hartnäckigkeit, die ihm unbegreiflich sei,
denn, beantwortet man eine Post nicht, bedeute das doch, daß
man mit dem Absender nichts mehr zu tun haben wolle, er beant-
wortete Hunderte und Tausende Karten und Briefe nicht mehr,
die Absender gaben aber durchaus keine Ruhe, soll Konrad zu
Wieser gesagt haben, sie schrieben immer wieder und immer wieder und wieder und erst, nachdem sie jahrelang keine Antwort
von ihm, Konrad, erhalten haben, hätten diese unzähligen Absender, zum Großteil Leute, die mir in tiefster Seele zuwider sind,
soll Konrad gesagt haben, Ruhe gegeben, ehrlich gesagt, soll er
gesagt haben, bekomme ich jetzt schon jahrelang keine Post
mehr, meine Frau bekommt noch Post, die unbedeutendste Post,
die man sich vorstellen kann, peinliche Briefe von ehemaligen
Bediensteten, beispielsweise, die zum Teil aus Anhänglichkeit,
zum Teil aus Erberwartung, zum Teil aber auch nur aus dem
Grunde, weil sich das jahrhundertelang gehört habe, schreiben,
sich ihr in Erinnerung bringen, mag sein, sagte Konrad angeblich

202

zu Wieser, daß der eine oder der andere ihr aus Mitleid schreibt, denn wissen Sie, soll Konrad gesagt haben, zum Unterschied von mir, der ich jede Art von Mitleid verachte, ja, hasse, anerkennt meine Frau das Mitleid sozusagen als Medikament selbst in der niedrigsten Form, in der Kartengrußform, während er ihr jahrelang ausgeredet habe, alle diese Briefe und Karten zu beantworten, weil das im Hinblick auf die mit der Studie zusammenhängende Anstrengung auch ihrerseits doch viel zu viel Mühe mache, habe sie sich über diesen seinen Einfluß hinweggesetzt und doch alle ihre Briefe und Karten, sämtliche Post, beantwortet und das heiße, durch ihn beantworten lassen, denn wie Sie wissen, lieber Wieser, ist meine Frau ja nicht imstande, einen Brief zu schreiben, sie sieht nichts und nimmt sie Bleistift oder Feder in die Hand, kann sie Bleistift und Feder nicht ruhig halten, augenblicklich ist sie die Nervöseste, ihr ganzer Körper lehne sich ja gegen ein Schreiben ihrerseits auf, also er müsse ihre Post in ihrem Namen beantworten, sie unterschreibe nur, er müsse die Antwortbriefe und -karten aufgeben, jedenfalls dafür sorgen, daß der Höller damit in den Ort hineingeht, außerdem koste die Post eine Menge Geld und gerade für Unsinnigkeiten, wie Briefe und Karten an völlig zwecklose Leute, die, seiner Schätzung nach, immer noch in die Hunderte gingen, hätten sie beide kein Geld mehr, aber wie gesagt, soll Konrad zu Wieser gesagt haben, ab und zu denke ich, ob ich selbst nicht plötzlich alle diese unbeantworteten Briefe und Karten an mich in und auf der Kommode beantworten solle, mich da und dort melden, wo man wahrscheinlich seit Jahren glaubt, ich sei längst tot, denn meldet sich ein Mensch wie ich längere Zeit nicht und auch nicht auf zwei oder gar drei Posten, nimmt man doch an, der Mensch sei gestorben, andererseits hörten sie, bin ich tot, davon, mir fällt ab und zu ein, ob es nicht doch ratsam sei, in was für einer Beziehung, wisse er nicht, sich hinzusetzen und alle diese Karten und Briefe zu beantworten, Kontakt wieder aufzunehmen mit allen diesen möglichen Leuten, von welchen er tatsächlich durch das völlige Unterbinden der Korrespondenz überhaupt nichts mehr wisse, also in Erfahrung zu bringen wenigstens, was mit diesen Leuten geschehen ist, die Neu-

gierde befalle ihn wie ein Fieber und tatsächlich setze er sich an den
Schreibtisch und denke, er werde die Korrespondenz mit den von
ihm vor den Kopf gestoßenen, weil ohne Angabe von Gründen
von ihm abgewiesenen, Korrespondenzpartnern wieder eröffnen,
aber während er sich Briefpapier herrichte und sich die Feder mit
Tinte fülle, denke er plötzlich, daß es doch dumm sei, zu korrespondieren, wo er doch genausogut die Studie niederschreiben
könne, in der gleichen Zeit, in welcher er sich den Kopf über ja
längst nicht mehr erwartete Antworten an halbvergessene Brief-
partner zerbreche, könne er ja mit der Niederschrift der Studie
anfangen, daß es besser sei, sich über das Aufschreiben der Studie
den Kopf zu zerbrechen, als über zu schreibende nutzlose Briefe,
Karten, und er gebe den Gedanken, die durch drei oder vier Jahre
absoluten Schweigens seinerseits unterbrochene Korrespondenz
wieder aufleben zu lassen, auf und entferne das Briefpapier von
seinem Schreibtisch und rücke den für die Niederschrift der Studie bestimmten Papierstoß wieder genau vor sich auf die Schreib-
tischplatte. Aber kaum habe er den für die Niederschrift bestimmten Papierstoß vor sich und also wieder ideale Verhältnisse
für die Studie, sei er unfähig, mit der Niederschrift anzufangen,
längere Zeit sitze er da und schaue den Papierstoß an, so lange,
bis ihm klar sei, daß er auch dieses Mal wieder nicht mit der Niederschrift anfangen kann, und dann rücke er wieder das Briefpapier vor sich hin und so gehe das mehrere Stunden, einmal liege
das Briefpapier, einmal der für die Niederschrift der Studie bestimmte Papierstoß vor ihm, dieses Papierstoßhinpapierstoßher,
Briefpapierhinbriefpapierher mache es ihm aber mit der Zeit
gänzlich unmöglich, tatsächlich mit der Niederschrift der Studie
anzufangen, wie auch die Korrespondenz zu eröffnen, und er er-
öffne weder die Korrespondenz, noch fange er mit der Niederschrift der Studie an und er gehe schließlich, wie in letzter Zeit
beinahe immer, in seinem Zimmer auf und ab, hin und her, kreuz
und quer und denke einmal an die Studie und einmal an die abge-
brochene Korrespondenz, an die niederzuschreibende Studie und
an die eventuell zu eröffnende Korrespondenz und er denke, eine
ungeheure Anzahl von Briefen hätte ich zu schreiben und diese

ungeheure Schwierigkeit, mit der Studie anzufangen, abwechselnd und denke, ich schreibe keine Briefe, ich schreibe die Studie nicht auf, weder die Briefe schreibe ich noch die Studie und er denke: in allen diesen Briefen müßte ich mich bedanken, immer die gleichen Dankeswörter schreiben, ein Brief wie der andere, und im Grunde seien in allen diesen Briefen nur Forderungen, Geldforderungen und andere Forderungen, Gemeinheiten, Niederträchtigkeiten, einerseits haben die Leute immer Geld haben wollen, andererseits Zuneigung, Befürwortungen, denke er und er könne also diese Briefe gar nicht beantworten, denn er habe weder Geld, noch Zuneigung, noch überhaupt das Geringste für diese Leute übrig. Alle diese Briefschreiber und Kartenschreiber erhofften sich irgend einen Vorteil von mir. Aber im Grunde sind alle diese Briefe hinterhältig und ohne Ausnahme haben diese Briefe und Karten nur die verdeckte oder versteckte oder gar die offen zutage getretene Infamie diktiert. Den ganzen Briefhaufen auf den Dachboden!, denke er, hinauf auf den Dachboden!, denke er und gleich fange er damit an, die Hunderte und Tausende Briefe und Karten auf einen Haufen zu werfen, man erstickt ja beinahe in dem Geruch solcher Hunderter und Tausender Briefe, soll er gesagt haben, gleichzeitig denke er, daß er eine ihn von der Studie ablenkende Beschäftigung habe, eine neue Beschäftigung, denn die Briefe auf einen Haufen zu werfen und dann nach und nach auf den Dachboden hinaufzutragen, sei durchaus etwas Neues zum Unterschied von den zwei, drei Dutzend sich jahrelang immer wiederholenden Beschäftigungen, wie zusammenkehren, aufwischen, Nägel aus den Wänden herausziehen, Schuheputzen, Sockenwaschen et cetera, vor welchen ihn im Grunde längst ekele, vor allen diesen grauenhaften Ablenkungsmanövern, und er packt einen Arm voll Briefe, hat Wieser gesagt, und schleppt ihn auf den Dachboden, wobei er sich, wie immer, bei seinem Eintritt in den Dachboden an dem großen Balken den Kopf anstößt, mit einer solchen Wucht, soll Konrad zu Wieser gesagt haben, daß ich glaube, ich habe mir die Schädeldecke gespalten, aber tatsächlich vergeht der Schmerz und die Verletzung ist schließlich die geringfügigste; mehrere Male, sagt

Wieser, schleppt er einen Haufen unbeantworteter Briefe und Karten auf den Dachboden, dabei denkend: diese ganze Korrespondenz ist ein großer Irrtum gewesen, wie überhaupt Korrespondieren ein Irrtum ist! Völlig erschöpft sei er schließlich, auch der letzte Brief ist auf den Dachboden geschleppt, er geht in sein Zimmer und legt sich sofort hin und natürlich war er jetzt zu schwach, um auch nur im mindesten an die Studie zu denken, vor Erschöpfung irritierte ihn jetzt angeblich nicht einmal der Umstand, der ihn jahrelang auf das empfindlichste irritiert haben soll, daß nämlich auf seinem Schreibtisch immer alles so hergerichtet ist, daß er jeden Augenblick mit dem Niederschreiben der Studie anfangen kann, und zu Wieser soll er gesagt haben: gerade weil ich immer sehe, du kannst jeden Augenblick mit der Niederschrift anfangen, alles ist auf deinem Schreibtisch für diesen Augenblick hergerichtet, auf diesen Augenblick bezogen, kann ich die Studie nicht niederschreiben. Er stehe in einem solchen Falle, wenn ihm der Gedanke, gerade durch den Anblick seines für die Studie präparierten Schreibtischs, mit der Niederschrift der Studie nicht anfangen zu können, unerträglich sei, auf und trinke ein Glas Wasser. Und ein zweites Glas Wasser in einem Zuge aus, noch während des Austrinkens aber denke er, ob er sich nicht durch zu rasches Austrinken des Glases fürchterlich verkühlt habe, denn tatsächlich verkühle man sich, trinke man ein Glas kalten Wassers zu rasch und also in einem Zuge aus, davor habe er immer in seinem Leben Angst gehabt, sich durch zu raschen Austrinken eines Wasserglases fürchterlich zu verkühlen, andererseits habe er sich dadurch in seinem Leben niemals verkühlt. Eine Woche bevor er seine Frau erschossen hat, habe er sich aber plötzlich tatsächlich eingebildet, sich durch zu rasches Austrinken eines Wasserglases verkühlt zu haben. Wieser sagt: er, Konrad, habe auf einmal nicht mehr sprechen können, er versuchte zu sprechen, konnte aber nicht. Zur Beruhigung sei er, Konrad, aus der Küche, wo er das Wasser getrunken hatte, wieder auf sein Zimmer gegangen, habe sich hingelegt, sei wieder aufgestanden, fortwährend in der Angst, durch diesen augenblicklichen Stimmverlust möglicherweise nicht in der urban-

tschitschen Methode fortfahren zu können, daß durch den
Stimmverlust das Experimentieren auf einmal ein Ende haben
könnte. Und dadurch verliere er vielleicht gar nach und nach die
Beziehung nicht nur zur urbantschitschen Methode, sondern
schließlich auch zur Studie. Mehrere Male soll er zu sprechen
versucht haben, vergeblich. Man könne sich das gespielte Entset-
zen, die ehrliche Erleichterung, insgeheime Freude seiner Frau
über die Tatsache, daß er auf einmal sprachlos sei, vorstellen, soll
Konrad zu Wieser gesagt haben, sei sie mit der Tatsache, daß
Konrad die Stimme verloren habe, konfrontiert. Aber auf einmal,
genauso schnell wie sie weggewesen war, war seine Stimme wieder dagewesen, plötzlich habe ich wieder reden können, ich erinnere mich genau, soll Konrad zu Wieser gesagt haben, auf einmal
habe ich *natürlich* gesagt, das Wort *natürlich,* und ich habe gedacht, daß der plötzliche Verlust meiner Stimme wahrscheinlich
mit meiner Augenschwäche zusammenhängt, jetzt, habe ich gedacht, verliere ich abwechselnd die Stimme, sehe ich abwechselnd
nichts, Stimmschwäche und Augenschwäche wechseln von heute
an ab. Während er aber glaubte, jetzt, nachdem er wieder sprechen und zwar ganz normal sprechen hat können, sofort in das
Zimmer seiner Frau hinaufstürzen zu müssen, um mit ihr in der
urbantschitschen Methode weiterzuarbeiten, sprang er doch
nicht, wie das sonst seine Art gewesen sein soll, abrupt auf, sondern blieb liegen, sagt Wieser, und Konrad dachte: jetzt sind wir
beide in dem Maße hilfebedürftig, in welchem Hilfe beinahe nicht
mehr möglich ist. Es sei alles nurmehr noch Unzulänglichkeit und
Gebrechlichkeit. Einen anderen als ihn habe sie, seine Frau, sich
verdient, soll er zu Wieser gesagt haben, habe er gedacht, nicht
mich, nicht mich, nicht mich, soll Konrad mehrere Male gesagt,
immer wieder gesagt haben. Aber gerade die hilfebedürftigste
Frau, die den hilfreichsten Menschen verdiente, habe sich ihm,
Konrad, ausgeliefert, denn wie sie geheiratet haben, da wäre sie
ja längst krank und verkrüppelt gewesen, soll Konrad zu Wieser
gesagt haben, schon Jahre bevor sie heirateten, habe sich die
Krankheit angekündigt, schon vor der Heirat sei die Krankheit
plötzlich in ihrer ganzen Fürchterlichkeit in ihr zum Ausbruch

gekommen, er, Konrad, habe seine Frau aber schon als schwer kranke und verkrüppelte geheiratet, obwohl er, wie er Wieser gegenüber gesagt haben soll, gewußt habe, daß diese ihre Krankheit und Verkrüppelung unheilbar seien. Er, Konrad, habe sich selbst nicht erklären können, warum er eine Kranke und Verkrüppelte, deren Krankheit und Verkrüppelung sich aller Wahrscheinlichkeit nach, wie er damals genau gewußt haben wollte, jährlich verschlimmern wird, heiratete, ja, gerade weil sie krank und verkrüppelt, also verkrüppelt durch ihre Krankheit die Hilfsbedürftigste gewesen war, habe er sie geheiratet, eine Frau, die vollkommen auf mich angewiesen ist, heirate ich, habe er, Konrad, damals überlegt gehabt, und: die mich einerseits braucht, haben muß, ohne mich nicht existieren kann, oder wenigstens glaubt, ohne mich nicht existieren zu können, die mir andererseits aber bedingungslos für meine Zwecke, und das heißt, für meine Wissenschaft, zur Verfügung steht, die ich, wenn es sein muß, wenn es, wie Konrad zu Wieser gesagt haben soll, wenn es die wissenschaftlichen Umstände erfordern, mißbrauchen kann. Aber zurück in sein Zimmer, in welchem er, Konrad, sich nach und nach mit dem Gedanken vertraut gemacht und mit der Tatsache abgefunden habe, zu der immer wiederkehrenden Augenschwäche, von welcher schon die Rede gewesen ist, auch noch zeitweiligen völligen Stimmverlust erleiden zu müssen, denn das sei ihm, auf seinem Bett liegend, vollkommen klar gewesen, der augenblickliche völlige Stimmverlust ist nicht auf das Austrinken des Wasserglases zurückzuführen gewesen, das hatte er nur einen Moment lang gedacht, der Zusammenhang zwischen dem Wassertrinken und dem Stimmverlust war andererseits der naheliegendste, sondern dieser plötzliche Stimmverlust ist wie die Augenschwäche, die genau zu erklären, deren Ursache genau anzugeben, ja auch unmöglich sei, eine ebenso unerklärliche Organschwäche von innen heraus, und das heißt von seinem Kopfe aus, in welchem sich, wie er zu Wieser gesagt haben soll, noch ganz andere, tatsächlich viel verheerendere Gebrechen vorbereiteten, darüber bestehe kein Zweifel: von seinem Kopfe würden in der kürzesten Zeit Organschwächen, sogenannte Organstillegungen, ausgelöst werden, deren Auswirkungen unter Umständen schon sehr bald tödliche sein könnten. Er, Konrad, glaube nicht daran, noch länger als nur ein paar Jahre zu leben, soll er acht Tage, bevor er seine Frau erschossen hat, gesagt haben. Nun, an dem Tag, an welchem er zum erstenmal völlig seine Stimme verloren hatte, sei er stundenlang auf seinem Bett gelegen, manchmal habe er gedacht, warum läutet sie (seine Frau) nicht, aus was für einem Grund läutet sie nicht?, aber in Wahrheit habe er nur daran gedacht, wie ihr nicht sagen, daß ich jetzt zusätzlich zur Augenschwäche auch noch immer wieder mit völligem Stimmverlust zu rechnen habe, denn er habe nicht die Absicht gehabt, ihr von dem neuen Gebrechen Mitteilung zu machen, er habe dabei nicht an Schonung ihrer Person gedacht, nur daran, ihr keinerlei Veranlassung zu geben, ihn von der Arbeit mit der urbantschitschen Methode abzubringen, in Zusammenhang mit der Studie seine Position zu schwächen. Sogenannte Spasmen, habe er zu Wieser gesagt, also abwechselnd könne er nicht sehen und nicht sprechen, möglicherweise einmal zur gleichen Zeit weder sehen noch sprechen, für kurze Augenblicke, soll Konrad gesagt haben, und natürlich kann es sein, daß ich einmal längere Zeit nichts sehe oder längere Zeit nichts sprechen kann oder längere Zeit weder sehe noch sprechen kann, aber das Wichtigste ist doch, soll er gesagt haben, daß ich höre, und er höre vorzüglich, allerdings warte er nur darauf, auf einmal auch nichts mehr zu hören, aber gerade die Anwendung der urbantschitschen Methode, das unaufhörliche Experimentieren mit allem, was mit dem Gehör zusammenhänge, verhindere plötzliche Gehörschwäche, plötzliche Gehörlosigkeit, andererseits, soll er zu Wieser gesagt haben, könne gerade durch unaufhörliche Anwendung der urbantschitschen Methode und durch unaufhörliches Experimentieren mit dem Gehör das Gehör plötzlich auslassen, es funktioniert plötzlich nicht mehr, natürlich, durch fortgesetzte Überbeanspruchung funktioniert auf einmal das Gehör nicht mehr und setzt aus, und Wieser denke, ob Konrad nicht in der Nacht, in welcher er seine Frau umgebracht hat, eine Gehörschwäche gehabt habe, durchaus könne es sein, daß Konrad in dieser Nacht zum erstenmal eine Gehörschwäche gehabt habe, daran glaube er fest: Konrad sei in der sogenannten Mordnacht von der ersten Gehörschwäche befallen worden. Zu Fro, mit dem ich heute die Lebensversicherung habe abschließen können, soll Konrad gesagt haben, der Fehler sei gewesen, immer eine noch günstigere, immer die günstigste Ausgangsposition für die Niederschrift der Studie abzuwarten, dadurch, daß er immer wieder geglaubt habe, in wenigstens akzeptabler Zukunft trete auf einmal die ideale oder gar die idealste Konstellation für die Niederschrift der Studie ein, habe er mehr und mehr Zeit, wie er, Konrad, sich ausgedrückt haben soll, die wichtigste Zeit verloren, schließlich müsse er jetzt, tatsächlich am Ende seiner Kräfte (!), einsehen, daß er sage und schreibe zwei oder gar drei Jahrzehnte lang vergeblich auf den idealen Moment, die Studie niederschreiben zu können, gewartet habe, kurz vor dem Unglück (so bezeichnet Fro die Erschießung der Konrad durch ihren Mann) soll Konrad zu Fro gesagt haben, sei er sich der Tatsache bewußt, daß es überhaupt keinen idealen, geschweige denn idealsten Augenblick, die Studie niederschreiben zu können, gebe, weil es niemals und in keiner Sache und in nichts den idealen, geschweige denn den idealsten Moment oder Augenblick oder Zeitpunkt überhaupt geben könne. Wie Tausende vor ihm, sei auch er dem Wahnsinn zum Opfer gefallen, eines Tages, in einem einzigen Augenblick, in dem sogenannten optimalen Zeitpunkt dafür, die Studie durch folgerichtige konzentrierte Niederschrift verwirklichen zu können. Weder in Stein, in der Strafanstalt, noch in Niedernhardt, in der Irrenanstalt, werde er an die Niederschrift gehen können, die Studie Konrads sei, wie Konrad selbst, verloren (Wieser), ein, wie man annehmen müsse, so Fro auf einmal plötzlich umschwenkend, ungeheueres Lebenswerk, vernichtet. Versagen durch ständig hinausgezögerte Realisierung einer als Idee im Grunde gänzlich und das heißt fehlerlos in seinem Kopfe vorhandenen Sache wie seiner Studie, ein vollkommenes phantastisches wissenschaftliches Werk im Gehirn weder durch Mut, noch durch beispiellose Entschlossenheit und letzten Endes auch nicht durch das Mittel der intellektuellen Kühnheit endgültig, und das heißt durch Niederschrift auf dem Papier, auch für die Außenwelt und für die Fach- und für die Nachwelt zu verwirklichen, sei das Deprimierendste. An Rücksichtslosigkeit auch oder gerade gegen sich selber habe es ihm im Hinblick auf die Studie in diesen einerseits, wie er selbst sich ausgedrückt haben soll, demütigend in die Länge gezogenen, andererseits erschreckend kurzen Jahrzehnten, nicht gemangelt, aber das Wichtigste habe ihm gefehlt: Furchtlosigkeit vor Realisierung, vor Verwirklichung, Furchtlosigkeit einfach davor, seinen Kopf urplötzlich von einem Augenblick auf den andern auf das rücksichtsloseste um- und also die Studie auf das Papier zu kippen.

Thomas Bernhard
im Suhrkamp und im Insel Verlag

Werke in 22 Bänden. Herausgegeben von Martin Huber und Wendelin Schmidt-Dengler. Bisher erschienen: Bd. 1: Frost. Bd. 2: Verstörung. Bd. 3: Das Kalkwerk. Bd. 4: Korrektur. Bd. 5: Beton. Bd. 6: Der Untergeher. Bd. 7: Holzfällen. Bd. 8: Alte Meister. Bd. 9: Auslöschung. Bd. 10: Die Autobiographie. Bd. 11: Erzählungen 1 (In der Höhe. Amras. Der Italiener. Der Kulterer). Bd. 12: Erzählungen 2 (Ungenach. Watten. Gehen). Bd. 13: Erzählungen 3. Bd. 14: Erzählungen. Kurzprosa. Bd. 15: Dramen 1. Bd. 21: Gedichte. Bd. 22: Der öffentliche Bernhard.

Alte Meister. Komödie. st 1553 und BS 1120. 311 Seiten

Alte Meister. Komödie. Graphic Novel. Illustrationen von Nicolas Mahler. 158 Seiten

Amras. st 1506. 99 Seiten

Amras. Mit einem Kommentar von Bernhard Judex. SBB 70. 143 Seiten

An der Baumgrenze. BS 1453. 105 Seiten

Auslöschung. Ein Zerfall. st 1563. 651 Seiten

Aus Opposition gegen mich selbst. Ein Lesebuch. Herausgegeben von Raimund Fellinger. st 4211. 368 Seiten

Argumente eines Winterspaziergängers. Und ein Fragment zu »Frost«: Leichtlebig. Mit dem Faksimile des Leichtlebig-Typoskripts. Gebunden. 146 Seiten

NF 462/1/09.13

NF 462/3/09.13

Materialien zu Thomas Bernhard

Antiautobiographie. Zu Thomas Bernhards »Auslöschung«.
Herausgegeben von Hans Höller und Irène Heidelberger-
Leonard. st 2488. 250 Seiten

Thomas Bernhard und Frankfurt. Der Autor und sein Ver-
leger. Herausgegeben von Martin Huber. 18 Seiten. Broschur

Thomas Bernhard. Leben. Werk. Wirkung. Von Manfred
Mittermayer. Suhrkamp BasisBiographien 11. 160 Seiten

Thomas Bernhard. Werkgeschichte. Herausgegeben von
Jens Dittmar. Aktualisierte Auflage. st 2002. 496 Seiten

**Thomas Bernhard und seine Lebensmenschen. Der Nach-
laß.** Herausgegeben von Martin Huber, Manfred Mittermayer
und Peter Karlhuber. Mit zahlreichen Abbildungen und
Faksimiles. 208 Seiten. Broschur

suhrkamp taschenbücher
Eine Auswahl

Isabel Allende
- Das Geisterhaus. Übersetzt von Anneliese Botond.
  st 1676. 500 Seiten
- Die Insel unter dem Meer. Roman. Übersetzt von
  Svenja Becker. st 4290. 552 Seiten
- Inés meines Herzens. Roman. Übersetzt von Svenja Becker.
  st 4035. 394 Seiten. st 4062. Großdruck. 620 Seiten
- Das Siegel der Tage. Roman. Übersetzt von Svenja Becker.
  st 4126. 409 Seiten

Antonia Baum
- Vollkommen leblos, bestenfalls tot. st 4413. 239 Seiten

Jurek Becker
- Amanda herzlos. Roman. st 2295. 384 Seiten
- Jakob der Lügner. Roman. st 774. 283 Seiten

Louis Begley
- Lügen in Zeiten des Krieges. Roman. Übersetzt von Christa
  Krüger. st 2546. 223 Seiten
- Der Fall Dreyfus. Teufelsinsel, Guantánamo, Alptraum der
  Geschichte. st 4304. 248 Seiten

Stefan Berg
- Zitterpartie. Eine Erzählung. st 4418. 128 Seiten

Thomas Bernhard
- Alte Meister. Komödie. st 1553. 311 Seiten
- Alte Meister. Komödie. Gezeichnet von Nicolas Mahler.
  Graphic Novel. st 4293. 158 Seiten
- Ein Lesebuch. Herausgegeben von Raimund Fellinger.
  st 3165. 112 Seiten

Lily Brett
- Einfach so. Roman. Übersetzt von Anne Lösch.
  st 3033. 446 Seiten.
- Chuzpe. Übersetzt von Melanie Walz. st 3922. 334 Seiten

Truman Capote
- Die Grasharfe. Roman. Übersetzt von Annemarie Seidel
  und Friedrich Podszus. st 1796. 208 Seiten.

Marguerite Duras
- Der Liebhaber. Übersetzt von Ilma Rakusa.
  st 1629. 194 Seiten.

Hans Magnus Enzensberger
- Der Fliegende Robert. Gedichte, Szenen, Essays.
  st 1962. 350 Seiten
- Hammerstein oder Der Eigensinn. Eine deutsche
  Geschichte. st 4095. 378 Seiten

Louise Erdrich
- Der Club der singenden Metzger. Roman. Übersetzt von
  Renate Orth-Guttmann. st 3750. 503 Seiten
- Solange du lebst. Roman. Übersetzt von Chris Hirte.
  st 4267. 396 Seiten

Philippe Grimbert. Ein Geheimnis. Roman. Übersetzt von
Holger Fock und Sabine Müller. st 3920. 154 Seiten

Peter Handke
- Immer noch Sturm. st 4323. 165 Seiten
- Die morawische Nacht. Erzählung. st 4108. 560 Seiten
- Mein Jahr in der Niemandsbucht. st 3084. 632 Seiten

Hermann Hesse
- Der Steppenwolf. Roman. st 175. 288 Seiten
- Siddhartha. Eine indische Dichtung. st 182. 136 Seiten
- Unterm Rad. Materialienband. st 3883. 315 Seiten

Reginald Hill. Rache verjährt nicht. Roman. st 4390. 684 Seiten

Daniel Kehlmann. Ich und Kaminski. Roman. st 3653. 174 Seiten.

Jörn Klare
- Als meine Mutter ihre Küche nicht mehr fand. Vom Wert des Lebens mit Demenz. st 4401. 250 Seiten
- Was bin ich wert? Eine Preisermittlung. st 4262. 274 Seiten

Sibylle Lewitscharoff
- Apostoloff. Roman. st 4180. 248 Seiten
- Blumenberg. Roman. st 4399. 221 Seiten
- Montgomery. Roman. st 4321. 346 Seiten

Nicolas Mahler
- Alice in Sussex. Frei nach Lewis Carroll und H. C. Artmann. Graphic Novel. st 4386. 143 Seiten
- Thomas Bernhard: Alte Meister. Komödie. Gezeichnet von Nicolas Mahler. Graphic Novel. st 4293. 158 Seiten

Andreas Maier
- Das Haus. Roman. st 4416. 165 Seiten
- Onkel J. Heimatkunde. st 4261. 132 Seiten
- Sanssouci. Roman. st 4165. 298 Seiten
- Wäldchestag. Roman. st 3381. 315 Seiten
- Das Zimmer. Roman. st 4303. 203 Seiten

Cees Nooteboom
- Allerseelen. Roman. Übersetzt von Helga van Beuningen. st 3163. 440 Seiten

- Roter Regen. Leichte Geschichten. st 4246. 239 Seiten.
- Schiffstagebuch. Ein Buch von fernen Reisen. st 4362.
  283 Seiten

Amos Oz. Eine Geschichte von Liebe und Finsternis. Roman.
Übersetzt von Ruth Achlama. st 3788 und st 3968. 829 Seiten

Ralf Rothmann
- Feuer brennt nicht. Roman. st 4173. 304 Seiten
- Junges Licht. Roman. st 3754. 236 Seiten
- Milch und Kohle. Roman. st 3309. 210 Seiten
- Shakespeares Hühner. Erzählungen. st 4434. 212 Seiten
- Stier. Roman. st 2255. 384 Seiten

Judith Schalansky
- Blau steht dir nicht. Matrosenroman. st 4284. 139 Seiten
- Der Hals der Giraffe. Bildungsroman. st 4388. 222 Seiten

Andrzej Stasiuk
- Dojczland. st 4316. 92 Seiten
- Hinter der Blechwand. Roman. st 4405. 349 Seiten
- Kurzes Buch über das Sterben. Geschichten.
  Übersetzt von Renate Schmidgall. Gebundene Ausgabe.
  st 4421. 111 Seiten

Uwe Tellkamp
- Der Eisvogel. Roman. st 4161. 318 Seiten
- Der Turm. Roman. st 4160. 976 Seiten

Hans-Ulrich Treichel
- Grunewaldsee. Roman. st 4244. 237 Seiten
- Menschenflug. Roman. st 3837. 234 Seiten
- Der Verlorene. Erzählung. st 3061. 175 Seiten

NF 266a/4/04.13